14일 완성
학습 계획표

KB043300

- 정해진 일정과 ~~~~
- 교과 학습은 물론 기초학력 진단평가까지 체계적으로 대비할 수 있습니다.
- 오늘 나의 학습은 만족스러웠는지 매일 각각의 표정에 체크해 보세요.

확인

1일차 | 1 월 28 일

| 국어 1학기 | ·핵심 정리 | V |
| | ·확인 문제 | V |

11일차 | 2 월 12 일

| 국어 V | 수학 V | 사회 V |
| 과학 | 영어 | |

확인

출발

핵심 정리 + 확인 문제

1일차 월 일

| 국어 1학기 | ·핵심 정리 ☐ |
| | ·확인 문제 ☐ |

확인

2일차 월 일

| 국어 2학기 | ·핵심 정리 ☐ |
| | ·확인 문제 ☐ |

확인

3일차 월 일

| 수학 1학기 | ·핵심 정리 ☐ |
| | ·확인 문제 ☐ |

확인

7일차 월 일

| 과학 1학기 | ·핵심 정리 ☐ |
| | ·확인 문제 ☐ |

확인

6일차 월 일

| 사회 2학기 | ·핵심 정리 ☐ |
| | ·확인 문제 ☐ |

확인

5일차 월 일

| 사회 1학기 | ·핵심 정리 ☐ |
| | ·확인 문제 ☐ |

확인

4일차 월 일

| 수학 2학기 | ·핵심 정리 ☐ |
| | ·확인 문제 ☐ |

확인

8일차 월 일

| 과학 2학기 | ·핵심 정리 ☐ |
| | ·확인 문제 ☐ |

확인

9일차 월 일

| 영어 1학기 | ·핵심 정리 ☐ |
| | ·확인 문제 ☐ |

확인

10일차 월 일

| 영어 2학기 | ·핵심 정리 ☐ |
| | ·확인 문제 ☐ |

확인

모의 평가

11일차 월 일

| 국어 ☐ | 수학 ☐ | 사회 ☐ |
| 과학 ☐ | 영어 ☐ | |

확인

12일차 월 일

| 국어 ☐ | 수학 ☐ | 사회 ☐ |
| 과학 ☐ | 영어 ☐ | |

확인

13일차 월 일

| 국어 ☐ | 수학 ☐ | 사회 ☐ |
| 과학 ☐ | 영어 ☐ | |

확인

실전 문제

14일차 월 일

| 국어 ☐ | 수학 ☐ | 사회 ☐ |
| 과학 ☐ | 영어 ☐ | |

확인

도착!

해.보.자.구-!

시험 대비 공부법

1년 동안 배운 교과 내용을 제대로 알고 바르게 이해해야
다음 학년이 되어서도 공부를 잘할 수 있겠죠?
그래서 학년 말에는 총정리 학습이 꼭 필요하답니다.
새 학년이 되면 선생님들께서는 학생들의 학력 수준을 평가하고
그 결과를 반영하여 교과 학습을 지도하게 됩니다.
따라서 학년 말 총정리 학습은 기초학력 진단평가에도
대비할 수 있어 일석이조의 효과가 있습니다.

아자!
아자!

교과서 핵심 내용을 눈여겨보세요!

지난 1년 동안 배운 교과 내용을 훑어보면서 이미 알고 있는 내용은 다시
한번 확인하고, 잘 모르거나 자신 없는 내용은 완벽하게 이해하고 넘어가
야 합니다.

과목에 맞는 공부 방법을 알아 두세요!

국어와 영어는 교과서 지문을 꼼꼼히 읽는 게 중요합니다. 수학은 무작정
공식을 외우기보다는 연습 문제를 차근차근 풀면서 문제 응용력을 키우는
게 효과적인 공부 방법입니다. 사회, 과학은 도표나 사진 등을 주의 깊게
보고 분석하는 능력을 기르는 게 중요합니다.

실제 시험을 치르듯이 미리 연습해 보세요!

정해진 시간 안에 문제를 다 풀고 컴퓨터용 사인펜으로 OMR 답안지까지
모두 작성해야 합니다. 실제 시험을 치르듯이 미리 연습하지 않으면 시험
시간에 허둥대다가 실수하기 쉽습니다. 따라서 문제 풀이 시간과 OMR 답
안지 작성 방법을 미리미리 알아 두어야 합니다.

차례

핵심 정리 ＋ 확인 문제

과목마다 1학기, 2학기로 나누어서
핵심 정리와 확인 문제를 수록하였습니다.
핵심 정리로 개념을 이해하고, 확인 문제로 실력을 점검하세요.

1 생각과 느낌을 나누어요

(1) 시를 읽고 생각이나 느낌 나누기

① 무엇을 표현하려고 했는지 생각하며 시를 읽습니다.

② 시에 대한 자신의 생각이나 느낌을 여러 가지 방법으로 표현해 봅니다.
　⑩ 오행시 짓기, 몸으로 표현하기, 그림으로 표현하기, 인물이 되어 말하기

(2) 이야기를 읽고 일어난 일에 대한 의견 나누기

① 일어난 일에 대한 인물의 마음을 정리해 봅니다.

② 인물의 말이나 행동에 대한 자신의 생각을 말해 봅니다.

③ 일어난 일에 대한 자신의 의견과 그렇게 생각한 까닭을 말해 봅니다.
　어떤 일이나 대상에 대한 생각　　그런 생각을 하게 된 원인이나 근거

2 내용을 간추려요

(1) 글의 내용을 간추리는 방법

① 문단의 중심 문장을 찾습니다.

② 문장을 이어 주는 말을 찾습니다.

③ 중심 문장을 연결해 글 전체의 내용을 간추립니다.
　→ ⑩ 그리고, 그러나, 그래서

(2) 이야기의 흐름에 따라 내용 간추리기

① 사건이 일어난 시간의 흐름에 따라 내용을 정리합니다.

② 사건이 일어난 장소의 변화에 따라 내용을 정리합니다.

⑩「나무 그늘을 산 총각」의 내용 간추리기

시간	어느 더운 여름날	그날 오후	그날 저녁	다음 날 이후
장소	욕심쟁이 영감의 집 앞 느티나무 그늘	욕심쟁이 영감의 집 마당과 안방	욕심쟁이 영감의 집	욕심쟁이 영감의 집과 느티나무 그늘
사건	총각이 욕심쟁이 영감에게 나무 그늘을 삼.	총각은 그늘을 따라 욕심쟁이 영감의 집 마당과 안방으로 들어감.	그늘이 사라지자 총각이 집으로 돌아감.	총각이 동네 사람들을 그늘로 부르자 욕심쟁이 영감이 마을을 떠남.

(3) 글의 전개에 따라 내용 간추리기
　→ ⑩ 주장하는 글: 문제점 파악하기 – 해결 방안, 실천 방법 제안하기

① 글을 읽고 내용이 어떻게 전개되는지 살펴봅니다.

② 문단의 중심 문장이나 중심 내용을 찾습니다.

③ 글의 전개에 따라 전체 글의 내용을 정리해 간추립니다.

3 느낌을 살려 말해요

(1) 표정, 몸짓, 말투를 사용해 말할 때 주의할 점

① 듣는 사람에게 맞아야 합니다.

② 표정, 몸짓, 말투가 서로 어울려야 합니다.

③ 사용하려는 목적을 생각해야 합니다.
　⑩ 겪은 일을 설명할 때, 다른 사람을 설득할 때, 감정을 표현할 때

(2) 듣는 사람을 고려해 상황에 맞게 말하기

① 듣는 사람이 누구인지, 듣는 장소가 어디인지 생각합니다.
　→ 장소에 따라 알맞은 크기의 목소리로 말해야 함.

② 듣는 사람에게 말할 내용을 정리해 봅니다.

③ 듣는 사람이 이해하기 쉬운 말로 말합니다.

④ 내용에 알맞은 표정, 몸짓, 말투를 사용하여 말합니다.

(3) 읽는 사람을 위해 글을 쓸 때 고려할 점

① 읽는 사람의 나이를 고려해야 합니다.
　　　　　　　　　　　　　　　　　　　읽는 사람이 이
② 내용을 잘 알고 있는지 살펴봐야 합니다.　해할 수 있고 관
　　　　　　　　　　　　　　　　　　　심을 보일 만한
③ 읽는 사람의 처지를 생각해 보고 써야 합니다.　내용을 써야 함.

④ 기분이 상하지 않도록 예의를 지켜야 합니다.

4 일에 대한 의견

(1) 글을 읽고 사실과 의견 구별하기

사실	현재에 있는 일이나 실제로 있었던 일 ⑩ 우리는 울릉도에 가서 다시 독도로 가는 배를 탔다.
의견	어떤 사실이나 대상에 대한 생각 ⑩ 독도에서 동해를 바라보니 가슴이 탁 트이는 것 같았다.

(2) 사실에 대한 의견 말하기

① 사실과 의견을 생각하며 글을 읽습니다.

② 글에 나타난 사실과 의견을 구별해 봅니다.

③ 새롭게 안 사실과 그것에 대한 의견을 써 봅니다.

④ 자신의 의견을 말하고 친구들과 비교해 봅니다.
　같은 사실에 대해서도 사람마다 의견이 다르다는 것을 알 수 있음.

5 내가 만든 이야기

(1) 이야기를 읽고 사건의 흐름을 파악하는 방법

① 이야기에 나타난 인물, 장소, 일어난 일을 찾습니다.

② 이야기에서 일어난 중요한 일을 찾습니다.

③ 일이 일어난 차례를 살핍니다.

(2) 이야기의 흐름 이해하기

① 일어난 일을 차례대로 정리해 봅니다.

② 일어난 일을 처음, 가운데, 끝으로 정리해 봅니다.

③ 이야기의 흐름에 따라 생각이나 느낌을 말해 봅니다.

(3) 이야기의 주제 찾기
　→ 이야기에서 나타내려고 하는 생각
① 제목으로 글쓴이의 생각을 짐작해 봅니다.

② 인물의 말과 행동, 일어난 일 등 주제가 드러난 부분이나 장면을 찾아봅니다.

(4) 이야기를 읽고 이어질 내용 상상해 쓰기

① 사건의 흐름에 맞게 이어질 내용을 상상해야 합니다.

② 이야기의 처음, 가운데, 끝을 생각하고 써야 합니다.

③ 사건들 사이에 원인과 결과 관계가 있어야 합니다.
　이야기의 흐름이 자연스럽고 이야기 앞부분에 나온 내용과도 어울려야 함.

국어 1학기

1. 생각과 느낌을 나누어요 ~ 5. 내가 만든 이야기

확인 문제

[01~03] 다음 시를 읽고 물음에 답하시오.

몰래
겨울을 녹이면서
봄비가 내려와 앉으면

꽃씨는
땅속에 살짝 돌아누우며
눈을 뜹니다.

봄을 기다리는 아이들은
쏘옥
손가락을 집어넣어 봅니다.

꽃씨는 저쪽에서
고개를 빠끔
얄밉게 숨겨 두었던
파란 손을 내밉니다.

관련 단원 | 1. 생각과 느낌을 나누어요

01 꽃씨를 눈 뜨게 하는 것은 무엇입니까?　　　(　　　)

① 겨울　　　② 봄비　　　③ 땅속
④ 아이들　　　⑤ 손가락

관련 단원 | 1. 생각과 느낌을 나누어요

02 친구들이 이 시에 대한 생각이나 느낌을 말한 것입니다. 빈칸에 들어갈 알맞은 말은 무엇입니까?　　　(　　　)

봄비가 내려와 앉는다고
하니까 비가 □□같이
느껴져.

난 봄비가 내려와 앉는다고
해서 새를 떠올렸어.

① 꽃씨　　　② 날씨　　　③ 우산
④ 사람　　　⑤ 자연

||중요||
관련 단원 | 1. 생각과 느낌을 나누어요

03 02와 같이, 이 시에 대한 생각이나 느낌이 서로 다른 까닭을 모두 고르시오.　　　(　　，　　)

① 경험이 서로 달랐기 때문이다.
② 반복되는 표현이 있기 때문이다.
③ 모양을 흉내 내는 말을 사용했기 때문이다.
④ 시에서 일어나는 일을 다르게 생각했기 때문이다.
⑤ 시에서 재미를 느낀 부분이 서로 달랐기 때문이다.

||중요||
관련 단원 | 2. 내용을 간추려요

04 설명하는 글의 내용을 간추리는 순서대로 기호를 쓰시오.

㉮ 문장을 이어 주는 말을 찾는다.
㉯ 각 문단에서 중심 문장을 찾는다.
㉰ 중심 문장을 연결해 글 전체의 내용을 간추린다.

(　　　) → (　　　) → (　　　)

[05~06] 다음 글을 읽고 물음에 답하시오.

오늘 하루는 전국적으로 맑은 날씨가 되겠습니다. 서울, 춘천은 19도, 강릉, 청주, 전주 등은 20도까지 낮 기온이 올라가겠습니다. 일요일에도 산책하기 좋은 날씨가 되겠습니다. 서울, 춘천은 20도, 청주와 진주 등은 21도의 따뜻한 날씨가 예상됩니다. 하지만 아침저녁으로는 5도에서 6도의 쌀쌀한 날씨가 예상됩니다. 일교차가 크니 감기에 걸리지 않도록 조심하세요.

관련 단원 | 2. 내용을 간추려요

05 다음은 일요일에 춘천으로 나들이를 갈 친구가 쓴 내용입니다. 빈칸에 들어갈 알맞은 내용은 무엇입니까?　　　(　　　)

• 오늘 날씨: 전국적으로 맑음.
• 일요일 날씨: – 산책하기 좋은 날씨
　　　　　　　　– 춘천 낮 기온 20도
　　　　　　　　– 　　　　　　

① 강릉 낮 기온 20도
② 전주 산책하기 좋음.
③ 청주 낮 21도 따뜻함.
④ 진주 아침 5도 쌀쌀함.
⑤ 아침저녁으로 기온 차가 큼.

관련 단원 | 2. 내용을 간추려요

06 날씨 정보를 들으면서 중요한 내용을 간추려 쓰면 좋은 점을 두 가지 고르시오.　　　(　　，　　)

① 나중에 기억하기 쉽다.
② 글을 읽는 속도가 빨라진다.
③ 낱말의 정확한 뜻을 알 수 있다.
④ 뜻이 비슷한 낱말을 떠올릴 수 있다.
⑤ 중요한 내용을 빠짐없이 기억할 수 있다.

||중요||
관련 단원 | 3. 느낌을 살려 말해요

07 다음과 같은 말하기 상황에 어울리는 태도는 무엇입니까?
　　　(　　　)

반 친구들 앞에서 박물관에 다녀온 경험을 발표할 때

① 손가락을 계속 만지작거린다.
② 작은 목소리로 소곤소곤 말한다.
③ 비뚤게 서서 손으로 머리를 긁적인다.
④ 굳은 표정으로 말끝을 흐리면서 말한다.
⑤ 듣는 사람을 쳐다보며 높임말을 써서 말한다.

08 관련 단원 | 3. 느낌을 살려 말해요
빈칸에 들어갈 말을 모두 고르시오. 　(　, 　, 　)

> 상황에 알맞은 　□　을/를 사용하면 자신의 생각을 분명하게 전달하고 느낌을 잘 표현할 수 있다.

① 말투　　② 몸짓　　③ 표정
④ 높임말　　⑤ 옷차림

09 관련 단원 | 3. 느낌을 살려 말해요
동생에게 말할 때에 고려해야 할 점으로 알맞지 않은 것은 무엇입니까? 　(　)

① 이해하기 쉬운 말로 말한다.
② 적절한 표정과 손짓을 사용하여 말한다.
③ 말하는 내용에 어울리는 목소리로 말한다.
④ 쉬운 낱말과 짧은 문장을 사용하여 말한다.
⑤ 바른 자세로 서서 높임말을 사용하여 말한다.

[10~11] 다음 글을 읽고 물음에 답하시오.

> ㉠정우와 함께 박물관 현장 체험학습을 다녀왔다. ㉡박물관에는 우리 조상의 생활 모습을 담은 그림들이 전시되어 있었다. ㉢그림에 나타난 조상의 생활 모습은 오늘날과는 많이 다르다는 생각이 들었다.

10 관련 단원 | 4. 일에 대한 의견
㉠~㉢을 사실과 의견으로 구별하여 기호를 쓰시오.

(1) 사실: (　　　)　　(2) 의견: (　　　)

||중요||
11 관련 단원 | 4. 일에 대한 의견
이 글을 읽고 사실과 의견의 차이점을 잘못 말한 것은 무엇입니까? 　(　)

① 사실은 현재에 있는 일이다.
② 사실은 실제로 있었던 일이다.
③ 의견은 어떤 사실이나 대상에 대한 생각이다.
④ 같은 사실에 대하여 사람들의 의견은 모두 같다.
⑤ 사실과 의견은 한 일, 본 일, 생각이나 느낌 등을 바탕으로 하여 구별할 수 있다.

12 관련 단원 | 4. 일에 대한 의견
학급 신문에 실을 만한 사건이나 소식으로 알맞지 않은 것은 무엇입니까? 　(　)

① 친구가 상을 받은 일
② 우리 반에 전학 온 친구 소식
③ 우리 반이 독서 우수 학급으로 뽑힌 일
④ 친구들이 복도에서 마구 뛰어다니는 문제
⑤ 마을 사람들이 쓰레기 분리배출을 하지 않는 문제

[13~14] 다음 글을 읽고 물음에 답하시오.

> 추운 겨울, 한 소년이 높은 건물 꼭대기에서 구름 사람을 만났습니다. 구름 사람은 모자도, 장갑도 없이 추위에 떨고 있는 소년이 안쓰러워 구름으로 모자와 목도리를 만들어 주었습니다. 그리고 소년을 태우고 하늘 높이 날았습니다. 구름 사람이 소년을 데리고 간 곳은 구름 공항이었습니다. 구름 사람은 구름 공항에 있던 다른 구름 친구들에게 소년과 소년의 멋진 그림 솜씨를 소개했습니다. 기분이 좋아진 소년은 구름들에게 멋진 물고기 그림을 그려 주고, 그곳에 있는 구름들을 멋진 물고기 모양으로 바꾸어 주었습니다.

13 관련 단원 | 5. 내가 만든 이야기
소년이 구름 공항에 가서 겪은 일을 두 가지 고르시오. 　(　, 　)

① 모자도, 장갑도 없이 추위에 떨었다.
② 소년이 높은 건물 꼭대기까지 올라갔다.
③ 구름들에게 멋진 물고기 그림을 그려 주었다.
④ 구름들을 멋진 물고기 모양으로 바꾸어 주었다.
⑤ 구름 친구들에게 멋진 모자와 목도리를 자랑했다.

14 관련 단원 | 5. 내가 만든 이야기
이 이야기에서 일이 일어난 차례대로 기호를 늘어놓으시오.

> ㉮ 소년이 구름들에게 물고기 그림을 그려 줌.
> ㉯ 구름 사람이 소년을 구름 공항으로 데리고 감.
> ㉰ 소년이 구름들을 멋진 물고기 모양으로 바꾸어 줌.
> ㉱ 한 소년이 높은 건물 꼭대기에서 구름 사람을 만남.
> ㉲ 구름 사람이 소년에게 구름으로 모자와 목도리를 만들어 줌.
> ㉳ 구름 사람이 구름 친구들에게 소년과 소년의 멋진 그림 솜씨를 소개함.

(　　) → (　　) → (　　) → (　　)
→ (　　) → (　　)

||중요||
15 관련 단원 | 5. 내가 만든 이야기
이야기를 읽고 이어질 내용을 상상할 때에 생각할 점으로 거리가 먼 것은 무엇입니까? 　(　)

① 이야기의 흐름이 자연스러워야 한다.
② 이야기 앞부분에 나온 내용과 어울려야 한다.
③ 사건들 사이에 원인과 결과 관계가 있어야 한다.
④ 사건의 흐름에 맞게 이어질 내용을 상상해야 한다.
⑤ 이야기의 뒷부분에서는 등장인물이 점점 더 많아져야 한다.

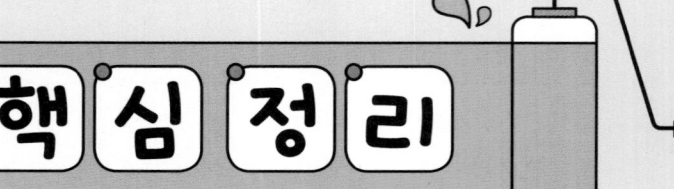

6 회의를 해요

(1) 회의 절차와 참여자의 역할

① 회의 절차:

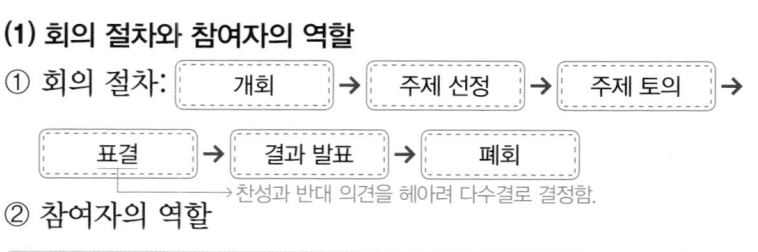
개회 → 주제 선정 → 주제 토의 →

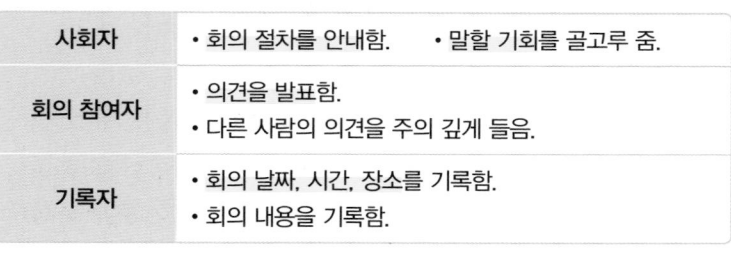
표결 → 결과 발표 → 폐회
└→ 찬성과 반대 의견을 헤아려 다수결로 결정함.

② 참여자의 역할

사회자	• 회의 절차를 안내함. • 말할 기회를 골고루 줌.
회의 참여자	• 의견을 발표함. • 다른 사람의 의견을 주의 깊게 들음.
기록자	• 회의 날짜, 시간, 장소를 기록함. • 회의 내용을 기록함.

(2) 회의 주제에 맞게 의견을 말하는 방법

① 주제를 실천할 수 있는 여러 가지 의견을 떠올립니다.

② 의견을 뒷받침할 수 있는 근거를 찾아봅니다.

(3) 회의를 할 때 지켜야 할 규칙

사회자	• 말할 기회를 골고루 줌. • 회의 절차를 안내함.
회의 참여자	• 친구가 의견을 말할 때 끼어들지 않음. • 다른 사람의 의견을 존중함. • 사회자 허락을 얻고 말함. • 자신의 의견만 옳다고 주장하지 않음. • 알맞은 크기의 목소리로 말함.
기록자	• 중요한 내용을 요약해서 기록함. • 회의 날짜와 시간, 장소를 기록함.

7 사전은 내 친구

(1) 사전에서 뜻을 찾아 낱말 사이의 관계 알기
└→ 한 낱말이 다른 낱말을 포함함.

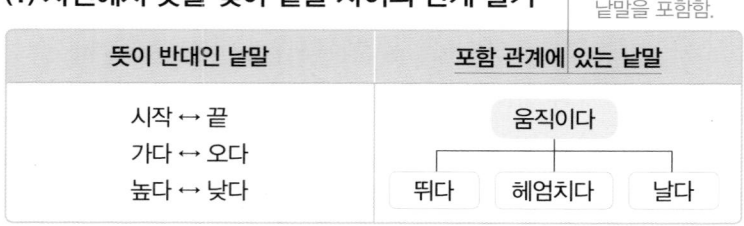

뜻이 반대인 낱말	포함 관계에 있는 낱말
시작 ↔ 끝 가다 ↔ 오다 높다 ↔ 낮다	움직이다 뛰다 / 헤엄치다 / 날다

(2) 낱말의 뜻을 사전에서 찾으며 글 읽기

① 글을 읽으면서 뜻을 정확히 모르는 낱말, 처음 보는 낱말, 다른 뜻을 더 알고 싶은 낱말 등을 분류하여 봅니다.

② 모르는 낱말의 뜻을 짐작해 보고, 여러 가지 사전에서 뜻을 알아봅니다.
⑩ 국어사전, 인터넷 사전, 어린이 백과사전, 속담 사전

8 이런 제안 어때요

(1) 문장의 짜임에 대해 알기

누가 / 무엇이	어찌하다 / 어떠하다
영수가 / 날씨가	축구를 합니다. / 따뜻합니다.

(2) 제안하는 글을 쓰는 방법

제안하는 글에 들어갈 내용	문제 상황, 제안하는 내용, 제안하는 까닭, 제목 왜 그런 제안을 했는지, 제안대로 했을 때 무엇이 더 나아지는지를 씀.
제안하는 글을 쓰는 과정	문제 상황 확인하기 → 제안하는 내용 정하기 → 제안하는 까닭 파악하기 → 제안하는 글 쓰기

(3) 제안하는 글을 쓸 때 주의할 점

① 어떤 문제 상황인지 파악하고 자세히 씁니다.

② 문제를 해결하기 위한 자신의 의견을 제안합니다.

③ 제안에 알맞은 까닭을 씁니다.

④ 제안하는 내용이 잘 드러나게 알맞은 제목을 붙입니다.

9 자랑스러운 한글

(1) 세종 대왕이 한글을 만든 까닭과 과정

• 글을 읽지 못해 억울한 일을 당하는 백성이 많았다.
• 우리말을 적을 문자가 필요하다고 생각했다.

↓

• 말소리를 연구한 책을 구해 읽으며 문자를 연구했다.
• 신하들의 반대를 피해 새로운 문자 만드는 일을 비밀에 부쳤다.

↓

• 세종은 눈이 나빠져도 문자를 계속 연구했다.
• 훈민정음 28자를 완성했다.

↓

• 억울한 일을 당하는 사람들이 줄었다.
• 한글로 책을 읽거나 편지를 쓰는 사람이 늘어났다.

(2) 한글의 특성

① 독창적이고 과학적입니다. └→ 사람의 입에서 나오는 대부분의 소리를 효과적으로 적을 수 있음.

② 적은 수의 문자로 많은 소리를 적을 수 있습니다.

③ 쉽고 빨리 배울 수 있습니다. →일정한 원리에 따라 만들어졌기 때문임.

④ 컴퓨터, 휴대 전화 등 기계화에 적합합니다.

10 인물의 마음을 알아봐요

(1) 인물의 마음을 짐작하며 만화 읽기

① 인물의 표정이나 행동을 살펴봅니다.

② 말풍선의 내용과 함께 그 모양도 살펴봅니다.

③ 인물뿐만 아니라 만화의 배경 색이나 배경에 그려진 여러 효과로도 인물의 마음을 짐작할 수 있습니다.
글뿐만 아니라 배경, 인물의 표정과 행동, 말풍선 모양, 글자 크기 따위를 함께 살펴봐야 함.

(2) 만화를 읽고 인물의 마음 표현하기

① 표정을 실감 나게 표현해야 합니다.

② 그 상황에 어울리는 소리도 함께 흉내 냅니다.

③ 상황에 어울리는 말투와 몸짓으로 표현해야 합니다.

(3) 인물의 마음을 짐작하며 만화 영화 보기

① 인물의 표정과 행동, 말과 말투를 자세히 살펴봅니다.

② 인물의 마음을 짐작해 보고, 실감 나게 표현해 봅니다.

국어 1학기
6. 회의를 해요 ~ 10. 인물의 마음을 알아봐요

확인 문제

01 관련 단원 | 6. 회의를 해요
회의가 필요한 까닭이 <u>아닌</u> 것은 무엇입니까? (   )

① 여러 사람의 의견을 들을 수 있다.
② 같이 해야 할 일을 결정할 수 있다.
③ 내 생각과 의견을 마음대로 말할 수 있다.
④ 문제를 해결하는 좋은 방법을 찾을 수 있다.
⑤ 공통의 문제에 대하여 관심을 가질 수 있다.

[02~03] 다음 글을 읽고 물음에 답하시오.

사회자: 다른 의견 없습니까? 그러면 지금까지 나온 의견에서 실천 내용을 정해도 되겠습니까?
회의 참여자들: 네, 좋습니다.
사회자: 먼저, "안전 게시판을 만들자."를 실천 내용으로 정하는 것에 찬성하시는 분은 손을 들어 주십시오. 참석 인원의 반 이상이 찬성하면 채택하겠습니다.
　27명 가운데 21명이 찬성했습니다.
　다음, "안전 지킴이 활동을 하자."를 실천 내용으로 정하는 것에 찬성하시는 분은 손을 들어 주십시오.
　27명 가운데 9명이 찬성했으므로 실천 내용으로 채택하지 않겠습니다.

02 관련 단원 | 6. 회의를 해요
이 글은 회의 절차에서 무엇에 속합니까? (   )
① 개회　　　② 표결　　　③ 폐회
④ 주제 선정　⑤ 결과 발표

||중요||
03 관련 단원 | 6. 회의를 해요
회의를 할 때 사회자의 역할은 무엇입니까? (   )
① 회의 내용을 기록한다.
② 회의 절차를 안내한다.
③ 주제에 대해 의견을 발표한다.
④ 회의 날짜, 시간, 장소를 기록한다.
⑤ 다른 사람의 의견을 주의 깊게 듣는다.

||중요||
04 관련 단원 | 7. 사전은 내 친구
보기 의 낱말이 국어사전에 실리는 차례대로 기호를 늘어놓으시오.

보기
㉠ 찢으면　㉡ 접는다　㉢ 묶어서　㉣ 창호지

(   ) → (   ) → (   ) → (   )

05 관련 단원 | 7. 사전은 내 친구
'움직이다'에 포함되는 낱말이 <u>아닌</u> 것은 무엇입니까?
(   )

① 날다　　　② 높다　　　③ 뛰다
④ 달리다　　⑤ 헤엄치다

06 관련 단원 | 7. 사전은 내 친구
'협곡'이라는 낱말의 뜻을 알아보기에 알맞지 <u>않은</u> 사전은 무엇입니까? (   )

① 국어사전　　　　② 백과사전
③ 인터넷 사전　　④ 과학 용어 사전
⑤ 우리말 속담 사전

[07~08] 다음 글을 읽고 물음에 답하시오.

지난 주말에 저는 동생과 함께 집 앞 꽃밭에 꽃을 심었습니다. 그런데 오늘 물을 주려고 보니 쓰레기가 꽃 주위에 흩어져 있었습니다. 그 모습을 보니 속이 상했습니다.
　꽃밭에 쓰레기를 버리지 않으면 좋겠습니다. 꽃은 쓰레기가 없는 깨끗한 꽃밭에서 건강하게 자랄 수 있습니다. 우리가 노력하면 꽃밭을 더 아름답게 가꿀 수 있습니다.

07 관련 단원 | 8. 이런 제안 어때요
글쓴이가 제안하는 내용은 무엇입니까? (   )
① 꽃밭에 예쁜 꽃을 심자.
② 꽃밭을 아름답게 가꾸자.
③ 꽃밭에 쓰레기를 버리지 말자.
④ 꽃이 시들지 않게 물을 자주 주자.
⑤ 예쁜 꽃을 보며 건강한 생활을 하자.

||중요||
08 관련 단원 | 8. 이런 제안 어때요
이와 같은 글을 쓸 때 주의할 점으로 거리가 <u>먼</u> 것은 무엇입니까? (   )
① 제안에 알맞은 까닭을 쓴다.
② 자신의 마음 상태가 잘 드러나게 쓴다.
③ 어떤 문제 상황인지 파악하고 자세히 쓴다.
④ 문제를 해결하기 위한 자신의 의견을 제안한다.
⑤ 제안하는 내용이 잘 드러나게 알맞은 제목을 붙인다.

09 관련 단원 | 8. 이런 제안 어때요

다음 문장을 '누가+어찌하다'로 나누어 빈칸에 쓰시오.

> 우리 반 친구들이 도서관에서 책을 읽습니다.

누가	어찌하다
(1)	(2)

10 관련 단원 | 9. 자랑스러운 한글

문자가 필요한 까닭으로 알맞은 것을 두 가지 고르시오.
(,)

① 자연을 자세히 관찰하기 위해서
② 사실을 정확하게 기록하기 위해서
③ 생각을 더 자세히 나타내기 위해서
④ 동물의 소리를 재미있게 흉내 내기 위해서
⑤ 마음 상태의 변화를 자유롭게 표현하기 위해서

[11~12] 다음 글을 읽고 물음에 답하시오.

> "글은 말과 같아야 한다. 글로는 '天(천)'이라고 하고, 말로는 '하늘'이라고 하면 안 된다. 쉽고 단순한 문자이지만, 그 안에 담긴 의미는 세상 어떤 것보다 깊어야 한다. 이 우주 만물에는 하늘과 땅이 있고 그 가운데 사람이 있다. 이 원리를 바탕으로 문자를 만들면 어떨까? 또 사람이 말소리를 내는 기관을 본떠 문자를 만드는 것도 좋을 것이다."
> 오랜 시간을 묵묵히 연구한 끝에 세종은 '훈민정음' 28자를 완성했습니다.
> 그 뒤, 훈민정음은 백성들 사이에 퍼져 나갔습니다. 이제는 글을 읽지 못해 억울한 일을 당하는 사람이 줄었습니다. 한자를 배울 기회조차 적었던 여자들도 훈민정음을 익혀 책을 읽거나 편지를 썼습니다. 훈민정음은 그야말로 세종이 백성들에게 준 가장 큰 선물이었습니다.

11 ║중요║ 관련 단원 | 9. 자랑스러운 한글

이 글로 보아, 훈민정음을 만들 때 세종의 생각으로 알맞지 않은 것은 무엇입니까? ( )

① 글은 말과 같아야 한다.
② 문자의 형태가 화려하고 아름다워야 한다.
③ 세상 어떤 것보다 깊은 의미가 담겨야 한다.
④ 하늘, 땅, 사람을 본떠 문자를 만드는 게 좋겠다.
⑤ 사람이 말소리를 내는 기관을 본떠 문자를 만드는 게 좋겠다.

12 관련 단원 | 9. 자랑스러운 한글

훈민정음을 배운 백성들의 모습으로 알맞은 것을 두 가지 고르시오. (,)

① 여자들도 책을 읽거나 편지를 썼다.
② 오히려 한자를 배우려는 백성들이 늘었다.
③ 백성들 스스로 훈민정음을 배운 사실을 숨겼다.
④ 백성들도 훈민정음에 대하여 연구하기 시작했다.
⑤ 글을 읽지 못해 억울한 일을 당하는 사람이 줄었다.

[13~14] 다음 만화를 보고 물음에 답하시오.

13 ║중요║ 관련 단원 | 10. 인물의 마음을 알아봐요

만화에 나오는 소민이의 마음을 짐작할 때 살펴보지 <u>않아도</u> 되는 것은 무엇입니까? ( )

① 말풍선의 내용
② 얼굴 표정과 행동
③ 이마에 그려진 선
④ 인물의 나이와 성별
⑤ 얼굴에 흐르는 땀방울

14 관련 단원 | 10. 인물의 마음을 알아봐요

만화 속 소민이의 성격으로 거리가 먼 것은 무엇입니까?
( )

① 걱정이 많다.　　　② 자신감이 부족하다.
③ 용감하고 씩씩하다.　④ 부끄러움을 잘 탄다.
⑤ 지나치게 조심스럽다.

15 관련 단원 | 10. 인물의 마음을 알아봐요

만화 속 인물의 마음을 실감 나게 표현하기 위한 방법으로 알맞지 않은 것은 무엇입니까? ( )

① 상황에 어울리는 몸짓을 표현한다.
② 인물의 표정을 실감 나게 흉내 낸다.
③ 무조건 큰 목소리로 과장하여 말한다.
④ 인물의 마음에 어울리는 말투로 말한다.
⑤ 인물이 처한 상황에 어울리는 소리를 흉내 낸다.

1 이어질 장면을 생각해요

(1) 영화를 감상하는 방법
① 제목, 광고지, 예고편 따위를 보고 내용을 미리 상상합니다.
② 기억에 남는 대사나 인상 깊은 장면을 생각합니다.
③ 영화 내용을 떠올려 보고 느낀 점을 글로 씁니다.
　　　　　→ 영화를 보고 든 생각이나 느낌이 서로 다를 수 있음.

(2) 만화 영화 감상하기
① 광고지와 등장인물을 보고 어떤 내용이 펼쳐질지 상상하며 만화 영화를 봅니다.
② 일이 일어난 차례를 생각하며 내용을 간추려 봅니다.
③ 등장인물의 성격에 대해 친구들과 이야기해 봅니다.
④ 등장인물의 행동 가운데에서 본받고 싶은 행동을 찾고, 본받고 싶은 까닭을 써 봅니다.
⑤ 인상 깊은 장면을 골라 그 까닭을 이야기해 봅니다.

(3) 만화 영화를 감상하고 사건을 생각하며 이어질 내용 쓰기
① 등장인물의 고민을 생각하며 만화 영화를 감상해 봅니다.
② 중심인물의 고민이 어떻게 해결되는지 살펴보면서 이어질 이야기를 상상해 봅니다.
　　　　　→ 어떤 사건의 중심이 되는 인물
③ 앞부분의 내용과 자연스럽게 어울리도록 이어질 내용을 써 봅니다.
　　→ 이어질 이야기에 새로운 인물이 등장해서 사건을 전개할 수도 있음.

2 마음을 전하는 글을 써요

(1) 글쓴이의 마음을 파악하는 방법
① 누가 누구에게 쓴 글인지 살펴봅니다.
② 무슨 일에 대해 쓴 글인지 살펴봅니다.
③ 마음을 전하려고 사용한 낱말이나 표현을 찾아봅니다.
④ 글쓴이가 전하려는 마음이 무엇인지 생각해 봅니다.

(2) 마음을 전하는 글을 쓰는 방법
① 마음을 전하고 싶은 일을 떠올립니다.
② 글에서 전하려는 마음을 생각합니다. →⑩ 미안한 마음, 고마운 마음, 부끄러운 마음
③ 마음을 잘 나타낼 수 있는 표현을 사용합니다.
④ 읽는 사람의 마음이 어떠할지 짐작하며 씁니다.

(3) 마음을 전하는 글 쓰기
① 마음을 전하고 싶은 일을 말해 봅니다.
② 마음을 전하는 글을 쓰는 데 필요한 내용을 정리합니다.

예		
	마음을 전할 사람	반 친구 민서
	전하려는 마음	미안한 마음
	있었던 일	민서의 별명을 부르며 놀림.
	마음을 나타내는 표현	민서야, 네가 싫어하는 별명을 부르며 놀려서 미안해.

③ 마음을 전하는 글을 써 봅니다.
④ 자신의 마음을 잘 표현했는지 점검해 봅니다.

3 바르고 공손하게

(1) 대화 예절을 지키며 대화하는 방법
① 어른과 대화할 때에는 높임말을 씁니다.
② 인사할 때에는 눈을 마주치며 인사합니다.
③ 친구 앞에서는 귓속말을 하지 않습니다. → 친구의 기분을 상하게 함.
④ 대화 도중에 끼어들지 않습니다.
⑤ 상대에게 거친 말을 하지 않습니다.
⑥ 자기 말만 하지 않고 남이 하는 말을 잘 듣습니다.

(2) 회의하면서 지켜야 할 예절
① 다른 사람이 발표할 때 끼어들지 않습니다.
② 회의와 같은 공식적인 상황에서는 높임말을 사용합니다.
③ 의견을 말할 때에는 손을 들어 말할 기회를 얻고 발표합니다.
④ 다른 사람 의견을 경청합니다. → 다른 사람의 의견을 귀 기울여 들어야 함.

(3) 온라인 대화를 할 때 지켜야 할 예절
① 바른 말을 사용해야 합니다.
② 상대가 보이지 않더라도 대화 전에 인사를 하고 끝날 때에도 인사합니다. → 적절한 대화명을 사용하고 반갑게 인사하는 것이 온라인 대화 예절을 지키는 태도의 시작임.
③ 얼굴이 보이지 않는다고 해서 함부로 말하지 않습니다.
④ 상대를 존중하고 예의를 지킵니다.
⑤ 줄임 말이나 그림말을 지나치게 사용하지 않습니다.
　　　└→ 상대가 잘 이해할 수 있을 정도로만 적절하게 사용해야 함.

4 이야기 속 세상

(1) 인물, 사건, 배경을 생각하며 이야기 읽기
→ 이야기를 구성하는 데 꼭 필요한 요소임.

인물	이야기에서 어떤 일을 겪는 사람이나 사물
사건	이야기에서 일어나는 일
배경	이야기가 펼쳐지는 시간과 장소

　시간적 배경 ┘　　└→ 공간적 배경

(2) 인물의 성격을 짐작하며 이야기 읽기
① 인물의 말, 생각, 행동을 살펴보며 이야기를 읽습니다.
② 인물의 성격을 알 수 있는 말이나 행동을 찾아 성격을 짐작해 봅니다.
⑩ 「우진이는 정말 멋져!」를 읽고 인물의 성격 짐작하기

인물	말이나 행동	인물의 성격
창훈	창훈이는 미안하다는 소리 대신 혀만 쏙 내밀고는 휙 도망가 버렸다.	장난스럽다. 배려심이 없다.

(3) 사건의 흐름을 생각하며 이야기 읽기
① 사건이 일어난 차례를 살펴봅니다.
② 인물의 성격에 따라 인물의 행동이 어떻게 달라지는지 살펴봅니다.
③ 인물의 행동에 따라 이어질 이야기가 어떻게 달라질지 예측하며 읽습니다.

01 관련 단원 | 1. 이어질 장면을 생각해요

기억에 남는 만화 영화를 떠올릴 때 생각할 점으로 거리가 먼 것은 무엇입니까? ( )

① 등장인물은 누구누구인가?
② 언제, 누구와 함께 보았는가?
③ 만화 영화의 제목은 무엇인가?
④ 만화 영화를 몇 편이나 보았는가?
⑤ 가장 기억에 남는 장면은 어떤 장면인가?

02 중요 || 관련 단원 | 1. 이어질 장면을 생각해요

영화를 감상하는 방법으로 알맞지 않은 것은 무엇입니까? ( )

① 영화에서 인상 깊은 장면을 생각한다.
② 영화에서 기억에 남는 대사를 생각한다.
③ 영화 내용을 떠올려 보고 느낀 점을 글로 쓴다.
④ 등장인물의 생김새와 옷차림을 그림으로 표현한다.
⑤ 제목, 광고지, 예고편 따위를 보고 내용을 미리 상상한다.

03 관련 단원 | 1. 이어질 장면을 생각해요

빈칸에 공통으로 들어갈 알맞은 말을 쓰시오.

> [   ]은/는 어떤 사건의 중심이 되는 인물이다.
> 만화 영화를 감상할 때에는 [   ]에게 어떤 일이 일어나는지를 생각해 보아야 한다.

( )

04 중요 || 관련 단원 | 2. 마음을 전하는 글을 써요

다음 각 문장에 드러난 인물의 마음을 찾아 선으로 이으시오.

(1) 달리기를 할 때면 나는 어디론가 숨고 싶었어. · · ㉮ 고마운 마음

(2) 같이 달려 주고 응원해 준 너희의 따뜻한 마음 잊지 않을게. · · ㉯ 미안한 마음

(3) 힘껏 달리고 싶었을 텐데 나 때문에 참았을 것 같아서 미안한 마음이 들어. · · ㉰ 부끄러운 마음

[05~07] 다음 글을 읽고 물음에 답하시오.

> 존경하는 김하영 선생님께
>
> 선생님, 안녕하세요? 저는 전지우입니다. 그동안 잘 지내셨습니까? 선생님께 [㉠]을 전하려고 이렇게 글을 쓰게 되었습니다.
>
> 지난 체험학습에서 도자기를 만들 때였습니다. 저는 진흙 반죽을 물레 위에 놓고 그릇 모양을 만들려고 했습니다. 그런데 생각처럼 잘되지 않았습니다. 만들고 나니 ㉡상상했던 모양과 너무 달라서 당황스러웠습니다.
>
> 제가 ㉢속상해서 어찌할 바를 모를 때 선생님께서 오셨습니다. 그리고 어떻게 모양을 내는지 시범을 보여 주셨습니다. 저는 선생님을 따라서 다시 해 보았습니다. 그랬더니 ㉣신기하게도 그릇 모양이 잘 만들어졌습니다.
>
> 그날 만든 ㉤그릇은 지금도 제 책상 위에 놓여 있습니다. 이 그릇을 보면 친절하게 가르쳐 주시던 선생님 모습이 생각납니다.
>
> 선생님, ㉥제 마음에 드는 그릇을 만들도록 도와주셔서 고맙습니다. 안녕히 계세요.
>
> 20○○년 9월 24일
> 제자 전지우 올림

05 관련 단원 | 2. 마음을 전하는 글을 써요

이 글에 대하여 바르게 말하지 못한 것은 무엇입니까? ( )

① 편지 형식으로 썼다.
② 읽는 사람이 정해져 있다.
③ 체험학습 때 있었던 일을 썼다.
④ 보내는 사람이 누구인지 알 수 있다.
⑤ 글쓴이의 의견이 분명하게 드러나 있다.

06 관련 단원 | 2. 마음을 전하는 글을 써요

㉠에 들어갈 지우의 마음으로 알맞은 것은 무엇입니까? ( )

① 고마운 마음   ② 두려운 마음
③ 속상한 마음   ④ 안타까운 마음
⑤ 당황스러운 마음

07 관련 단원 | 2. 마음을 전하는 글을 써요

㉡~㉥ 가운데에서 지우의 마음이 드러난 표현이 아닌 것의 기호를 쓰시오.

( )

[08~11] 다음 글을 읽고 물음에 답하시오.

> 윗마을 양반: ㉠바우야, 쇠고기 한 근만 줘라.
> 박 노인: (건성으로 대답하며) 알겠습니다.
> 해설: 이번에는 아랫마을 양반이 고기를 주문했다.
> 아랫마을 양반: (깍듯이 부탁하는 말투로) 박 서방, 쇠고기 한
> 　　근만 주게.
> 박 노인: ㉡　　　　아이고, 네, 조금만 기다리시지요.
> 해설: 박 노인은 젊은 양반들에게 각각 고기를 주는데 둘의
> 　　크기가 한눈에 봐도 다르게 보였다. 윗마을 양반이 가만
> 　　히 보니 자기가 받은 고기보다 아랫마을 양반이 받은 고
> 　　기가 더 좋아 보이고 양도 훨씬 많아 보였다.
> 윗마을 양반: 야, 바우야! 똑같은 한 근인데, 어째서 이렇게
> 　　다르게 주느냐?
> 박 노인: (태연하게) 그러니까 손님 것은 바우 놈이 자른 것이
> 　　고, 이분 것은 박 서방이 자른 것이기 때문이랍니다.

관련 단원 | 3. 바르고 공손하게

08 고기를 사러 온 젊은 양반들은 박 노인을 각각 무엇이라고 불렀는지 쓰시오.

(1) 윗마을 양반: (　　　　　　　　)

(2) 아랫마을 양반: (　　　　　　　　)

관련 단원 | 3. 바르고 공손하게

09 ㉠의 말을 들었을 때 박 노인의 표정으로 알맞은 것은 무엇입니까? (　　　)

① 신기한 표정　　　　② 행복한 표정
③ 흐뭇한 표정　　　　④ 짜증 난 표정
⑤ 자랑스러운 표정

중요
관련 단원 | 3. 바르고 공손하게

10 ㉡에 들어갈 박 노인의 말투나 표정으로 알맞지 않은 것을 두 가지 고르시오. (　　, 　　)

① 웃으면서　　　　② 밝은 표정으로
③ 부드러운 말투로　　④ 고함을 지르면서
⑤ 얼굴을 빤히 쳐다보며

관련 단원 | 3. 바르고 공손하게

11 박 노인이 아랫마을 양반에게 고기를 더 많이 준 까닭은 무엇이겠습니까? (　　　)

① 젊어 보여서
② 부자인 것 같아서
③ 욕심이 많아 보여서
④ 고기를 잘 먹을 것 같아서
⑤ 자신을 더 존중해 주는 느낌이 들어서

중요
관련 단원 | 4. 이야기 속 세상

12 이야기를 구성하는 데 꼭 필요한 세 가지 요소를 알맞게 선으로 이으시오.

(1) 이야기에서 일어나는 일　　　·　　　·　㉮ 인물

(2) 이야기가 펼쳐지는 시간과 장소　·　　　·　㉯ 사건

(3) 이야기에서 어떤 일을 겪는 사람이나 사물　·　　·　㉰ 배경

[13~15] 다음 글을 읽고 물음에 답하시오.

> "왜 그리 두리번거리니, 꼬마야?"
> "뭐 특별한 게 있는지 알아보고 싶어서요."
> 아주머니께서 말씀하셨습니다.
> "㉠네 자리로 돌아가는 게 좋겠구나."
> 모두가 사라를 쳐다보았습니다.
> 사라는 계속 나아갔습니다. 앞쪽 끝까지 가서 운전사 옆
> 자리에 앉았습니다. 사라는 운전사가 기어를 바꾸고 두 손으
> 로 커다란 핸들을 돌리는 것을 지켜보았습니다. 운전사가 성
> 난 얼굴로 사라를 쏘아보았습니다.
> "꼬마 아가씨, 뒤로 가서 앉아라. 너도 알다시피 늘 그래
> 왔잖니?"
> 사라는 그대로 앉은 채 마음속으로 말했습니다.
> '뒷자리로 돌아갈 아무런 이유가 없어!'
> 운전사는 뭐라고 중얼거리더니 브레이크를 밟았습니다.
> 버스가 '끼익' 소리를 내며 갑자기 멈춰 섰습니다.
> "규칙을 따르지 못하겠다면 이제부터는 걸어가거라."
> 운전사가 '덜컹' 소리를 내며 문을 당겨 열었습니다.

관련 단원 | 4. 이야기 속 세상

13 이 글에서 공간적 배경은 어디인지 쓰시오.

(　　　　　　　　)

관련 단원 | 4. 이야기 속 세상

14 이 글에 나타나 있는 사라의 성격으로 거리가 먼 것은 무엇입니까? (　　　)

① 당차다.　　　　② 씩씩하다.
③ 호기심이 많다.　　④ 규칙에 잘 따른다.
⑤ 자신의 생각을 굽히지 않는다.

관련 단원 | 4. 이야기 속 세상

15 ㉠'네 자리'는 어디를 가리키는지 글 속에서 찾아 세 글자로 쓰시오.

(　　　　　　　　)

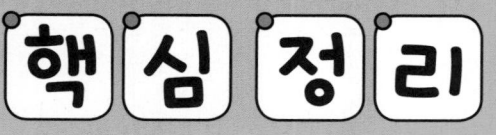
5 의견이 드러나게 글을 써요

(1) 문장의 짜임

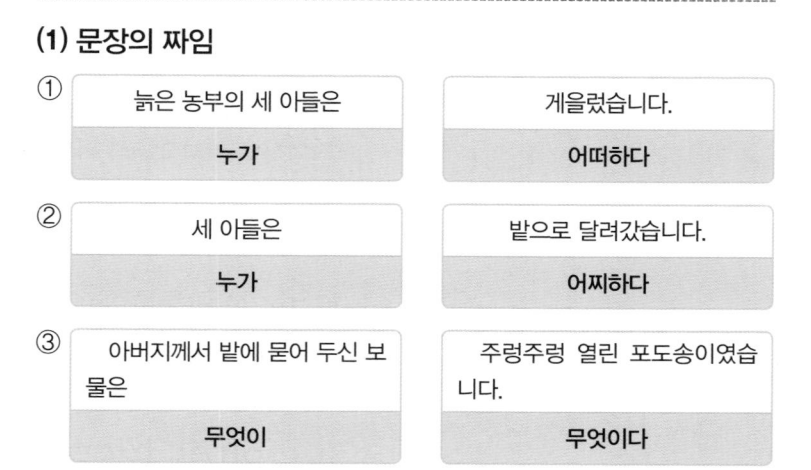

늙은 농부의 세 아들은	게을렀습니다.
누가	**어떠하다**

세 아들은	밭으로 달려갔습니다.
누가	**어찌하다**

아버지께서 밭에 묻어 두신 보물은	주렁주렁 열린 포도송이였습니다.
무엇이	**무엇이다**

(2) 자신의 의견을 제시하는 글 쓰기
① 문제 상황을 자세히 씁니다.
② 자신의 의견을 분명하게 제시합니다.
③ 의견을 뒷받침하는 까닭을 씁니다. → 읽는 사람이 들어줄 수 있는 의견인지도 생각해 봐야 함.
④ 읽는 사람을 생각하며 예의 바르게 글을 씁니다.
⑤ 문장의 짜임을 살피며 글을 씁니다.

6 본받고 싶은 인물을 찾아봐요

(1) 전기문의 특성
① 전기문은 인물의 삶을 사실에 근거해 쓴 글입니다.
② 전기문에는 인물이 살았던 시대 상황이 나타납니다.
③ 전기문에는 인물이 한 일과 인물의 가치관이 나타납니다.
　　　사람이 어떤 행동이나 일을 선택하고 실천하는 데 바탕이 되는 생각을 말함.
(2) 전기문의 특성을 생각하며 읽기
① 인물이 살았던 시대 상황을 생각하며 읽습니다.
② 인물이 한 일을 생각하며 읽습니다.
③ 인물의 가치관을 짐작하며 읽습니다.
　　　인물의 생각이 드러난 곳, 인물이 한 일의 까닭을 찾아봐야 함.
(3) 본받을 점을 생각하며 전기문 읽기
① 인물의 생각을 짐작하며 전기문을 읽습니다.
② 인물이 겪은 어려움과 그것을 이겨 내는 과정을 알아봅니다.
③ 인물의 말이나 행동에서 본받을 점을 찾아봅니다.

7 독서 감상문을 써요

(1) 독서 감상문을 쓰면 좋은 점
① 감명 깊게 읽은 부분이나 인상 깊은 장면을 기억할 수 있습니다.
　　→ 일어난 일, 인물의 행동, 인물의 마음 따위에서 인상 깊게 느끼는 부분
② 읽은 책 내용을 다시 한번 생각할 수 있습니다.
③ 책을 읽은 동기, 책 내용, 책을 읽고 생각하거나 느낀 점을 정리할 수 있습니다.
④ 글을 읽고 느낀 재미나 감동을 다른 사람과 함께 나눌 수 있습니다.

(2) 독서 감상문을 쓰는 방법

독서 감상문을 쓸 책을 정할 때	• 읽으면서 여러 가지 생각을 한 책을 고른다. • 새롭게 안 내용이 많은 책을 고른다.
책 내용을 정리할 때	• 인상 깊은 부분을 떠올린다. • 생각이나 느낌을 나타낼 수 있는 부분을 간략하게 쓴다.
생각이나 느낌을 쓸 때	• 새롭게 알거나 생각한 점, 책을 읽고 느낀 점을 쓴다. • 생각이나 느낌에 대한 까닭을 함께 쓴다.
독서 감상문을 고쳐 쓸 때	• 제목이 잘 어울리는지 확인한다. • 생각이나 느낌이 책 내용과 잘 어울리는지 확인한다.

8 생각하며 읽어요

(1) 의견이 적절한지 판단해야 하는 까닭
① 사람마다 생각이 다르기 때문입니다. → 더 나은 의견을 선택하기 위함.
② 적절하지 못한 의견을 따라 결정하면 잘못된 판단을 할 수 있기 때문입니다. → 적절하지 못한 의견을 선택하면 더 많은 문제가 생길 수 있음.
③ 잘못된 의견을 따르면 문제를 해결하지 못할 수도 있기 때문입니다.
④ 뜻하지 않게 잘못된 결과가 나올 수 있기 때문입니다.

(2) 글쓴이의 의견이 적절한지 평가하는 방법
① 글쓴이의 의견이 주제와 관련 있는지 살펴봅니다.
② 글쓴이의 의견과 뒷받침 내용이 관련 있는지 따져 봅니다.
③ 뒷받침하는 내용이 사실이고, 믿을 만한지 확인합니다.
④ 글쓴이의 의견이 문제 상황을 해결할 수 있는지 살펴봅니다.
　　　→ 뒷받침 내용의 사실 여부를 확인하고 출처가 믿을 만한지 점검해야 함.

9 감동을 나누며 읽어요

(1) 시를 읽고 느낌 표현하기
① 장면을 떠올리며 시를 낭독합니다.
② 시 속 인물이 되어 역할극을 해 봅니다.
③ 시에 대한 느낌을 노랫말로 만들어 봅니다.
④ 시에서 인상 깊은 장면을 그림으로 그려 봅니다.
⑤ 시의 내용을 한 편의 이야기로 만들어 들려줍니다.

(2) 이야기를 보고 내용에 대한 생각 나누기
① 이야기 속 인물에게 어떤 일이 일어났는지 살펴봅니다.
② 인물의 행동을 어떻게 생각하는지 말해 봅니다.
③ 인물의 행동에 대한 자신의 생각을 글로 써 봅니다.
　　　기억에 남는 장면과 그 까닭을 구체적으로 밝혀야 함.
(3) 이야기를 읽고 다른 사람에게 들려주기
① 인물의 특성에 어울리는 말과 행동을 생각해 봅니다.
② 들려줄 사람과 강조하고 싶은 부분을 정하고, 이야기를 실감 나게 표현해 봅니다. → 인물의 특성을 살려 생생하게 표현해 봄.

관련 단원 | 5. 의견이 드러나게 글을 써요
01 다음 문장을 짜임에 맞게 나누어 빈칸에 쓰시오.

> 늙은 농부의 세 아들은 게을렀다.

누가	어떠하다
(1)	(2)

관련 단원 | 5. 의견이 드러나게 글을 써요
02 의견을 제시하는 글을 쓰기에 알맞은 문제 상황을 두 가지 고르시오. (,)

① 꽃밭에 쓰레기가 많이 버려져 있다.
② 급식실에서 질서 있게 줄을 지어 다닌다.
③ 반 친구들이 도서관에서 책을 읽고 있다.
④ 학교 수업이 끝난 뒤에 곧장 집으로 돌아간다.
⑤ 횡단보도를 건너면서 스마트폰으로 게임을 한다.

||중요||
관련 단원 | 5. 의견이 드러나게 글을 써요
03 의견을 제시하는 글을 쓰는 방법으로 알맞지 <u>않은</u> 것은 무엇입니까? ( )

① 문제 상황을 자세히 쓴다.
② 자신의 의견을 분명하게 제시한다.
③ 의견을 뒷받침하는 알맞은 까닭을 쓴다.
④ 읽는 사람을 생각하며 예의 바르게 쓴다.
⑤ 문제를 해결하기 위한 여러 가지 의견을 한꺼번에 제시한다.

관련 단원 | 6. 본받고 싶은 인물을 찾아봐요
04 다음 친구들의 대화에서 빈칸에 들어갈 인물은 누구입니까? ( )

> 백 년 전만 해도 글을 읽지 못하는 사람들이 대부분이었는데, ___ 선생님의 노력 덕분에 지금은 우리글을 쉽게 배울 수 있는 거래.

> 우리나라가 외세의 침략을 받지 않고 잘 살려면 우리글을 모두가 알아야 한다고 생각하셨고, 그래서 누구나 쉽게 배울 수 있도록 문법을 연구하셨대.

① 김만덕 ② 유관순 ③ 이순신
④ 주시경 ⑤ 세종 대왕

[05~06] 다음 글을 읽고 물음에 답하시오.

배가 침몰하였다는 소식을 들은 제주도 사람들은 이제는 굶어 죽을 수밖에 없다며 절망에 빠졌다. 이것을 보고 김만덕은 생각하였다.
'제주도 사람들을 굶어 죽게 내버려 둘 수는 없다. 내가 나서서 그들을 살려야겠다.'
김만덕은 전 재산을 들여 육지에서 곡식을 사 오게 하였다. 그 곡식은 총 오백여 석이었다.
"제가 전 재산을 들여 육지에서 사들인 곡식입니다. 굶주린 사람들에게 나누어 주십시오."
제주 목사는 김만덕의 말을 듣고 깜짝 놀랐다.
'양반도 아닌 상인이 피땀 흘려 모은 재산을 제주도 사람들을 구하겠다고 모두 내놓다니 정말 어진 사람이구나.'

관련 단원 | 6. 본받고 싶은 인물을 찾아봐요
05 이 글의 내용으로 보아, 김만덕이 가치 있게 생각한 것은 무엇입니까? ( )

① 임금을 향한 충성
② 부모에 대한 효성
③ 이웃과 나누는 삶
④ 외적과 맞서 싸우는 용기
⑤ 학문에 대한 끊임없는 노력

||중요||
관련 단원 | 6. 본받고 싶은 인물을 찾아봐요
06 이와 같은 글의 특성이 <u>아닌</u> 것은 무엇입니까? ( )

① 인물이 살아온 과정이 나타난다.
② 인물이 살았던 시대 상황이 나타난다.
③ 인물의 삶을 사실에 근거해 쓴 글이다.
④ 인물이 한 일과 인물의 가치관이 나타난다.
⑤ 인물의 삶을 본받고 싶은 까닭을 쓴 글이다.

관련 단원 | 7. 독서 감상문을 써요
07 독서 감상문을 쓰면 좋은 점으로 볼 수 <u>없는</u> 것은 무엇입니까? ( )

① 읽은 책 내용을 다시 한번 생각할 수 있다.
② 책 제목을 내 생각이나 느낌에 따라 바꿀 수 있다.
③ 감명 깊게 읽은 부분이나 인상 깊은 장면을 기억할 수 있다.
④ 글을 읽고 느낀 재미나 감동을 다른 사람과 함께 나눌 수 있다.
⑤ 책을 읽은 동기와 책 내용, 읽고 난 뒤의 생각이나 느낌 따위를 정리할 수 있다.

||중요||
08 관련 단원 | 7. 독서 감상문을 써요
독서 감상문에 들어갈 내용으로 알맞은 것끼리 선으로 이으시오.

(1) 책 표지의 도깨비 표정이 재미있어서 책을 골랐다. • | • ㉮ 책 내용

(2) 혹부리 할아버지는 도깨비 앞에서 노래를 불렀다. • | • ㉯ 책을 읽은 동기

(3) 책을 다 읽고 나니 욕심을 부리지 말아야겠다는 생각이 들었다. • | • ㉰ 책을 읽고 생각하거나 느낀 점

09 관련 단원 | 7. 독서 감상문을 써요
독서 감상문을 쓰는 차례대로 기호를 늘어놓으시오.

㉮ 책 고르기　　　　㉯ 책 내용 떠올리기
㉰ 알맞은 제목 붙이기　　㉱ 인상 깊은 까닭 생각하기
㉲ 인상 깊은 장면이나 내용 정하기
㉳ 책에 대한 생각이나 느낌 정리하기

㉮ → (　　　) → (　　　) → (　　　) →
(　　　) → ㉳

[10~12] 다음 글을 읽고 물음에 답하시오.

바람직한 독서 방법은 여러 분야의 책을 읽는 것입니다. ㉠여러 분야의 책을 읽으면 배경지식이 풍부해집니다. 풍부한 배경지식은 학교 공부를 하는 데 도움을 줍니다. ㉡한 분야의 책만 읽으면 시력이 나빠집니다. 제가 여러 분야의 책을 읽었을 때는 시력이 좋아졌는데 한 분야의 책만 읽었을 때는 시력이 나빠졌습니다. 따라서 여러 분야의 책을 읽는 것은 좋은 독서 방법입니다.

10 관련 단원 | 8. 생각하며 읽어요
글쓴이의 의견은 무엇입니까?　　　　（　　　）

① 독서를 해야 한다.
② 여러 분야의 책이 있다.
③ 독서를 하면 시력이 나빠진다.
④ 배경지식은 학교 공부를 하는 데 도움을 준다.
⑤ 바람직한 독서 방법은 여러 분야의 책을 읽는 것이다.

11 관련 단원 | 8. 생각하며 읽어요
㉠과 ㉡ 가운데에서 글쓴이의 의견을 뒷받침하는 내용으로 알맞은 것의 기호를 쓰시오.

（　　　　　）

12 관련 단원 | 8. 생각하며 읽어요
㉠과 ㉡의 내용이 믿을 만한지 알아보는 방법으로 알맞지 않은 것은 무엇입니까?　　　　　　（　　　）

① 책을 찾아본다.
② 전문가에게 물어본다.
③ 모둠 친구들과 함께 의논한다.
④ 신문이나 전문 자료를 참고한다.
⑤ 인터넷을 검색해 정보를 얻는다.

||중요||
13 관련 단원 | 8. 생각하며 읽어요
글쓴이의 의견이 적절한지 평가하는 기준이 아닌 것은 무엇입니까?　　　　　　（　　　）

① 뒷받침 내용이 사실인가?
② 뒷받침 내용이 믿을 만한가?
③ 글쓴이의 의견이 흥미 있는가?
④ 글쓴이의 의견이 주제와 관련 있는가?
⑤ 글쓴이의 의견과 뒷받침 내용이 관련 있는가?

[14~15] 다음 시를 읽고 물음에 답하시오.

내 스케치북에는 비행기가 날아.

필통에도
지우개에도
비행기가 날아.

조종석에는 언제나
내가 앉아 있어.

조수석에는 엄마도 앉고
동생도 앉고
송이도 앉아.
오늘은 우리 집 개가 앉았어.

14 관련 단원 | 9. 감동을 나누며 읽어요
이 시에서 말하는 이는 무엇에 큰 관심을 기울이고 있습니까?　　　　　　（　　　）

① 필통　　　　② 엄마　　　　③ 비행기
④ 지우개　　　⑤ 스케치북

||중요||
15 관련 단원 | 9. 감동을 나누며 읽어요
말하는 이가 상상한 것은 무엇입니까?　（　　　）

① 송이와 학교에 가는 모습
② 개와 함께 산책을 하는 모습
③ 짝꿍과 나란히 앉아 있는 모습
④ 비행기 조종석에 앉아 있는 모습
⑤ 엄마와 문구점에서 스케치북을 사는 모습

1 큰 수

(1) 다섯 자리 수
예 10000이 3개, 1000이 5개, 100이 2개, 10이 1개, 1이 8개 인 수 ⇨ 쓰기 35218 읽기 삼만 오천이백십팔

(2) 십만, 백만, 천만
• 10000이 10개인 수
  ⇨ 쓰기 100000 또는 10만 읽기 십만
• 10000이 100개인 수
  ⇨ 쓰기 1000000 또는 100만 읽기 백만
• 10000이 1000개인 수
  ⇨ 쓰기 10000000 또는 1000만 읽기 천만

(3) 억, 조
• 1000만이 10개인 수
  ⇨ 쓰기 100000000 또는 1억 읽기 억 또는 일억
• 1000억이 10개인 수
  ⇨ 쓰기 1000000000000 또는 1조 읽기 조 또는 일조

(4) 뛰어 세기
① 1만씩 뛰어 세면 만의 자리 수가 1씩 커집니다.
② 10억씩 뛰어 세면 십억의 자리 수가 1씩 커집니다.

(5) 수의 크기 비교
① 자리 수가 다르면 자리 수가 많은 쪽이 더 큰 수입니다.
② 자리 수가 같으면 가장 높은 자리 수부터 차례대로 비교하여 수가 큰 쪽이 더 큰 수입니다.

2 각도

(1) 각도
• 각의 크기를 각도라고 합니다.
• 직각을 똑같이 90으로 나눈 것 중 하나를 1도라 하고 1°라고 씁니다.
• 직각의 크기는 90°입니다.

(2) 각 그리기
예 각도가 60°인 각 ㄱㄴㄷ 그리기
  ① 자를 이용하여 각의 한 변인 변 ㄴㄷ을 그립니다.
  ② 각도기의 중심과 점 ㄴ을 맞추고, 각도기의 밑금과 각의 한 변인 변 ㄴㄷ을 맞춥니다.
  ③ 각도기의 밑금에서 시작하여 각도가 60°가 되는 눈금에 점 ㄱ을 표시합니다.
  ④ 각도기를 떼고, 자를 이용하여 변 ㄱㄴ을 그어 각도가 60°인 각 ㄱㄴㄷ을 완성합니다.

① ② ③ ④
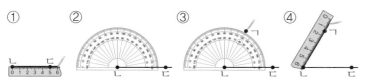

(3) 직각보다 작은 각과 직각보다 큰 각
• 각도가 0°보다 크고 직각보다 작은 각을 예각이라고 합니다.
• 각도가 직각보다 크고 180°보다 작은 각을 둔각이라고 합니다.

(4) 각도의 합과 차 구하기
• 각도의 합은 자연수의 덧셈과 같은 방법으로 계산합니다.
  예 40°와 30°의 합
    $40+30=70 \Rightarrow 40°+30°=70°$
• 각도의 차는 자연수의 뺄셈과 같은 방법으로 계산합니다.
  예 90°와 10°의 차
    $90-10=80 \Rightarrow 90°-10°=80°$

(5) 삼각형의 세 각의 크기의 합
삼각형의 세 각의 크기의 합은 180°입니다.

(6) 사각형의 네 각의 크기의 합
사각형의 네 각의 크기의 합은 360°입니다.

3 곱셈과 나눗셈

(1) (세 자리 수)×(몇십)
예 132×30의 계산

$$\begin{array}{r} 1\,3\,2 \\ \times\quad 3 \\ \hline 3\,9\,6 \end{array} \Rightarrow \begin{array}{r} 1\,3\,2 \\ \times\quad 3\,0 \\ \hline 3\,9\,6\,0 \end{array}$$
└─10배─┘

(세 자리 수)×(몇)을 계산한 값에 0을 1개 붙입니다.

(2) (세 자리 수)×(두 자리 수)
예 310×21의 계산

$$\begin{array}{r} 3\,1\,0 \\ \times\quad 2\,1 \\ \hline 3\,1\,0 \\ 6\,2\,0 \\ \hline 6\,5\,1\,0 \end{array}$$

(세 자리 수)×(몇)을 계산한 값과 (세 자리 수)×(몇십)을 계산한 값을 더합니다.

(3) (세 자리 수)÷(몇십)
예 241÷40의 계산

$40×5=200$
$40×6=240$
$40×7=280$ → 241보다 크지 않으면서 가장 가까운 수

$$\begin{array}{r} 6 \leftarrow 몫 \\ 40\overline{)2\,4\,1} \\ 2\,4\,0 \\ \hline 1 \leftarrow 나머지 \end{array}$$

몫 6 나머지 1

(4) (세 자리 수)÷(두 자리 수)
예 589÷21의 계산

$21×27=567$
$21×28=588$
$21×29=609$ → 589보다 크지 않으면서 가장 가까운 수

$$\begin{array}{r} 2\,8 \leftarrow 몫 \\ 21\overline{)5\,8\,9} \\ 4\,2 \\ \hline 1\,6\,9 \\ 1\,6\,8 \\ \hline 1 \leftarrow 나머지 \end{array}$$

몫 28 나머지 1

수학 1학기
1. 큰 수 ~ 3. 곱셈과 나눗셈

확인문제

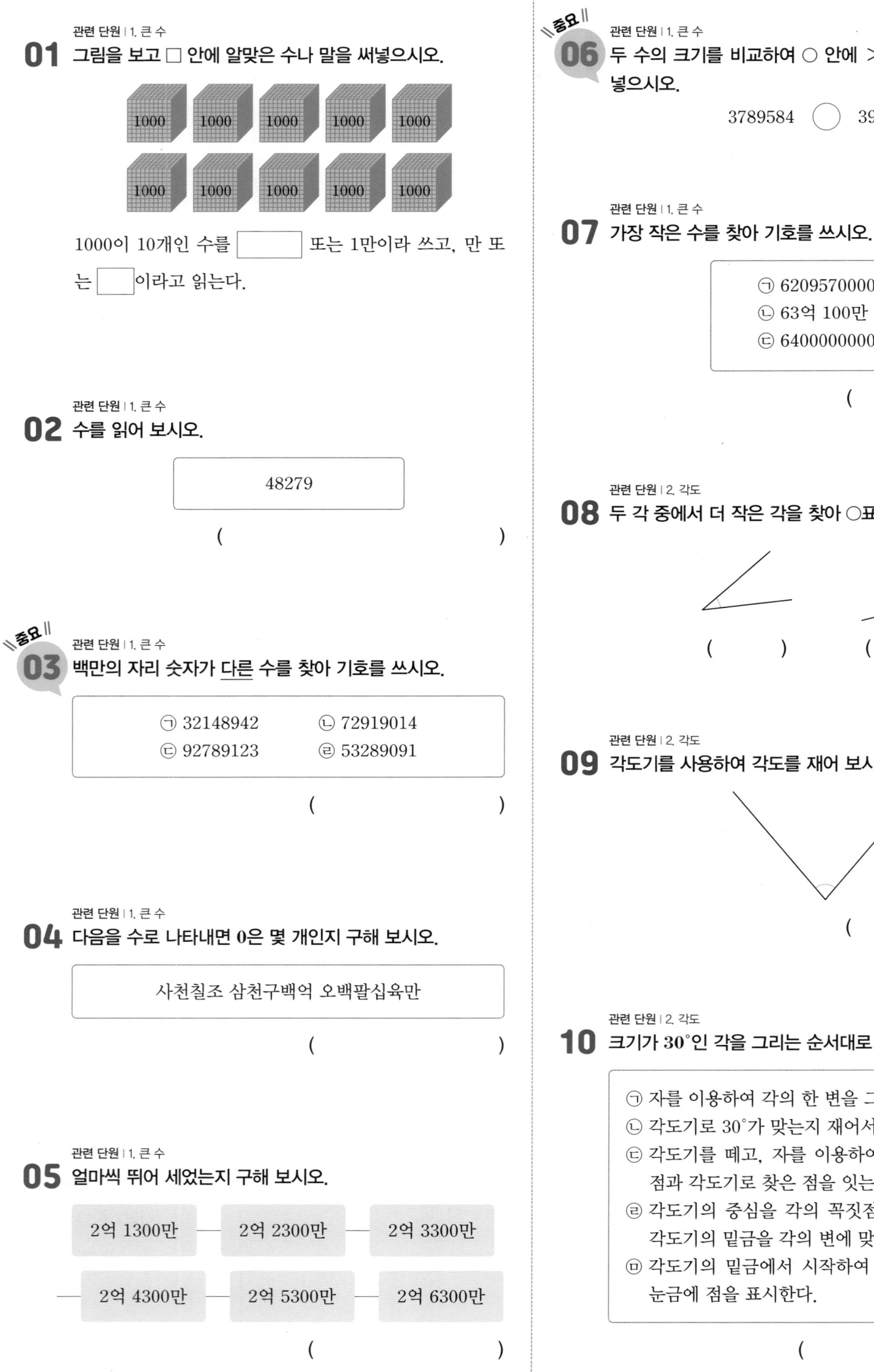

01 관련 단원 | 1. 큰 수
그림을 보고 □ 안에 알맞은 수나 말을 써넣으시오.

1000이 10개인 수를 [   ] 또는 1만이라 쓰고, 만 또는 [   ]이라고 읽는다.

02 관련 단원 | 1. 큰 수
수를 읽어 보시오.

48279

(   )

03 ∥중요∥ 관련 단원 | 1. 큰 수
백만의 자리 숫자가 다른 수를 찾아 기호를 쓰시오.

㉠ 32148942   ㉡ 72919014
㉢ 92789123   ㉣ 53289091

(   )

04 관련 단원 | 1. 큰 수
다음을 수로 나타내면 0은 몇 개인지 구해 보시오.

사천칠조 삼천구백억 오백팔십육만

(   )

05 관련 단원 | 1. 큰 수
얼마씩 뛰어 세었는지 구해 보시오.

| 2억 1300만 | 2억 2300만 | 2억 3300만 |
| 2억 4300만 | 2억 5300만 | 2억 6300만 |

(   )

06 ∥중요∥ 관련 단원 | 1. 큰 수
두 수의 크기를 비교하여 ○ 안에 >, =, <를 알맞게 써넣으시오.

3789584 ◯ 3901234

07 관련 단원 | 1. 큰 수
가장 작은 수를 찾아 기호를 쓰시오.

㉠ 6209570000
㉡ 63억 100만
㉢ 6400000000

(   )

08 관련 단원 | 2. 각도
두 각 중에서 더 작은 각을 찾아 ○표 하시오.

(   )   (   )

09 관련 단원 | 2. 각도
각도기를 사용하여 각도를 재어 보시오.

(   )

10 관련 단원 | 2. 각도
크기가 30°인 각을 그리는 순서대로 번호를 쓰시오.

㉠ 자를 이용하여 각의 한 변을 그린다.
㉡ 각도기로 30°가 맞는지 재어서 확인한다.
㉢ 각도기를 떼고, 자를 이용하여 각의 꼭짓점이 될 점과 각도기로 찾은 점을 잇는다.
㉣ 각도기의 중심을 각의 꼭짓점이 될 점에 맞추고 각도기의 밑금을 각의 변에 맞춘다.
㉤ 각도기의 밑금에서 시작하여 각도가 30°가 되는 눈금에 점을 표시한다.

(   )

관련 단원 | 2. 각도

11 시계의 긴바늘과 짧은바늘이 이루는 작은 쪽의 각이 둔각인 것을 찾아 기호를 쓰시오.

㉠ 2시	㉡ 4시
㉢ 9시	㉣ 11시

(　　　　　　　　)

관련 단원 | 2. 각도

12 각도의 합을 구해 보시오.

$45° + 55° = $ ☐ °

중요

관련 단원 | 2. 각도

13 ☐ 안에 알맞은 수를 써넣으시오.

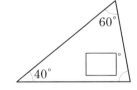

관련 단원 | 2. 각도

14 ☐ 안에 알맞은 수를 써넣으시오.

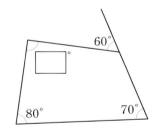

관련 단원 | 3. 곱셈과 나눗셈

15 계산해 보시오.

$$\begin{array}{r} 7\,0\,0 \\ \times\ \ 6\,0 \\ \hline \end{array}$$

관련 단원 | 3. 곱셈과 나눗셈

16 곱이 큰 것부터 차례대로 ○ 안에 1, 2, 3을 써넣으시오.

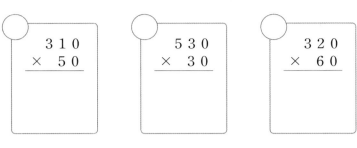

관련 단원 | 3. 곱셈과 나눗셈

17 빈칸에 몫을 쓰고 ○ 안에 나머지를 써넣으시오.

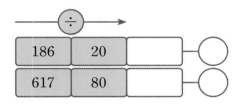

관련 단원 | 3. 곱셈과 나눗셈

18 계산해 보시오.

$$14\,)\,\overline{9\,5\,0}$$

관련 단원 | 3. 곱셈과 나눗셈

19 수 카드 4장을 모두 한 번씩만 사용하여 몫이 가장 큰 (두 자리 수)÷(두 자리 수)를 만들고, 계산해 보시오.

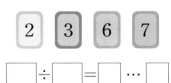

☐ ÷ ☐ = ☐ … ☐

중요

관련 단원 | 3. 곱셈과 나눗셈

20 성현이는 매일 435 m씩 달리기를 합니다. 성현이가 35일 동안 달린 거리는 모두 몇 m인지 구하시오.

(　　　　　　　　)

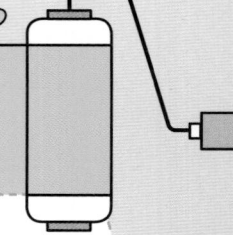
4 평면도형의 이동

(1) 평면도형 밀기
도형을 여러 방향으로 밀어도 모양은 변하지 않습니다.

(2) 평면도형 뒤집기
- 도형을 위쪽(아래쪽)으로 뒤집으면 도형의 위쪽과 아래쪽이 서로 바뀝니다.
- 도형을 왼쪽(오른쪽)으로 뒤집으면 도형의 왼쪽과 오른쪽이 서로 바뀝니다.

(3) 평면도형 돌리기
도형을 시계 방향과 시계 반대 방향으로 90°, 180°, 270°, 360°만큼 돌릴 수 있습니다.

예 도형을 시계 방향으로 90°만큼 (⟳) 돌리기
위쪽 → 오른쪽, 오른쪽 → 아래쪽, 아래쪽 → 왼쪽, 왼쪽 → 위쪽으로 바뀝니다.

예 도형을 시계 반대 방향으로 90°만큼 (⟲) 돌리기
위쪽 → 왼쪽, 왼쪽 → 아래쪽, 아래쪽 → 오른쪽, 오른쪽 → 위쪽으로 바뀝니다.

(4) 평면도형 뒤집고 돌리기
예 도형을 오른쪽으로 뒤집고 시계 방향으로 90°만큼 돌리기

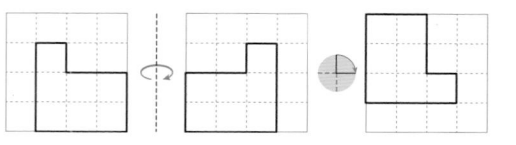

(5) 무늬 꾸미기
밀기, 뒤집기, 돌리기를 이용하여 규칙적인 무늬를 만들 수 있습니다.

5 막대그래프

(1) 막대그래프
조사한 자료를 막대 모양으로 나타낸 그래프를 막대그래프라고 합니다.

예

좋아하는 운동별 학생 수

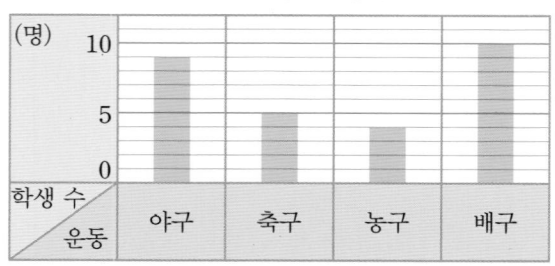

(2) 막대그래프에서 알 수 있는 내용
위 그래프에서
① 세로 눈금 한 칸은 1명을 나타냅니다.
② 야구를 좋아하는 학생은 9명입니다.
③ 가장 많은 학생들이 좋아하는 운동은 배구입니다.
④ 가장 적은 학생들이 좋아하는 운동은 농구입니다.

(3) 막대그래프로 나타내기
예 좋아하는 과일별 학생 수를 막대그래프로 나타내기

좋아하는 과일별 학생 수

과일	사과	귤	배	감	합계
학생 수(명)	8	11	6	5	30

① 가로와 세로에 각각 무엇을 나타낼지 정합니다.
　⇨ 가로: 과일, 세로: 학생 수
② 세로 눈금 한 칸의 크기와 눈금의 수를 정합니다.
　⇨ 세로 눈금 한 칸의 크기: 1명, 눈금의 수: 12칸
③ 조사한 자료의 수량을 막대 모양으로 나타냅니다.
　⇨ 사과: 8칸, 귤: 11칸, 배: 6칸, 감: 5칸
④ 막대그래프에 알맞은 제목을 붙입니다.

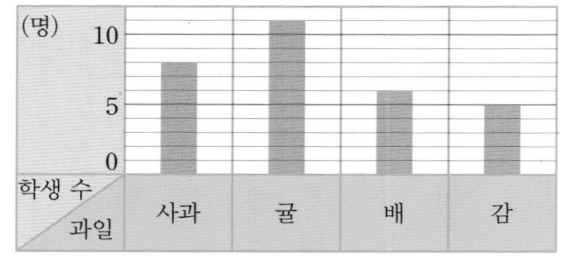

좋아하는 과일별 학생 수

6 규칙 찾기

(1) 수의 배열에서 규칙 찾기
예

1001	1011	1021	1031	1041
2001	2011	2021	2031	2041
3001	3011	3021	3031	3041

- 1001부터 시작하여 오른쪽으로 10씩 커집니다.
- 1001부터 시작하여 아래쪽으로 1000씩 커집니다.

(2) 도형의 배열에서 규칙 찾기
예

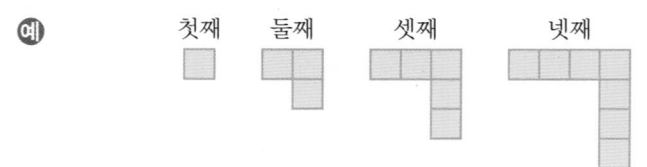

모양이 1개에서 시작하여 왼쪽과 아래쪽으로 각각 1개씩 늘어납니다.

(3) 계산식에서 규칙 찾기
① 덧셈식에서 규칙 찾기
예
$500+600=1100$
$500+1600=2100$
$500+2600=3100$
⇨ 더하는 수가 1000씩 커지면 합도 1000씩 커집니다.

② 곱셈식에서 규칙 찾기
예
$10\times33=330$
$20\times33=660$
$30\times33=990$
⇨ 곱해지는 수가 10씩 커지면 곱은 330씩 커집니다.

01 관련 단원 | 4. 평면도형의 이동
도형을 오른쪽으로 밀었을 때의 도형을 그려 보시오.

02 관련 단원 | 4. 평면도형의 이동
도형을 오른쪽으로 5 cm 밀었을 때의 도형을 그려 보시오.

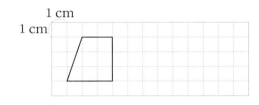

03 관련 단원 | 4. 평면도형의 이동
도형을 왼쪽으로 뒤집었을 때의 도형을 그려 보시오.

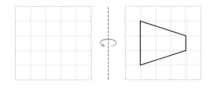

04 관련 단원 | 4. 평면도형의 이동
도형을 시계 방향으로 180°만큼 돌렸을 때의 도형을 그려 보시오.

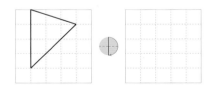

05 ‖중요‖ 관련 단원 | 4. 평면도형의 이동
도형을 아래쪽으로 뒤집고 시계 방향으로 90°만큼 돌렸을 때의 도형을 그려 보시오.

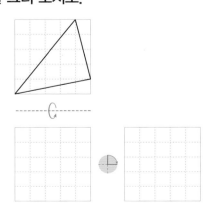

06 관련 단원 | 4. 평면도형의 이동
◰ 모양으로 밀기를 이용하여 규칙적인 무늬를 만들어 보시오.

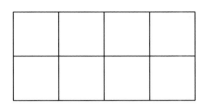

07 관련 단원 | 4. 평면도형의 이동
◰ 모양으로 무늬를 만든 규칙을 설명해 보시오.

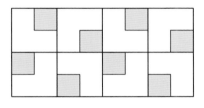

규칙 _____

[08~10] 수혁이네 반 학생들이 좋아하는 계절을 조사하여 나타낸 막대그래프입니다. 물음에 답하시오.

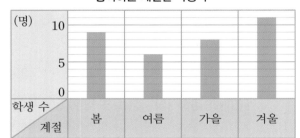

08 관련 단원 | 5. 막대그래프
막대그래프에서 가로와 세로는 각각 무엇을 나타내는지 쓰시오.

가로 ( )
세로 ( )

09 ‖중요‖ 관련 단원 | 5. 막대그래프
가을을 좋아하는 학생은 몇 명인지 구해 보시오.

( )

10 관련 단원 | 5. 막대그래프
가장 많은 학생들이 좋아하는 계절은 어느 계절인지 구해 보시오.

( )

[11~13] 태형이네 반 학생들이 여행 가고 싶어 하는 나라를 조사하여 나타낸 표입니다. 물음에 답하시오.

여행 가고 싶어 하는 나라별 학생 수

나라	미국	프랑스	영국	호주	합계
학생 수(명)	6	3	9	7	25

관련 단원 | 5. 막대그래프

11 표를 보고 막대그래프로 나타내려고 합니다. 세로 눈금 한 칸이 1명을 나타낼 때, 영국에 가고 싶어 하는 학생 수는 몇 칸으로 나타내어야 하는지 쓰시오.

(　　　　　　)

||중요||

관련 단원 | 5. 막대그래프

12 표를 보고 막대그래프로 나타내시오.

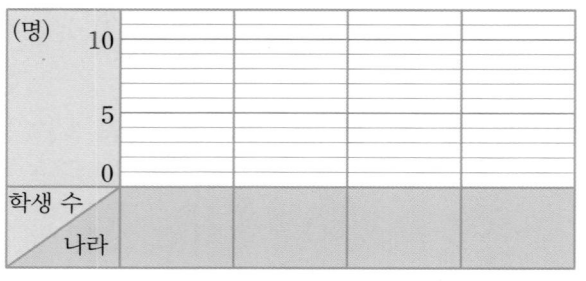

여행 가고 싶어 하는 나라별 학생 수

관련 단원 | 5. 막대그래프

13 영국으로 여행 가고 싶어 하는 학생은 호주로 여행 가고 싶어 하는 학생보다 몇 명 더 많은지 구하시오.

(　　　　　　)

[14~15] 수 배열표를 보고 물음에 답하시오.

501	502	503	504	505
511	512	513	514	515
521	522	523	524	525
531	532	533	534	535
541	542	543	544	545

관련 단원 | 6. 규칙 찾기

14 규칙을 찾아 □ 안에 알맞은 수를 써넣으시오.

➡ 방향은 501에서 시작하여 오른쪽으로 [　]씩 커진다.

관련 단원 | 6. 규칙 찾기

15 규칙을 찾아 □ 안에 알맞은 수를 써넣으시오.

⬇ 방향은 501에서 시작하여 아래쪽으로 [　]씩 커진다.

[16~18] 도형의 배열을 보고 물음에 답하시오.

첫째　둘째　　셋째　　　　넷째

관련 단원 | 6. 규칙 찾기

16 빈칸에 알맞은 수를 써넣으시오.

순서	첫째	둘째	셋째	넷째
□의 수(개)				

||중요||

관련 단원 | 6. 규칙 찾기

17 도형의 배열에서 규칙을 찾아 설명하시오.

규칙 _____

_____

||중요||

관련 단원 | 6. 규칙 찾기

18 다섯째에 알맞은 도형에서 의 수를 구하시오.

(　　　　　　)

[19~20] 규칙적인 계산식을 보고 물음에 답하시오.

순서	계산식
첫째	$1 \times 1 = 1$
둘째	$11 \times 11 = 121$
셋째	$111 \times 111 = 12321$
넷째	$1111 \times 1111 = 1234321$

관련 단원 | 6. 규칙 찾기

19 다섯째에 알맞은 계산식을 쓰시오.

계산식 _____

관련 단원 | 6. 규칙 찾기

20 규칙에 따라 계산 결과가 12345654321이 되는 계산식을 찾아보시오.

계산식

1 분수의 덧셈과 뺄셈

(1) 분모가 같은 진분수의 덧셈과 뺄셈

분모는 그대로 두고 분자끼리 더하거나 뺍니다. 이때 계산 결과가 가분수이면 대분수로 바꾸어 나타냅니다.

예 $\dfrac{6}{7}+\dfrac{4}{7}=\dfrac{6+4}{7}=\dfrac{10}{7}=1\dfrac{3}{7}$

$\dfrac{6}{7}-\dfrac{4}{7}=\dfrac{6-4}{7}=\dfrac{2}{7}$

(2) 분모가 같은 대분수의 덧셈

[방법 1] 자연수 부분끼리 더하고 진분수 부분끼리 더합니다.

예 $1\dfrac{3}{4}+2\dfrac{3}{4}=(1+2)+\left(\dfrac{3}{4}+\dfrac{3}{4}\right)=3+1\dfrac{2}{4}=4\dfrac{2}{4}$

[방법 2] 대분수를 가분수로 바꾸어 분자끼리 더합니다.

예 $1\dfrac{3}{4}+2\dfrac{3}{4}=\dfrac{7}{4}+\dfrac{11}{4}=\dfrac{18}{4}=4\dfrac{2}{4}$

(3) 분모가 같은 대분수의 뺄셈 (1)

[방법 1] 자연수 부분끼리 빼고, 진분수 부분끼리 뺀 결과를 더합니다.

예 $2\dfrac{4}{5}-1\dfrac{2}{5}=(2-1)+\left(\dfrac{4}{5}-\dfrac{2}{5}\right)=1+\dfrac{2}{5}=1\dfrac{2}{5}$

[방법 2] 대분수를 가분수로 바꾸어 분자끼리 뺍니다.

예 $2\dfrac{4}{5}-1\dfrac{2}{5}=\dfrac{14}{5}-\dfrac{7}{5}=\dfrac{7}{5}=1\dfrac{2}{5}$

(4) 자연수와 분수의 뺄셈

[방법 1] 자연수에서 1만큼을 가분수로 바꾼 뒤 자연수 부분끼리 빼고, 분수 부분끼리 뺀 결과를 더합니다.

예 $5-1\dfrac{1}{4}=4\dfrac{4}{4}-1\dfrac{1}{4}=(4-1)+\left(\dfrac{4}{4}-\dfrac{1}{4}\right)$
$=3+\dfrac{3}{4}=3\dfrac{3}{4}$

[방법 2] 자연수와 대분수를 가분수로 바꾸어 분자끼리 뺍니다.

예 $5-1\dfrac{1}{4}=\dfrac{20}{4}-\dfrac{5}{4}=\dfrac{15}{4}=3\dfrac{3}{4}$

(5) 분모가 같은 대분수의 뺄셈 (2)

[방법 1] 앞 대분수의 자연수 부분에서 1만큼을 분수로 바꾸어 자연수 부분끼리 빼고, 분수 부분끼리 뺀 결과를 더합니다.

예 $3\dfrac{1}{5}-1\dfrac{4}{5}=2\dfrac{6}{5}-1\dfrac{4}{5}=(2-1)+\left(\dfrac{6}{5}-\dfrac{4}{5}\right)$
$=1+\dfrac{2}{5}=1\dfrac{2}{5}$

[방법 2] 대분수를 가분수로 바꾸어 분자끼리 뺍니다.

예 $3\dfrac{1}{5}-1\dfrac{4}{5}=\dfrac{16}{5}-\dfrac{9}{5}=\dfrac{7}{5}=1\dfrac{2}{5}$

2 삼각형

(1) 삼각형을 변의 길이에 따라 분류하기
- 두 변의 길이가 같은 삼각형을 이등변삼각형이라고 합니다.
- 세 변의 길이가 같은 삼각형을 정삼각형이라고 합니다.

(2) 이등변삼각형의 성질

이등변삼각형은 두 각의 크기가 같습니다.

(3) 정삼각형의 성질

정삼각형은 세 각의 크기가 60°로 모두 같습니다.

(4) 삼각형을 각의 크기에 따라 분류하기
- 세 각이 모두 예각인 삼각형을 예각삼각형이라고 합니다.
- 한 각이 둔각인 삼각형을 둔각삼각형이라고 합니다.

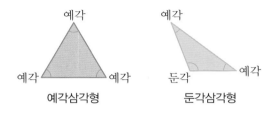

3 소수의 덧셈과 뺄셈

(1) 소수 두 자리 수

분수 $\dfrac{1}{100}$ 은 소수로 0.01이라 쓰고, 영 점 영일이라고 읽습니다.

$$\dfrac{1}{100}=0.01$$

(2) 소수 세 자리 수

분수 $\dfrac{1}{1000}$ 은 소수로 0.001이라 쓰고, 영 점 영영일이라고 읽습니다.

$$\dfrac{1}{1000}=0.001$$

(3) 소수의 크기 비교

자연수 부분의 크기를 비교하고, 자연수 부분이 같으면 소수 첫째 자리 수를, 소수 첫째 자리 수가 같으면 소수 둘째 자리 수를, 소수 둘째 자리 수가 같으면 소수 셋째 자리 수를 비교합니다.

(4) 소수 사이의 관계

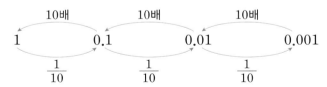

(5) 소수 한 자리 수의 덧셈과 뺄셈

```
예      1                예    7  10
     0 . 9                   8 . 3
  +  0 . 5                 - 6 . 5
  ---------               ---------
     1 . 4                   1 . 8
```

소수점끼리 맞추어 세로로 쓴 다음 같은 자리 수끼리 더하거나 뺍니다.

(6) 소수 두 자리 수의 덧셈과 뺄셈

```
예        1              예      8  10
     0 . 1 7                 0 . 9 2
  +  0 . 5 6               - 0 . 5 8
  -----------             -----------
     0 . 7 3                 0 . 3 4
```

소수점끼리 맞추어 세로로 쓴 다음 같은 자리 수끼리 더하거나 뺍니다.

수학 2학기

1. 분수의 덧셈과 뺄셈 ~ 3. 소수의 덧셈과 뺄셈

확인 문제

관련 단원 | 1. 분수의 덧셈과 뺄셈

01 □ 안에 알맞은 수를 써넣으시오.

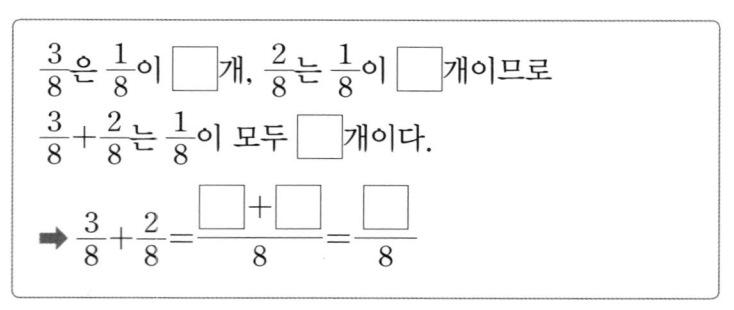

$\frac{3}{8}$은 $\frac{1}{8}$이 □ 개, $\frac{2}{8}$는 $\frac{1}{8}$이 □ 개이므로

$\frac{3}{8} + \frac{2}{8}$는 $\frac{1}{8}$이 모두 □ 개이다.

➡ $\frac{3}{8} + \frac{2}{8} = \frac{□ + □}{8} = \frac{□}{8}$

관련 단원 | 1. 분수의 덧셈과 뺄셈

02 두 분수의 차를 계산해 보시오.

$$\frac{8}{11} \qquad \frac{2}{11}$$

( )

관련 단원 | 1. 분수의 덧셈과 뺄셈

03 색 테이프를 형진이는 $\frac{8}{13}$ m, 선영이는 $\frac{5}{13}$ m 가지고 있습니다. 색 테이프를 누가 몇 m 더 많이 가지고 있는지 구해 보시오.

(,)

관련 단원 | 1. 분수의 덧셈과 뺄셈

04 사과 한 상자의 무게는 $4\frac{5}{9}$ kg입니다. 같은 사과 2상자의 무게는 몇 kg인지 구해 보시오.

( )

관련 단원 | 1. 분수의 덧셈과 뺄셈

05 계산해 보시오.

$$6\frac{8}{10} - 3\frac{7}{10}$$

( )

관련 단원 | 1. 분수의 덧셈과 뺄셈

06 계산 결과가 1과 2 사이인 뺄셈식의 기호를 쓰시오.

㉠ $3 - \frac{1}{2}$ ㉡ $2 - 1\frac{3}{5}$ ㉢ $4 - 2\frac{2}{3}$ ㉣ $6 - 3\frac{2}{4}$

( )

관련 단원 | 1. 분수의 덧셈과 뺄셈

07 다음이 나타내는 수는 얼마인지 구해 보시오.

$3\frac{1}{5}$보다 $1\frac{3}{5}$만큼 더 작은 수

( )

[08~09] 삼각형의 변의 길이를 재어 보고 물음에 답하시오.

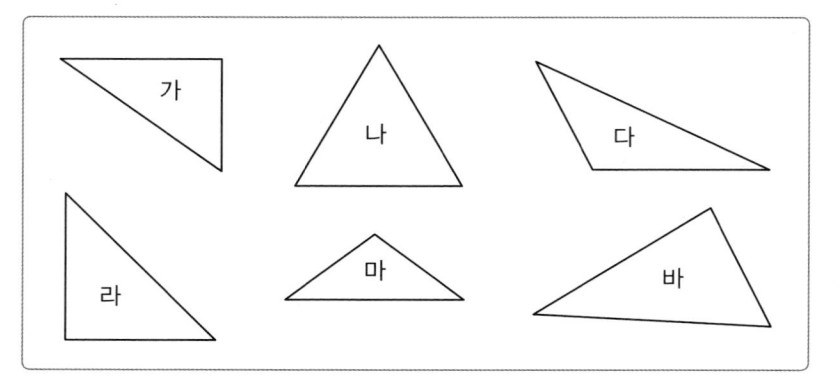

관련 단원 | 2. 삼각형

08 이등변삼각형을 모두 찾아 기호를 쓰시오.

( )

관련 단원 | 2. 삼각형

09 정삼각형을 찾아 기호를 쓰시오.

( )

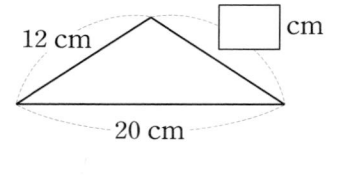
관련 단원 | 2. 삼각형

10 다음 도형은 이등변삼각형입니다. □ 안에 알맞은 수를 써넣으시오.

12 cm □ cm

20 cm

11 관련 단원 | 2. 삼각형
다음 도형은 정삼각형입니다. □ 안에 알맞은 수를 써넣으시오.

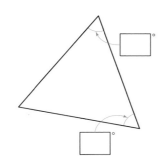

12 관련 단원 | 2. 삼각형
□ 안에 알맞은 말을 써넣으시오.

> 세 각이 모두 예각인 삼각형을 [　　　　] (이)라 하고, 한 각이 둔각인 삼각형을 [　　　　] (이)라고 한다.

13 ‖중요‖ 관련 단원 | 2. 삼각형
두 각의 크기가 다음과 같은 삼각형이 있습니다. 삼각형의 이름으로 알맞은 것을 찾아 기호를 쓰시오.

> $50°, 60°$

> ㉠ 예각삼각형　　㉡ 둔각삼각형　　㉢ 직각삼각형

(　　　　　　)

14 ‖중요‖ 관련 단원 | 3. 소수의 덧셈과 뺄셈
분수를 소수로 나타내고 읽어 보시오.

> $3\frac{52}{1000}$

쓰기 (　　　　　　)
읽기 (　　　　　　)

15 관련 단원 | 3. 소수의 덧셈과 뺄셈
두 수의 크기를 비교하여 ○ 안에 >, =, <를 알맞게 써넣으시오.

> 0.34 ◯ 0.4

16 관련 단원 | 3. 소수의 덧셈과 뺄셈
빈칸에 알맞은 수를 써넣으시오.

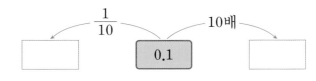

17 관련 단원 | 3. 소수의 덧셈과 뺄셈
계산해 보시오.

(1) $0.9+0.3$

(2) $2-1.2$

18 ‖중요‖ 관련 단원 | 3. 소수의 덧셈과 뺄셈
잘못 계산한 곳을 찾아 바르게 계산해 보시오.

$$\begin{array}{r} 4.2\ 6 \\ +\ \ 1.5 \\ \hline 4.4\ 1 \end{array} \Rightarrow \boxed{}$$

19 관련 단원 | 3. 소수의 덧셈과 뺄셈
책상의 짧은 쪽의 길이는 0.57 m이고, 긴 쪽의 길이는 짧은 쪽의 길이보다 0.12 m만큼 더 깁니다. 책상의 긴 쪽의 길이는 몇 m인지 구해 보시오.

(　　　　　　)

20 관련 단원 | 3. 소수의 덧셈과 뺄셈
수 카드 4장을 모두 한 번씩만 사용하여 소수 두 자리 수를 만들려고 합니다. 만들 수 있는 가장 큰 수와 가장 작은 수의 차를 구해 보시오.

(　　　　　　)

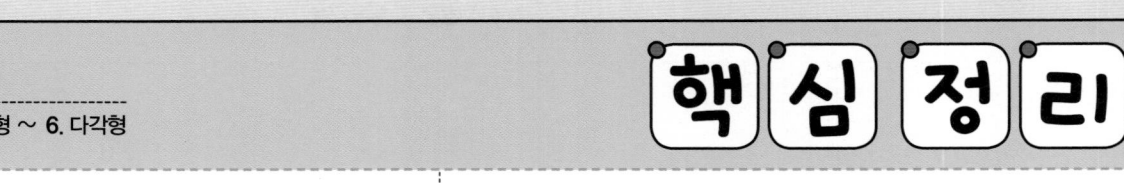
4 사각형

(1) 수직

두 직선이 만나서 이루는 각이 직각일 때, 두 직선은 서로 수직이라고 합니다.
두 직선이 서로 수직으로 만났을 때, 한 직선을 다른 직선에 대한 수선이라고 합니다.

(2) 평행

한 직선에 수직인 두 직선을 그었을 때, 그 두 직선은 서로 만나지 않습니다. 이와 같이 서로 만나지 않는 두 직선을 평행하다고 합니다. 이때 평행한 두 직선을 평행선이라고 합니다.

평행선

(3) 평행선 사이의 거리

평행선의 한 직선에서 다른 직선에 수선을 긋습니다. 이때 이 수선의 길이를 평행선 사이의 거리라고 합니다.

평행선 사이의 거리

(4) 사다리꼴

평행한 변이 한 쌍이라도 있는 사각형을 사다리꼴이라고 합니다.

평행

(5) 평행사변형

마주 보는 두 쌍의 변이 서로 평행한 사각형을 평행사변형이라고 합니다.

평행

(6) 마름모

네 변의 길이가 모두 같은 사각형을 마름모라고 합니다.

5 꺾은선그래프

(1) 꺾은선그래프

수량을 점으로 표시하고, 그 점들을 선분으로 이어 그린 그래프를 꺾은선그래프라고 합니다.

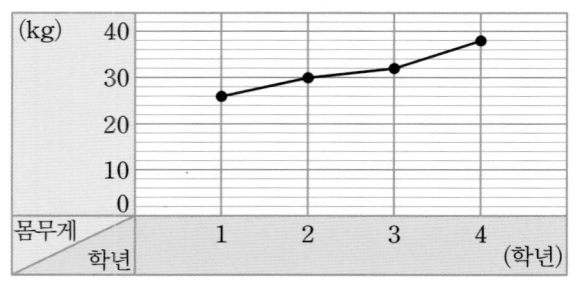
우재의 몸무게

(2) 꺾은선그래프에서 알 수 있는 내용

위 그래프에서
① 가로는 학년, 세로는 몸무게를 나타냅니다.
② 세로 눈금 한 칸은 2 kg을 나타냅니다.
③ 전년도에 비해 몸무게가 가장 많이 늘어난 때는 4학년입니다.

(3) 꺾은선그래프로 나타내기

예 월별 강수량을 꺾은선그래프로 나타내기

월별 강수량

월	2	4	6	8
강수량(mm)	30	80	120	200

① 가로와 세로 중 어느 쪽에 조사한 수를 나타낼 것인가를 정합니다.
② 눈금 한 칸의 크기를 정하고, 조사한 수 중에서 가장 큰 수를 나타낼 수 있도록 눈금의 수를 정합니다.
③ 가로 눈금과 세로 눈금이 만나는 자리에 점을 찍습니다.
④ 점들을 선분으로 잇습니다.
⑤ 꺾은선그래프에 알맞은 제목을 붙입니다.

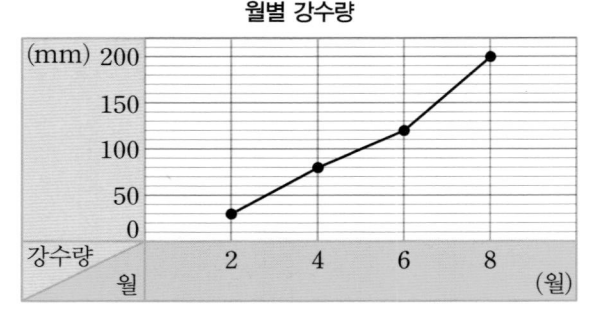
월별 강수량

6 다각형

(1) 다각형

선분으로만 둘러싸인 도형을 다각형이라고 합니다. 다각형은 변의 수에 따라 변이 6개이면 육각형, 변이 7개이면 칠각형, 변이 8개이면 팔각형이라고 부릅니다.

(2) 정다각형

변의 길이가 모두 같고, 각의 크기가 모두 같은 다각형을 정다각형이라고 합니다.

정삼각형   정사각형   정오각형   정육각형

(3) 대각선

다각형에서 선분 ㄱㄷ, 선분 ㄴㄹ과 같이 서로 이웃하지 않는 두 꼭짓점을 이은 선분을 대각선이라고 합니다.

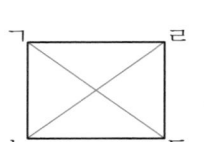

(4) 모양 만들기

① 모양 조각으로 다각형 만들기

예 삼각형 만들기   예 사각형 만들기

② 모양 조각으로 여러 가지 모양 만들기

예

정삼각형 2개, 마름모 1개, 사다리꼴 1개, 정사각형 4개로 집 모양을 만들었습니다.

수학

2학기

4. 사각형 ~ 6. 다각형

확인문제

---

01 관련 단원 | 4. 사각형

□ 안에 알맞은 말을 써넣으시오.

> 두 직선이 만나서 이루는 각이 직각일 때, 두 직선은 서로 ☐ (이)라 하고, 두 직선이 서로 수직으로 만나면 한 직선을 다른 직선에 대한 ☐ (이)라고 합니다.

02 관련 단원 | 4. 사각형

삼각자를 사용하여 직선 가에 수직인 직선을 그려 보시오.

03 《중요》 관련 단원 | 4. 사각형

직선 라와 평행한 직선을 찾아 쓰시오.

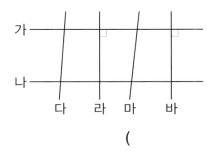

(   )

04 관련 단원 | 4. 사각형

평행선 사이의 거리는 몇 cm인지 구하시오.

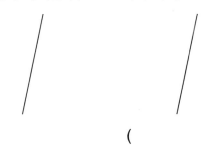

(   )

05 관련 단원 | 4. 사각형

사다리꼴을 모두 찾아 기호를 쓰시오.

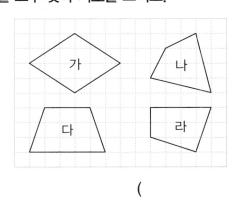

(   )

---

06 관련 단원 | 4. 사각형

다음 도형은 평행사변형입니다. □ 안에 알맞은 수를 써넣으시오.

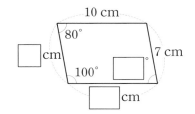

07 《중요》 관련 단원 | 4. 사각형

다음 도형은 마름모입니다. 선분 ㄴㄹ의 길이는 몇 cm인지 구해 보시오.

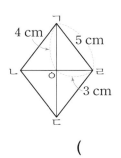

(   )

[08~10] 교실의 기온을 조사하여 나타낸 그래프입니다. 물음에 답하시오.

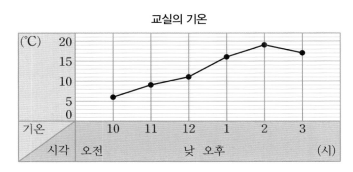

08 관련 단원 | 5. 꺾은선그래프

그래프의 가로와 세로는 각각 무엇을 나타내는지 쓰시오.

가로 (   )

세로 (   )

09 관련 단원 | 5. 꺾은선그래프

세로 눈금 한 칸은 몇 ℃를 나타내는지 구해 보시오.

(   )

10 관련 단원 | 5. 꺾은선그래프

오후 3시 교실의 기온은 몇 ℃인지 구해 보시오.

(   )

[11~13] 선정이가 기르는 토마토 싹의 키를 5일마다 재어 나타낸 표를 보고 꺾은선그래프로 나타내려고 합니다. 물음에 답하시오.

토마토 싹의 키

날짜(일)	5	10	15	20	25	30
키(cm)	3	4	6	9	12	16

관련 단원 | 5. 꺾은선그래프

11 표를 보고 꺾은선그래프로 나타내시오.

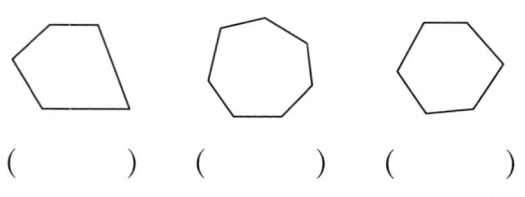

관련 단원 | 5. 꺾은선그래프

12 토마토 싹의 키가 가장 많이 자란 때는 며칠과 며칠 사이인지 쓰시오.

(   )

관련 단원 | 5. 꺾은선그래프

13 토마토 싹의 키가 가장 적게 자란 때는 며칠과 며칠 사이인지 쓰시오.

(   )

관련 단원 | 6. 다각형

14 육각형을 찾아 ○표 하시오.

(   ) (   ) (   )

관련 단원 | 6. 다각형

15 점 종이에 그려진 선분을 이용하여 팔각형을 완성하시오.

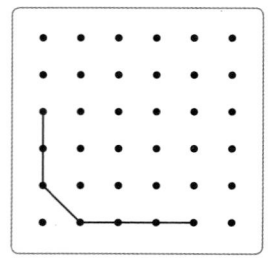

관련 단원 | 6. 다각형

16 정오각형을 찾아 기호를 쓰시오.

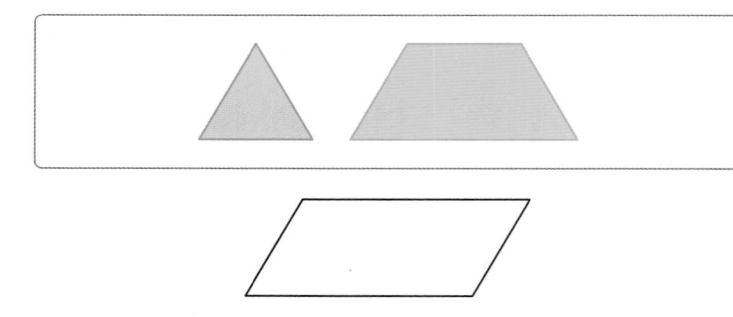

(   )

관련 단원 | 6. 다각형

17 왼쪽 정사각형의 모든 변의 길이의 합은 오른쪽 정육각형의 모든 변의 길이의 합과 같습니다. 정육각형의 한 변의 길이는 몇 **cm**인지 구해 보시오.

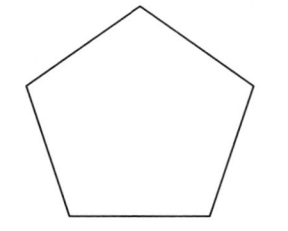

18 cm

(   )

관련 단원 | 6. 다각형

18 도형에 대각선을 모두 그어 보시오.

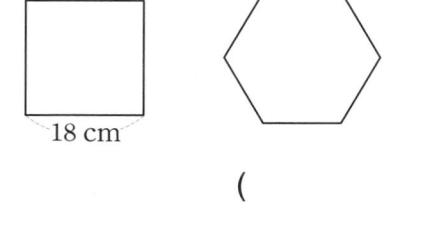

관련 단원 | 6. 다각형

19 대각선의 수가 가장 적은 것을 찾아 기호를 쓰시오.

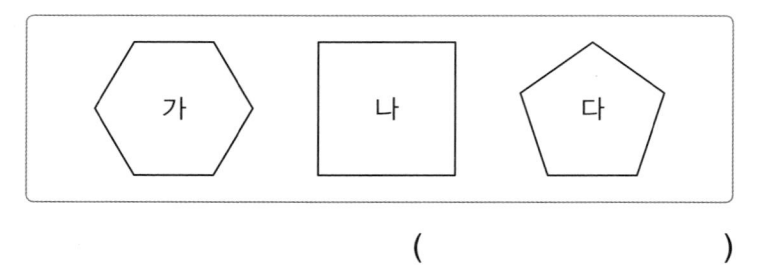

(   )

관련 단원 | 6. 다각형

20 주어진 모양 조각을 사용하여 평행사변형을 만들어 보시오.

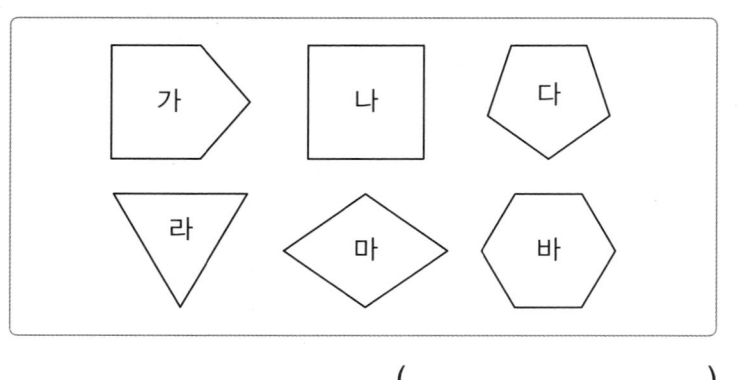

1 지역의 위치와 특성

(1) 지도로 본 우리 지역

① 지도

- 하늘에서 내려다본 땅의 실제 모습을 일정하게 줄여 평면에 나타낸 그림입니다.
- 지도가 갖추고 있는 요소로 지형지물의 위치와 종류, 지형지물 사이의 실제 거리, 땅의 높낮이 등을 알 수 있습니다.

② 지도의 요소

방위와 방위표	• 방위: 방향의 위치, 동서남북 • 방위표: 방위를 알려 주는 표시 • 지도에 방위표가 없으면 위쪽이 북쪽이라고 약속함.
기호와 범례	• 기호: 학교, 우체국, 병원 등을 지도에 간단히 나타내는 표시 • 범례: 지도에 쓰이는 기호와 그 뜻을 모아서 알려 주는 표
축척	지도에서 실제 거리를 줄인 정도
등고선	지도에서 높이가 같은 곳을 연결하여 땅의 높낮이를 나타낸 선

③ 일상생활에서 활용하는 지도

약도	중요한 것만 간략하게 나타낸 지도임.
길 도우미 지도	목적지로 가는 길과 목적지까지 가는 데 걸리는 시간을 알 수 있음.
버스 노선도	어느 버스를 타야 하는지 알 수 있음.
지하철 노선도	역의 위치와 노선의 방향을 나타냄.
관광 안내도	주요 관광지 위치나 추천 관광 순서 등을 확인할 수 있음.
날씨 지도	지도를 바탕으로 날씨 정보를 표시함.

(2) 우리 지역의 중심지

① 중심지

- 사람들이 일이나 활동을 하기 위해 많이 모이는 곳입니다.
- 중심지에는 시청, 군청, 구청, 시장, 버스 터미널 등 생활에 필요한 다양한 시설들이 있고, 교통이 편리합니다.

② 지역의 다양한 중심지

행정 중심지	→규칙에 의해 공공의 일들을 처리하는 것 행정 업무를 처리할 때 이용하는 시청, 도청, 교육청 등의 시설이 모여 있는 곳
교통 중심지	다른 고장이나 지역으로 이동할 때 이용하는 기차역, 버스 터미널 등의 교통 시설이 모여 있는 곳
상업 중심지	물건을 살 때 이용하는 전통 시장, 대형 마트, 백화점 등 크고 작은 상업 시설이 모여 있는 곳
산업 중심지	→상품을 사고팔아 이익을 얻는 일 물건을 만드는 회사나 공장 등 생산 시설이 모여 있는 곳 물건이나 서비스를 만들어 내는 일
관광 중심지	여가 활동이나 관광을 할 때 이용하는 여가 시설, 관광 시설 등이 모여 있는 곳

③ 중심지 답사하기 →어떤 곳에 찾아가 직접 보고 조사하는 활동

- 중심지를 조사하는 방법으로 인터넷으로 찾아보기, 지역 홍보 자료 살펴보기, 어른들께 여쭤보기 등이 있습니다.

- 중심지 답사 방법

답사 계획하기	답사 날짜와 장소, 내용, 방법, 준비물, 역할 등을 정하고 답사 계획서를 씀.
답사하기	• 중심지의 위치와 모습, 중심지에서 사람들이 하는 일 등을 살펴봄. • 사진과 동영상을 찍고, 사람들과 나눈 이야기, 관찰한 내용 등을 기록함.
답사 자료 정리하기	답사 경로를 되짚어 보면서 답사 자료를 정리함.

2 우리가 알아보는 지역의 역사

(1) 우리 지역의 문화유산

① 문화유산

- 옛날부터 전해 내려오는 것들 가운데 후손에게 물려줄 만한 가치가 있는 것입니다.
- 탑, 건축물처럼 형태가 있는 유형 문화유산과 전통 음악, 춤, 놀이처럼 형태가 없는 무형 문화유산으로 나눌 수 있습니다.

② 우리 지역의 문화유산 조사 방법: 인터넷에서 문화유산 검색, 문화유산과 관련된 책이나 기록물을 찾아보기, 문화유산을 잘 아는 사람과 면담, 문화유산 답사 등이 있습니다.

③ 우리 지역의 문화유산 답사하기

답사 계획하기	답사 장소를 미리 알아보고 답사 계획서를 작성함.
답사하기	안내도를 보며 둘러볼 장소와 순서를 정함. → 안내 자료를 읽고, 문화유산의 유래와 특징을 확인함. → 문화유산을 촬영하거나 그림. → 궁금한 점을 문화 관광 해설사께 여쭤봄. → 문화유산에 대해 알게 된 내용을 기록함.
답사 자료 정리하기	답사를 다녀온 후 답사 보고서를 작성함.

④ 우리 지역의 문화유산 소개하기

문화유산 동영상 만들기	문화유산에 관한 동영상을 만들면 많은 사람에게 문화유산을 소개할 수 있음.
문화유산 홍보 포스터 만들기	문화유산 홍보 포스터에는 문화유산이 잘 드러나는 그림이나 사진, 짧은 문구 등이 들어 있어 문화유산의 특징을 한눈에 볼 수 있음.
문화유산 안내도 만들기	문화유산 안내도를 만들어 지역에 있는 다양한 문화유산의 위치와 특징, 관련된 이야기 등을 함께 소개할 수 있음.
문화유산 소개 책자 만들기	문화유산 소개 책자를 만들어 문화유산의 특징을 자세하게 소개할 수 있음.

⑤ 지역의 문화유산을 보호하는 방법 →우리 지역의 문화유산에는 조상의 생활 모습과 생각이 담겨 있기 때문에 아끼고 보호해야 함.

- 지역 문화유산 축제, 문화재 지킴이 활동, 지역의 문화유산 발굴 및 보존 등 문화유산을 보호하고자 노력합니다.
- 지역의 문화유산을 유네스코 지정 문화유산으로 만들고자 노력합니다.

사회 1학기
1. 지역의 위치와 특성 ~
2. 우리가 알아보는 지역의 역사
(1) 우리 지역의 문화유산

확인 문제

관련 단원 | 1-(1) 지도로 본 우리 지역

01 다음에서 설명하는 것은 무엇인지 쓰시오.

> 위에서 내려다본 땅의 실제 모습을 일정하게 줄이고, 정해진 약속에 따라 색이나 모양 등을 사용하여 이해하기 쉽게 나타낸 것이다.

( )

관련 단원 | 1-(1) 지도로 본 우리 지역

02 다음 중 지도에서 찾을 수 있는 요소가 <u>아닌</u> 것은 무엇입니까? ( )

① 인구수
② 땅의 높낮이
③ 지형지물의 종류
④ 지형지물의 위치
⑤ 지형지물 사이의 실제 거리

관련 단원 | 1-(1) 지도로 본 우리 지역

03 방위에 대한 설명으로 바르지 <u>않은</u> 것은 무엇입니까?
( )

① 동서남북으로 나타낸다.
② 방위표를 보고 알 수 있다.
③ 방향의 위치를 알려 주려고 사용한다.
④ 지도에 방위표가 없으면 위쪽이 남쪽이다.
⑤ 방위표를 이용하면 사람이나 건물의 방향과 관계없이 정확한 위치를 나타낼 수 있다.

관련 단원 | 1-(1) 지도로 본 우리 지역

04 다음 기호와 그 뜻을 바르게 선으로 이으시오.

(1) ✚ •   • ㉮ 병원

(2) ╨ •   • ㉯ 산

(3) ▲ •   • ㉰ 논

관련 단원 | 1-(1) 지도로 본 우리 지역

05 등고선에 대한 설명으로 알맞은 것은 무엇입니까?
( )

① 색이 진해질수록 낮은 곳입니다.
② 높이가 다른 곳을 연결한 선입니다.
③ 바깥으로 갈수록 높은 곳을 나타냅니다.
④ 등고선의 숫자가 클수록 낮은 곳입니다.
⑤ 지도에 땅의 높낮이를 나타낼 때 이용합니다.

[06~07] 다음 지도를 보고 물음에 답하시오.

관련 단원 | 1-(1) 지도로 본 우리 지역

06 다음에서 설명하는 것은 무엇인지 쓰시오.

> 위 지도의 ㉠처럼 막대 모양으로 표시된 것으로, 실제 거리를 줄인 정도를 말한다.

( )

관련 단원 | 1-(1) 지도로 본 우리 지역

07 빈칸에 들어갈 알맞은 숫자는 얼마입니까? ( )

> 신석초등학교에서 부평구청까지의 지도상 거리가 5 cm이므로 두 지점 사이의 실제 거리는 ▢이다.

① 1 km   ② 2.5 km
③ 3 km   ④ 3.5 km
⑤ 5 km

관련 단원 | 1-(1) 지도로 본 우리 지역

08 다음에서 설명하는 지도는 무엇입니까? ( )

> 역의 위치와 노선의 방향을 지도로 나타내면 훨씬 알아보기 쉽다.

① 약도   ② 날씨 지도
③ 관광 안내도   ④ 지하철 노선도
⑤ 길 도우미 지도

관련 단원 | 1-(2) 우리 지역의 중심지

09 다음에서 설명하는 것은 무엇인지 쓰시오.

> • 사람들이 많이 모이는 곳이다.
> • 사람들의 생활과 관련한 여러 시설이 모여 있는 곳이다.

( )

중요
10 다음에서 설명하는 지역의 중심지는 어디입니까?
(　　)

▲ 경상북도청

- 시청, 도청, 교육청 등 행정 관련 건물과 시설 등이 모여 있다.
- 사람들이 생활에 필요한 행정 업무를 처리하기 위해 모인다.

① 관광 중심지　　　② 교통 중심지
③ 산업 중심지　　　④ 상업 중심지
⑤ 행정 중심지

관련 단원 | 1–⑵ 우리 지역의 중심지
11 중심지 답사 계획하기 단계에서 해야 할 일로 알맞지 <u>않은</u> 것은 무엇입니까? (　　)

① 답사 내용 정하기
② 답사 방법 정하기
③ 답사 자료 정리하기
④ 준비물과 역할 정하기
⑤ 답사 날짜와 장소 정하기

중요
관련 단원 | 1–⑵ 우리 지역의 중심지
12 중심지를 답사할 때 주의할 점으로 알맞지 <u>않은</u> 것은 무엇입니까? (　　)

① 보호자와 함께 간다.
② 방문할 시설에 미리 연락한다.
③ 주위를 살피며 안전하게 이동한다.
④ 면담할 때는 미리 약속을 잡고 준비한다.
⑤ 건물의 사진을 찍을 때는 허락을 받을 필요가 없다.

관련 단원 | 2–⑴ 우리 지역의 문화유산
13 우리 지역의 문화유산을 조사하는 방법으로 알맞지 <u>않은</u> 것은 무엇입니까? (　　)

① 문화유산을 답사한다.
② 항공 지도로 문화유산을 살펴본다.
③ 문화유산과 관련된 기록을 찾아본다.
④ 문화유산을 잘 아는 사람과 면담한다.
⑤ 문화재청 누리집에서 문화유산을 검색한다.

중요
관련 단원 | 2–⑴ 우리 지역의 문화유산
14 다음 중 유형 문화유산에 해당하는 것을 두 가지 고르시오.
(　 , 　)

①
▲ 서산 용현리 마애 여래 삼존상

②
▲ 한산 모시 짜기

③
▲ 연산 백중놀이

④
▲ 부여 정림사지 오층 석탑

⑤
▲ 강릉 단오제

관련 단원 | 2–⑴ 우리 지역의 문화유산
15 다음과 같이 문화유산을 소개하는 자료로 알맞은 것은 무엇입니까? (　　)

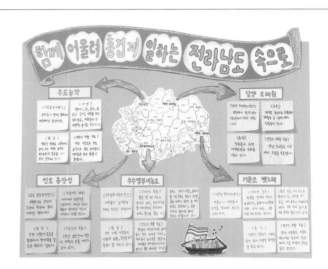

- 지역의 백지도에 조사한 문화유산이 있는 곳을 색칠한다.
- 문화유산의 특징과 가치를 설명하는 자료를 만든다.
- 백지도에 설명 자료를 붙이고 지도에 색칠한 곳과 선으로 이어 완성한다.

① 문화유산 동영상
② 문화유산 안내도
③ 문화유산 소개 책자
④ 문화유산 홍보 포스터
⑤ 문화 관광 해설사가 되어 소개하기

(2) 우리 지역의 역사적 인물

① 우리 지역의 역사적 인물 알아보기: 뛰어난 업적을 쌓거나 훌륭한 일을 하여 오랜 세월에 걸쳐 알려진 사람을 역사적 인물이라고 합니다.

② 우리 지역의 역사적 인물 조사 계획 세우기: 조사할 인물과 주제 정하기 → 역할 나누기 → 조사 계획서 작성하기

③ 우리 지역의 역사적 인물 조사 방법
→ 조사 계획서에는 조사 내용, 조사 방법 등이 담겨 있어야 함.

인터넷으로 조사하기	인터넷 백과사전이나 지역의 공공 기관 누리집 등을 활용해 조사할 수 있음.
현장 체험 학습으로 조사하기	역사적 인물과 관련된 장소에 현장 체험 학습을 가서 자료를 직접 수집할 수 있음.
책이나 기록물 찾아보기	도서관에서 역사적 인물의 일생을 쓴 위인전이나 지역의 역사에 관한 책을 보면 인물에 관한 구체적인 정보를 얻을 수 있음.

④ 우리 지역의 역사적 인물 소개하기 → 역사적 인물을 소개하는 자료를 만들 때는 역사적 사실을 바탕으로 인물의 업적이 잘 드러나도록 만들어야 함.

역사적 인물 신문 만들기	기사와 사진, 만화 등 다양한 형식을 사용할 수 있어서 재미있고 효과적으로 역사적 인물의 삶과 업적을 전달할 수 있음.
역사적 인물 소개 책자 만들기	우리 지역의 역사적 인물에 관한 내용을 책으로 만들어 자세하게 소개할 수 있음.
역사적 인물 역할극 하기	역사적 인물의 일생이나 업적이 잘 드러나는 사건을 정해 역할극 대본을 작성하고 각자 역할을 맡아 역할극을 함.

3 지역의 공공 기관과 주민 참여

(1) 우리 지역의 공공 기관

① 공공 기관
- 주민 전체의 이익을 위한 장소 가운데 생활의 편의를 위해 국가나 지방 자치 단체가 세우거나 관리하는 곳입니다.
- 공공 기관은 지역 주민이 요청하는 일을 처리해 주고, 지역 주민의 생활에 다양한 도움을 줍니다.

② 공공 기관의 종류와 역할

경찰서	주민들의 생명과 재산을 보호하고 질서를 유지함.
소방서	불이 나면 불을 끄고, 위험에 처한 사람을 구함.
도서관	주민들이 책을 읽고 공부할 수 있는 공간을 제공함.
보건소	질병을 예방하고 주민들의 건강을 지킴.
행정 복지 센터	주민 등록증 발급, 출생 신고 등 주민 생활과 관련된 일을 도와줌.
우체국	편지와 물건 등을 배달함.
박물관	역사, 미술 등 여러 분야의 자료를 모아 전시함.
교육청	학생들이 좋은 환경에서 교육을 받을 수 있도록 노력함.

③ 공공 기관이 필요한 까닭 → 공공 기관이 없다면 지역에 여러 문제가 생기거나 주민들의 생활이 불편해질 수 있음.
- 혼자서는 할 수 없는 일을 해결해 줍니다.

- 주민 모두가 안전하고 편리한 생활을 할 수 있도록 도와줍니다.

④ 우리 지역의 공공 기관 조사하기

공공 기관 조사 계획 세우기	• 조사 주제, 조사 날짜, 조사 장소, 조사 방법 등을 정함. • 조사할 공공 기관에 관해 알고 싶은 점, 준비물, 주의할 점을 정리함.
공공 기관 조사하기	• 공공 기관 견학하기 →직접 방문하여 그곳에서 하는 일을 조사함. • 인터넷으로 공공 기관 누리집에서 찾아보기 • 공공 기관에서 만든 홍보 책자 찾아보기 • 공공 기관을 잘 알고 있는 사람과 면담하기
공공 기관 조사 보고서 작성하기	• 공공 기관을 조사한 후에는 조사한 내용을 정리해서 보고서를 작성함. • 보고서에는 조사 주제, 조사 날짜, 조사 방법, 알게 된 점, 느낀 점, 더 알고 싶은 점 등을 씀.

(2) 지역 문제와 주민 참여

① 지역 문제
- 지역 주민들에게 불편을 주거나, 지역 주민들 사이에 갈등을 일으키는 문제입니다.
- 교통 문제, 주거 문제, 환경 문제, 소음 문제, 시설 부족 문제, 안전 문제 등이 있습니다.

② 주민 참여
- 지역 문제를 해결하는 과정에서 지역 주민이 중심이 되어 참여하는 것입니다.
방송, 신문 등의 언론 기관이나 공공 기관의 누리집에 지역 문제에 대한 의견을 전달함.
- 주민 참여 방법에는 주민 투표, 서명 운동, 인터넷 이용, 주민 회의 참석, 공청회 참석 등이 있습니다.
→ 공공 기관이 중요한 일을 결정할 때 주민과 일의 관련자들에게 의견을 들어 보는 공개 회의

③ 우리 지역 문제 해결 과정

지역 문제 확인하기	평소 관심 있었던 지역의 문제를 떠올리거나, 지역 주민 면담, 공공 기관 누리집, 지역 신문 및 뉴스 등을 통해 확인할 수 있음.
문제 발생 원인 파악하기	• 현장을 찾아가거나 지역 신문이나 뉴스 살펴보기, 인터넷 검색, 지역 주민 면담 등 다양한 방법으로 자료를 수집함. • 수집한 자료를 해석해 문제가 발생한 원인을 알아냄.
문제 해결 방안 탐색하기	다양한 의견을 듣는 것이 중요하며, 관련된 공공 기관의 도움도 필요함.
문제 해결 방안 결정하기	• 대화와 타협으로 의견을 조정해야 함. • 다양한 의견을 하나로 모을 때는 투표를 하기도 하며, 투표하며 다수결의 원칙에 따르되, 소수의 의견도 존중해야 함.
문제 해결 방안 실천하기	지역 주민과 공공 기관이 서로 힘을 합쳐 해결 방안을 실천해야 함.

④ 우리 지역 문제의 해결 방안 실천하기
- 지역 주민 모두가 관심을 갖고 문제 해결을 위해 꾸준히 노력해야 합니다.
- 지역 주민은 공공 기관이 지역 문제 해결에 적극 나설 수 있게 해결 방안을 제안하고 노력해야 합니다.

정답과 해설 8쪽

사회 1학기

2. 우리가 알아보는 지역의 역사
(2) 우리 지역의 역사적 인물 ~
3. 지역의 공공 기관과 주민 참여

확인 문제

관련 단원 | 2-(2) 우리 지역의 역사적 인물

01 다음에서 공통적으로 설명하는 것이 무엇인지 쓰시오.

> • 나라를 구하려고 애쓰신 분들이다.
> • 위인전이나 화폐 등에 남아 있는 분들이다.
> • 여러 사람에게 도움이 되는 물건을 만든 분들이다.

( )

‖중요‖
관련 단원 | 2-(2) 우리 지역의 역사적 인물

02 다음 자료와 같이 역사적 인물과 관련된 장소에 가서 자료를 직접 조사하는 방법은 무엇입니까? ( )

왕도 진료한 걸 보면 실력 있는 의원인가 봐.

① 기록물 찾아보기
② 위인전으로 조사하기
③ 인터넷 백과사전 찾아보기
④ 공공 기관 누리집 활용하기
⑤ 현장 체험 학습으로 조사하기

[03~04] 우리 지역의 역사적 인물 조사 계획서를 보고, 물음에 답하시오.

조사 주제	우리 지역의 역사적 인물 허준에 관해 알아보기
㉠	• 허준은 어떤 삶을 살았을까? • 허준이 우리 지역에 어떤 영향을 줬을까?
조사 방법	누리집 검색하기, 허준 박물관 찾아가 보기
역할 나누기	㉡

관련 단원 | 2-(2) 우리 지역의 역사적 인물

03 위 ㉠에 들어갈 항목을 쓰시오.

( )

관련 단원 | 2-(2) 우리 지역의 역사적 인물

04 ㉡에 들어갈 내용으로 알맞지 <u>않은</u> 것은 무엇입니까?

( )

① 허준과 관련된 사건 알아보기
② 허준에 대해 알게 된 점 정리하기
③ 허준과 관련된 문화유산 알아보기
④ 허준의 출생과 관련된 이야기 알아보기
⑤ 허준이 우리 지역에 미친 영향 조사하기

관련 단원 | 2-(2) 우리 지역의 역사적 인물

05 다음 자료와 같이 우리 지역의 역사적 인물을 소개하는 방법은 무엇입니까? ( )

어서 오셔서 곡식을 받아 가십시오.

① 편지 만들기
② 역할극 하기
③ 소개 책자 만들기
④ 인물 신문 만들기
⑤ 가상 뉴스로 소개하기

‖중요‖
관련 단원 | 3-(1) 우리 지역의 공공 기관

06 공공 기관에 대한 설명으로 알맞은 것은 무엇입니까?

( )

① 회사가 세운 곳이다.
② 서점, 시장 등이 해당한다.
③ 개인이 돈을 벌기 위해 운영한다.
④ 국가나 지방 자치 단체가 관리하는 곳이다.
⑤ 여러 사람보다 개인에게 도움을 주고자 만들었다.

‖중요‖
관련 단원 | 3-(1) 우리 지역의 공공 기관

07 보기 에서 공공 기관을 모두 골라 기호를 쓰시오.

> **보기**
> ㉠ 백화점   ㉡ 우체국   ㉢ 시장
> ㉣ 서점   ㉤ 소방서   ㉥ 교육청

(, ,)

관련 단원 | 3-(1) 우리 지역의 공공 기관

08 다음과 같은 일을 하는 공공 기관은 어디입니까? ( )

> • 청소년증, 주민 등록증과 같은 신분증을 만들어 준다.
> • 주민이 생활하는 데 필요한 서류를 발급해 준다.

① 경찰서   ② 도서관
③ 보건소   ④ 박물관
⑤ 행정 복지 센터

중요
09 다음과 같은 상황에서 도움을 요청할 공공 기관은 어디입니까? 　　　（　　　）

관련 단원 | 3-(1) 우리 지역의 공공 기관

교통사고가 났어요. 현장 조사를 해 주세요.

① 도청　　　　　② 경찰서
③ 교육청　　　　④ 보건소
⑤ 소방서

관련 단원 | 3-(1) 우리 지역의 공공 기관
10 공공 기관에서 하는 일을 조사하는 방법으로 알맞지 않은 것은 무엇입니까? 　　　（　　　）

① 지역의 항공 사진을 찾아본다.
② 공공 기관 누리집을 방문한다.
③ 직접 방문하여 정보를 얻는다.
④ 공공 기관에서 만든 홍보 책자를 찾아본다.
⑤ 조사하려는 공공 기관을 잘 알고 있는 사람과 면담한다.

관련 단원 | 3-(1) 우리 지역의 공공 기관
11 공공 기관을 견학하기 전에 할 일로 알맞은 것은 무엇입니까? 　　　（　　　）

① 중요한 내용을 자세히 기록한다.
② 기관에서 나누어 주는 자료를 모은다.
③ 기관에 미리 연락해 방문 허락을 받는다.
④ 담당자에게 허락을 구하고 사진을 찍는다.
⑤ 담당자에게 궁금한 점을 여쭈어보고 기록한다.

관련 단원 | 3-(2) 지역 문제와 주민 참여
12 빈칸에 들어갈 알맞은 말을 쓰시오.

> 지역 주민들에게 불편을 주거나, 지역 주민들 사이에 갈등을 일으키는 문제를 　　　(이)라고 한다.

（　　　　　　　　）

중요
13 다음 그림과 관계 깊은 지역 문제는 무엇입니까? （　　　）

관련 단원 | 3-(2) 지역 문제와 주민 참여

분리배출이 제대로 되지 않고, 공기와 물이 오염되었어요.

① 교통 문제　　　　② 소음 문제
③ 주거 문제　　　　④ 환경 문제
⑤ 시설 부족 문제

중요
14 다음은 지역 문제 해결 과정 중 어느 단계에 해당합니까? 　　　（　　　）

관련 단원 | 3-(2) 지역 문제와 주민 참여

> • 우리 지역에 어떤 사회단체가 있는지 찾고, 그 사회단체의 누리집에 방문한다.
> • '활동 소식'에 들어가 사회단체가 해결하려는 지역 문제가 무엇인지 살펴본다.
> • 관심 있는 지역 문제를 골라 정리한다.

① 문제 상황 확인하기
② 문제 원인 파악하기
③ 해결 방안 탐색하기
④ 해결 방안 결정하기
⑤ 해결 방안 실천하기

관련 단원 | 3-(2) 지역 문제와 주민 참여
15 다음과 같은 주민 참여 방법은 무엇입니까? （　　　）

공개 회의에 참석하여 전문가와 다른 주민의 의견을 듣고 자신의 의견도 나타낸다.

① 서명 운동　　　　② 주민 투표
③ 공청회 참석　　　④ 시민 단체 활동
⑤ 주민 회의 참석

1 촌락과 도시의 생활 모습

(1) 촌락과 도시의 특징

① 촌락의 의미와 특징

- 촌락은 자연환경을 주로 이용하며 살아가는 곳입니다.
- 촌락은 그 지역의 자연환경과 사람들이 주로 하는 일에 따라 농촌, 어촌, 산지촌으로 나눌 수 있습니다.

농촌	주로 논과 밭에서 곡식이나 채소를 기르는 일을 하며 평평한 곳에 자리 잡음.
어촌	주로 바다에서 물고기를 잡거나 김과 미역 등을 양식하는 일을 하며 바닷가에 자리 잡음.
산지촌	주로 산에서 나무를 가꾸어 베거나 산나물을 캐는 일을 하며 들이 적고 산이 많은 곳에 자리 잡음.

② 도시의 의미와 특징

- 도시는 사람이 모여 살며 사회, 정치, 경제활동의 중심이 되는 곳입니다.
- 많은 사람이 모여 살고 높은 건물이 많습니다.
- 다양한 교통수단이 발달했습니다. →버스나 지하철 등이 잘 갖춰짐.
- 주요 공공 기관과 여러 시설이 있어 일자리가 다양합니다.

③ 촌락과 도시의 공통점과 차이점

공통점	집, 일터, 도로 등을 갖추고 있는 우리의 삶터임.
차이점	• 촌락에는 높은 건물이 많지 않으나, 도시에는 높은 건물이 많음. • 촌락보다 도시에 사람들이 많이 살고 있음.

④ 촌락의 문제점과 해결 방안

문제점	인구 감소, 일손 부족, 소득 감소, 시설 부족 등
해결 방안	• 일손 부족 문제: 농기계를 이용하여 생산량을 늘림. • 소득 감소 문제: 품질 좋은 농수산물을 생산하여 소득을 올림. • 시설 부족 문제: 폐교나 마을 회관을 이용하여 문화 시설을 만듦. • 인구 감소 문제: 귀촌하려는 사람들이 촌락에 잘 적응하도록 지원함. →도시에 살던 사람이 촌락으로 삶의 터전을 옮기는 일

⑤ 도시의 문제점과 해결 방안

문제점	교통 문제, 주택 문제, 환경 문제 등
해결 방안	• 교통 문제: 버스 전용 차로 확대, 차량 2부제와 차량 요일제 등을 실시함. • 주택 문제: 새로 집을 짓고, 낡고 오래된 집을 고침. • 환경 문제: 쓰레기 처리 시설이나 하수 처리 시설을 늘려 환경 오염을 줄이도록 노력함. →빗물이나 집, 공장 등에서 쓰고 버리는 더러운 물

(2) 함께 발전하는 촌락과 도시

① 촌락과 도시가 교류하는 까닭

- 사람들이 오고 가거나 물건, 문화, 기술 등을 서로 주고받는 것을 교류라고 합니다.
- 촌락과 도시의 생산물, 문화, 기술 등이 다르기 때문에 교류가 이루어집니다.

② 촌락과 도시 사이의 다양한 교류

촌락 사람이 도시에 가는 까닭	• 다양한 시설과 공공 시설을 이용하려고 도시를 찾음. • 의료 시설 이용, 상업 시설 이용, 공공 기관 이용, 문화 시설 이용 등
도시 사람이 촌락에 가는 까닭	• 자연에서 여유로운 생활을 즐기려고 촌락을 찾음. • 지역 축제 참여, 신선한 농수산물 이용, 깨끗한 자연환경 체험, 잘 보존된 전통문화 체험 등

③ 촌락과 도시 사이의 교류 조사하기

- 촌락과 도시가 교류하는 모습을 조사하는 방법에는 공공 기관 누리집 검색하기, 지역 홍보 자료 살펴보기, 공공 기관 담당자 면담하기, 교류 장소 답사하기 등이 있습니다.
- 조사 후에는 알게 된 내용을 보고서로 정리합니다.

2 필요한 것의 생산과 교환

(1) 경제활동과 현명한 선택

① 선택의 문제가 일어나는 까닭

- 생활하는 데 필요한 것들을 생산하고 소비하는 것과 관련된 모든 활동을 경제활동이라고 합니다.
- 경제활동에서 선택의 문제가 일어나는 까닭은 자원의 희소성 때문입니다. 사람들이 필요로 하거나 바라는 것은 많지만 쓸 수 있는 돈이나 자원은 한정되어 있음.

② 현명한 선택이 필요한 까닭: 현명하게 소비해야 큰 만족감을 얻을 수 있고, 돈과 자원의 낭비를 막을 수 있습니다.
→생활에 필요한 것을 만드는 데 사용되는 모든 것

③ 현명한 선택을 하는 방법: 사고 싶은 물건 생각해 보기 → 가진 돈 파악하기 → 정보 모으기 → 선택 기준을 정해 물건 평가하기 → 선택하기

④ 시장의 의미

- 사람들이 생활하면서 필요한 여러 가지 상품을 사고파는 곳을 시장이라고 합니다.
- 우리 주변에는 다양한 모습의 시장이 있습니다.

사람들이 직접 만나는 시장	전통 시장, 백화점, 할인 매장, 편의점 등 →오랜 기간에 걸쳐 일정한 지역에서 자연적으로 만들어진 시장
사람들이 직접 만나지 않는 시장	텔레비전 홈 쇼핑, 온라인 쇼핑 등

⑤ 시장에서 이루어지는 생산과 소비의 모습

생산	생활에 필요한 물건을 만들거나 우리 생활을 편리하고 즐겁게 해 주는 활동
소비	생산한 것을 구매하여 사용하는 활동

→가정의 소득은 한정되어 있기 때문에 현명한 소비 생활을 하는 것이 필요함.

⑥ 생산 활동의 종류

생활에 필요한 것을 자연에서 얻는 활동	벼농사 짓기, 물고기 잡기, 닭 키우기, 딸기 수확하기 등
생활에 필요한 것을 만드는 활동	아이스크림 만들기, 장난감 만들기, 건물 짓기, 휴대 전화 만들기 등
생활을 편리하고 즐겁게 해 주는 활동	음악 공연하기, 환자 진료하기, 물건 배달하기, 머리 손질해 주기 등

사회 2학기
1. 촌락과 도시의 생활 모습 ~
2. 필요한 것의 생산과 교환
   (1) 경제활동과 현명한 선택

확인 문제

관련 단원 | 1-(1) 촌락과 도시의 특징
01 다음 사진의 촌락에서 사람들이 주로 하는 일은 무엇입니까? ( )

① 벼농사　　　　② 고기잡이
③ 미역 양식　　　④ 석탄 생산
⑤ 약초 재배

관련 단원 | 1-(1) 촌락과 도시의 특징
02 다음과 같은 시설을 볼 수 있는 촌락은 무엇인지 쓰시오.

( )

관련 단원 | 1-(1) 촌락과 도시의 특징
03 어촌에 대한 설명으로 알맞은 것은 무엇입니까? ( )
① 평평한 들에 자리 잡고 있다.
② 농사일을 주로 하며 살아간다.
③ 산으로 둘러싸여 있는 곳에 있다.
④ 나무를 가꾸어 베는 임업을 한다.
⑤ 바다를 이용하여 생산 활동을 하는 곳이다.

관련 단원 | 1-(1) 촌락과 도시의 특징
04 도시에서 많이 볼 수 있는 모습이 아닌 것은 무엇입니까? ( )
① 높은 건물이 많다.
② 비닐하우스가 많다.
③ 여러 상점이 모여 있다.
④ 많은 사람이 모여 살고 있다.
⑤ 다양한 교통 시설이 발달했다.

관련 단원 | 1-(1) 촌락과 도시의 특징
05 다음 두 지역의 공통점으로 알맞은 것은 무엇입니까? ( )

① 높은 건물이 많다.
② 날씨에 따라 생활 모습이 다르다.
③ 집, 일터, 도로 등을 갖추고 있다.
④ 곡식이나 채소를 기르며 살아간다.
⑤ 사람들이 자연환경을 이용해서 일을 한다.

관련 단원 | 1-(1) 촌락과 도시의 특징
06 도시에 사는 사람들이 주로 하는 일로 알맞은 것은 무엇입니까? ( )
① 김과 미역 등을 양식한다.
② 바다에서 물고기를 잡는다.
③ 과수원에서 과일을 기른다.
④ 나무를 가꾸어 베는 임업을 한다.
⑤ 회사에 있는 사무실에서 일을 한다.

관련 단원 | 1-(1) 촌락과 도시의 특징
07 다음 자료를 통해 알 수 있는 촌락의 문제는 무엇입니까? ( )

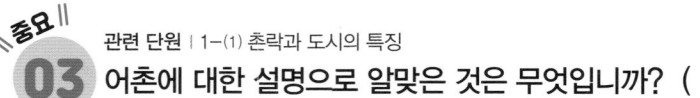

▲ 촌락의 인구 변화

① 환경 문제　　　② 교통 문제
③ 인구 감소 문제　④ 소득 감소 문제
⑤ 시설 부족 문제

관련 단원 | 1-(1) 촌락과 도시의 특징
08 도시 문제에 해당하지 않는 것은 무엇입니까? ( )
① 교통 문제　　　② 소음 문제
③ 주택 문제　　　④ 환경 문제
⑤ 시설 부족 문제

관련 단원 | 1-(2) 함께 발전하는 촌락과 도시

09 빈칸에 들어갈 알맞은 말은 무엇인지 쓰시오.

> 촌락과 도시에 사는 사람들은 오고 가면서 도움을 주고받는다. 이처럼 사람들이 오고 가거나 물건, 기술, 문화 등을 서로 주고받는 것을 ☐☐☐(이)라고 한다.

(   )

||중요||

관련 단원 | 1-(2) 함께 발전하는 촌락과 도시

10 촌락 사람들이 도시를 찾는 까닭으로 알맞지 **않은** 것은 무엇입니까? (   )

① 문화 시설에서 공연을 관람하기 위해서
② 백화점에서 필요한 물건을 사기 위해서
③ 첨단 의료 시설을 갖춘 병원을 이용하기 위해서
④ 공공 기관에서 필요한 행정 업무를 처리하기 위해서
⑤ 지역 축제에 참가하여 새로운 문화를 경험하기 위해서

관련 단원 | 1-(2) 함께 발전하는 촌락과 도시

11 다음 자료를 이용해 촌락과 도시의 교류를 조사하는 방법으로 알맞은 것은 무엇입니까? (   )

① 교류 장소 답사하기
② 고장 누리집 방문하기
③ 지역 홍보 자료 살펴보기
④ 공공 기관 담당자와 면담하기
⑤ 인터넷에서 신문 기사 검색하기

관련 단원 | 1-(2) 함께 발전하는 촌락과 도시

12 다음 내용과 관계 깊은 촌락과 도시의 교류 모습은 무엇입니까? (   )

> • 도시에 사는 사람들은 값싸고 질 좋은 농수산물을 살 수 있다.
> • 촌락에 사는 사람들은 지역의 특산품을 홍보하고 판매하여 소득을 얻을 수 있다.

① 주말농장을 통한 교류
② 체험 학습을 통한 교류
③ 문화 공연을 통한 교류
④ 지역 축제를 통한 교류
⑤ 직거래 장터를 통한 교류

관련 단원 | 2-(1) 경제활동과 현명한 선택

13 빈칸에 공통으로 들어갈 알맞은 말은 무엇인지 쓰시오.

> 사람들이 원하는 것은 많지만 그것을 모두 갖기에는 돈이나 자원이 부족한 상태를 자원의 ☐☐☐(이)라고 한다. 경제활동에서 선택의 문제는 ☐☐☐ 때문에 일어난다.

(   )

||중요||

관련 단원 | 2-(1) 경제활동과 현명한 선택

14 다음 중 생활에 필요한 것을 자연에서 얻는 생산 활동으로 알맞은 것은 무엇입니까? (   )

①
▲ 조개 잡기

②
▲ 자동차 만들기

③
▲ 환자 진료하기

④
▲ 배구 경기 하기

⑤
▲ 휴대 전화 만들기

관련 단원 | 2-(1) 경제활동과 현명한 선택

15 현명하게 소비하는 방법을 **잘못** 말한 친구는 누구입니까? (   )

① 돈을 어떻게 쓸지 계획을 세우고, 계획에 따라 사용해. — 현우

② 가격이나 품질 등 물건의 정보를 꼼꼼하게 확인하고 사야 해. — 민우

③ 예상하지 못한 일이 있을 수 있으니 돈을 모아 둬야 해. — 서우

④ 친구가 가진 물건이 좋아 보이면 따라 사야 해. — 연우

⑤ 알맞은 선택 기준을 세우고 그에 맞는 물건을 골라야 해. — 찬우

(2) 교류하며 발전하는 우리 지역

① 우리 주변의 물건들이 어디서 왔는지 조사하는 방법

· 물건에 써 있는 정보를 확인합니다.

· 시장에서 주는 광고지를 확인합니다.

· 누리집에서 물건 소개를 확인합니다.

· 큐아르(QR) 코드를 찍어 확인합니다. → 상품 포장지에 표시된 정사각형 모양의 무늬로, 그 상품의 정보를 표시한 것

② 지역 간의 다양한 경제 교류

· 지역 간에 경제적 이익을 얻기 위해 물자, 기술, 문화 등을 서로 주고받는 것을 경제 교류라고 합니다.

· 경제 교류의 모습

물자 교류	각 지역은 그 지역에서 생산하는 물자를 다른 지역으로 보내고, 직접 생산하기 어려운 물자는 다른 지역에서 들여옴.
기술 교류	각 지역은 기술 교류를 통해 서로의 지역에 부족한 기술을 보완하여 경제적 이익을 얻음.
문화 교류	각 지역이 가진 문화를 다른 지역 사람들에게 알리고 다른 지역 사람들은 다양한 문화를 경험할 수 있음.

③ 경제 교류를 하는 까닭

· 지역마다 자연환경, 기술, 자원 등이 다르기 때문입니다.

· 경제 교류는 지역을 발전시키고 지역 주민의 생활을 편리하게 합니다.

④ 우리 지역과 다른 지역의 경제 교류를 조사하는 방법

· 시장에서 파는 물건을 조사합니다.

· 주변 사람에게 물건을 산 경험을 물어봅니다.

· 지방 자치 단체 누리집에서 지역 소식을 검색합니다.

· 지역 신문이나 뉴스에서 지역 소식을 찾아봅니다.

3 사회 변화와 문화 다양성

(1) 사회 변화로 나타난 일상생활의 모습

① 저출산·고령화의 의미

저출산	아이를 적게 낳아 사회 전반적으로 출산율이 감소하는 현상
고령화	전체 인구에서 차지하는 65세 이상 노인의 비율이 높아지는 현상 기준량에 대해 비교하는 양의 크기를 나타낸 것

② 저출산·고령화로 나타난 생활 모습의 변화

저출산	· 교실의 학생 수가 줄어들고 폐교하는 학교가 늘어남. · 생산 가능 인구가 줄어들 것으로 예상됨. · 산부인과 병원이 줄어들고 있음. →생산 활동을 할 수 있는 15~64세에 해당하는 인구
고령화	· 노인 대학, 노인 복지관 등이 늘어남. · 실버산업이 발달하고 있음. · 노인 전문 요양 시설이 늘어나고 있음.

③ 저출산·고령화의 대처 방안

저출산	· 아이를 키우는 데 필요한 비용을 지원함. · 육아 휴직을 사용하도록 하고, 보육 시설을 늘리고 있음.
고령화	· 노인에게 일자리를 제공하여 사회 활동을 하도록 도움. · 혼자 생활하기 어려운 노인을 위해 돌봄 서비스를 제공함.

④ 정보화의 의미와 생활 모습의 변화

의미	정보와 지식이 중심이 되어 사회 변화를 이끌어 나가는 현상
생활 모습의 변화	· 애플리케이션으로 음식을 주문하면 로봇이 음식을 배달해 줌. · 인터넷 뉴스로 전 세계 소식을 실시간으로 알 수 있음. · 영화관에서 무인 기계를 이용해 영화표를 살 수 있음. · 스마트 홈서비스로 집 안에 있는 가전 기기를 마음대로 다룰 수 있음.

⑤ 정보화 사회의 문제점과 대처 방안

밖으로 흘러 나가거나 흘러 내보내는 것

문제	인터넷이나 스마트폰 중독, 사이버 폭력, 개인 정보 유출, 저작권 침해 등 창작물을 만든 사람이 창작물에 대해 갖는 권리
대처 방안	· 인터넷과 스마트폰의 올바른 사용 습관을 기름. · 사이버 공간에서 대화할 때 예의를 지키고 상대방을 존중함. · 내 정보가 유출되지 않도록 관리함. · 다른 사람의 창작물을 소중하게 생각함.

⑥ 세계화의 의미와 생활 모습의 변화

의미	세계 여러 나라가 국경을 넘어 다양한 분야에서 교류하면서 전 세계가 하나로 연결되는 현상
생활 모습의 변화	· 다른 나라에서 생산된 물건을 쉽게 살 수 있음. · 경쟁력을 갖춘 나라와 그렇지 못한 나라의 격차가 커짐. · 세계 여러 나라의 다양한 문화를 접할 기회가 많아짐. · 지역의 고유 문화가 약해지고 전 세계의 문화가 비슷해지고 있음.

(2) 다양한 문화에 대한 이해와 존중

① 다양한 문화

· 한 사회의 사람들이 만들어 낸 공통의 생활 양식을 문화라고 합니다. 의식주, 풍습, 가치, 규범 등 사람들이 주어진 환경에 적응하면서 살아가는 모든 방식을 의미함.

· 각 사회의 문화는 비슷한 점도 있고 다른 점도 있습니다.

· 사회가 변화하고 나라 간 교류가 활발해지면서 사람들은 다양한 문화를 접하게 되었습니다.

· 우리 사회의 다양한 문화의 모습: 세계의 다양한 음식을 파는 음식점, 세계 여러 나라의 음악과 춤을 공연하는 행사, 외국인들이 기도하는 모습, 다양한 문화의 학생들이 수업하는 모습 등

② 다양한 문화가 확산하면서 나타나는 문제

· 편견이나 차별의 문제가 발생합니다.

편견	공정하지 못하고 한쪽으로 치우친 생각
차별	대상을 정당한 이유 없이 구별하고 다르게 대우하는 것

· 피부색, 출신 지역, 언어 등이 다르다는 이유로 부당한 대우를 받는 사람들이 있습니다

③ 문화적 편견과 차별의 문제 해결 방법

· 문화의 차이를 인정하고 이해해야 합니다.

· 서로 다른 문화를 존중하는 태도를 가져야 합니다.

· 개인적 노력: 편견 없이 다른 문화의 가치를 이해하고 존중하는 태도

· 사회적 노력: 법과 제도 만들기, 다양한 정보와 교육 제공, 편견을 없애는 캠페인과 행사 진행 등

사회 2학기

2. 필요한 것의 생산과 교환
　(2) 교류하며 발전하는 우리 지역 ~
3. 사회 변화와 문화 다양성

확인문제

관련 단원 | 2-(2) 교류하며 발전하는 우리 지역

01 우리가 사용하는 물건들이 어디에서 왔는지 조사하는 방법으로 알맞지 <u>않은</u> 것은 무엇입니까? (　　　)

① 물건을 만든 재료를 확인한다.
② 물건에 써 있는 정보를 확인한다.
③ 누리집에서 물건 소개를 확인한다.
④ 시장에서 주는 광고지를 확인한다.
⑤ 큐아르(QR) 코드를 찍어서 확인한다.

[02~03] 다음 그림을 보고 물음에 답하시오.

중요

02 위 그림과 같이 지역 간에 경제적 이익을 얻기 위해 서로 필요한 물건과 자원을 주고받는 것을 무엇이라고 하는지 쓰시오.
(　　　)

관련 단원 | 2-(2) 교류하며 발전하는 우리 지역

03 위 그림과 같은 일이 일어난 까닭으로 알맞은 것은 무엇입니까? (　　　)

① 서로 경쟁하기 위해서
② 지역 문제를 해결하기 위해서
③ 지역마다 자원이 다르기 때문에
④ 지역마다 자연환경이 같기 때문에
⑤ 지역 간에 정보를 공개하지 않기 위해서

중요

04 지역 간 경제 교류의 좋은 점으로 알맞지 <u>않은</u> 것은 무엇입니까? (　　　)

① 물자 교류를 통해 각 지역은 경제적인 이익을 얻을 수 없다.
② 다른 지역과의 기술 협력으로 더 나은 상품을 생산할 수 있다.
③ 다른 지역의 공연, 전시와 같은 다양한 문화를 경험할 수 있다.
④ 지역 간 교류는 지역을 발전시키고 지역 주민의 생활을 편리하게 한다.
⑤ 지역에서 생산되지 않는 물건들을 다른 지역에서 들여와서 사용할 수 있다.

관련 단원 | 3-(1) 사회 변화로 나타난 일상생활의 모습

05 사회 변화로 달라진 사람들의 생활 모습으로 알맞지 <u>않은</u> 것은 무엇입니까? (　　　)

① 학교에 학생 수가 줄어들었다.
② 노인을 위한 강좌가 늘어났다.
③ 다른 나라의 음식을 먹기 힘들어졌다.
④ 집에서 온라인으로 학습을 할 수 있게 되었다.
⑤ 자동차를 안전하게 운전할 수 있는 장치가 생겨났다.

관련 단원 | 3-(1) 사회 변화로 나타난 일상생활의 모습

06 빈칸 ㉠, ㉡에 들어갈 알맞은 말은 무엇인지 쓰시오.

> 아이를 적게 낳아 사회 전반적으로 출산율이 감소하는 현상을 　㉠　(이)라고 하고, 전체 인구에서 차지하는 65세 이상 노인의 비율이 높아지는 현상을 　㉡　(이)라고 한다.

㉠: (　　　　　), ㉡: (　　　　　)

중요

07 저출산으로 나타난 생활 모습의 변화로 알맞은 것을 두 가지 고르시오. (　　 , 　　)

① 실버산업이 발달하고 있다.
② 산부인과 병원이 줄어들고 있다.
③ 노인 전문 요양 시설이 늘어나고 있다.
④ 노인 대학, 노인 복지관 등이 늘어나고 있다.
⑤ 초등학교에 입학하는 학생 수가 줄어들고 있다.

관련 단원 | 3-(1) 사회 변화로 나타난 일상생활의 모습

08 고령화에 대비하기 위한 방법으로 알맞은 것은 무엇입니까? (　　　)

① 노인을 위한 일자리를 마련하여 경제활동을 할 수 있게 도와준다.
② 아이를 기르는 책임이 남녀 모두에게 있다는 생각을 가지도록 한다.
③ 직장 어린이집을 확대하여 부모가 일하는 동안 아이를 맡길 수 있게 해 준다.
④ 부모에게 임신과 출산을 위한 병원비를 지원해 경제적 부담을 줄여 준다.
⑤ 육아 휴직 제도를 확대하여 일하면서 아이를 돌봐야 하는 부모의 부담을 덜어 준다.

관련 단원 | 3-(1) 사회 변화로 나타난 일상생활의 모습

09 다음 모습과 관련 있는 사회 변화는 무엇입니까? (   )

▲ 온라인으로 학습을 하거나   ▲ 밖에서도 집안의 가전제품을
   숙제를 해결할 수 있다.   작동할 수 있다.

① 고령화   ② 산업화
③ 세계화   ④ 저출산
⑤ 정보화

 중요
관련 단원 | 3-(1) 사회 변화로 나타난 일상생활의 모습

10 다음과 같은 정보화 사회의 문제점을 해결할 수 있는 대처 방안으로 알맞은 것은 무엇입니까?   (   )

▲ 인터넷에 빠져 일상생활을 제대로 할 수 없는 문제

① 내 정보가 유출되지 않도록 관리한다.
② 인터넷의 올바른 사용 습관을 기른다.
③ 다른 사람의 창작물을 소중하게 생각한다.
④ 사이버 공간에서 대화할 때 예의를 지킨다.
⑤ 사실 확인이 안 된 글을 인터넷에 함부로 전하면 안 된다.

관련 단원 | 3-(1) 사회 변화로 나타난 일상생활의 모습

11 보기 에서 세계화가 우리 생활에 가져온 변화 모습을 두 가지 골라 기호를 쓰시오.

> **보기**
> ㉠ 어디서나 은행 일을 쉽게 처리할 수 있다.
> ㉡ 외국인이 모여 사는 마을이나 거리가 많아졌다.
> ㉢ 경제활동에 참여할 수 있는 인구가 줄어들었다.
> ㉣ 다른 나라에서 온 학생들과 공부할 기회가 늘어났다.

(,   )

관련 단원 | 3-(2) 사회 변화로 나타난 일상생활의 모습

12 세계화가 우리 생활에 미치는 부정적인 영향을 두 가지 고르시오.   (,   )

① 다른 나라에서 생산된 물건을 쉽게 살 수 있다.
② 세계 여러 나라의 다양한 문화를 접할 기회가 많아지고 있다.
③ 세계 여러 나라에서 만든 다양한 물건을 더 싸게 살 수 있다.
④ 경쟁력을 갖춘 나라와 그렇지 못한 나라의 격차가 커지고 있다.
⑤ 지역의 고유한 문화가 약해지고 전 세계의 문화가 비슷해지고 있다.

관련 단원 | 3-(2) 다양한 문화에 대한 이해와 존중

13 빈칸에 들어갈 알맞은 말은 무엇인지 쓰시오.

> [   ](이)란 의식주, 언어, 종교 등 한 사회의 구성원들이 가지고 있는 공통의 생활 방식을 말한다.

(   )

 중요
관련 단원 | 3-(2) 다양한 문화에 대한 이해와 존중

14 우리 주변에 있는 문화의 모습을 잘못 말한 친구는 누구입니까?   (   )

① 가영: 졸려서 하품이 나와요.
② 나영: 겨울에 먹을 김장을 담가요.
③ 다영: 베트남 쌀국수를 먹고 싶어요.
④ 라영: 아프리카 전통 음악이 흥겨워요.
⑤ 마영: 가족과 함께 자전거를 타니까 좋아요.

관련 단원 | 3-(2) 다양한 문화에 대한 이해와 존중

15 다음 그림과 관련 있는 차별의 모습은 무엇입니까?   (   )

그 나라 사람들은 매일 낮잠을 잔다면서요? 여기에서는 일을 게을리하면 안 됩니다.

① 나이에 대한 차별
② 언어가 다른 사람에 대한 차별
③ 종교가 다른 사람에 대한 차별
④ 피부색이 다른 사람에 대한 차별
⑤ 출신 지역이 다른 사람에 대한 차별

1 과학자처럼 탐구해 볼까요?

과학적인 관찰 방법	변화가 일어나는 대상은 변화가 일어나기 전, 변화가 일어나는 중, 변화가 일어난 후의 상태를 모두 관찰하고 비교해야 함.
과학적인 측정 방법	대상을 측정하기에 알맞은 도구를 선택하여 올바른 방법으로 측정함.
과학적인 예상 방법	이미 관찰하거나 측정한 값에서 규칙을 찾아내면 측정하지 않은 값을 예상할 수 있음.
과학적인 분류 방법	탐구 대상의 공통점과 차이점을 바탕으로 분류 기준을 세워 분류하고 한 번 분류한 것을 여러 단계로 계속 분류함.
과학적인 추리 방법	탐구 대상을 다양하고 정확하게 관찰해야 하며, 추리한 것이 관찰 결과를 모두 설명할 수 있어야 함.
과학적인 의사소통 방법	정확한 용어를 사용하여 타당한 근거를 제시하며 설명하고, 표, 그림, 그래프 등 다양한 방법을 사용함.

2 지층과 화석

(1) 여러 가지 모양의 지층
① 지층: 자갈, 모래, 진흙 등으로 이루어진 암석들이 층을 이루고 있는 것입니다. →수평인 지층, 끊어진 지층, 휘어진 지층 등이 있음.
② 여러 가지 모양의 지층의 공통점과 차이점

공통점	줄무늬가 보이며, 여러 개의 층으로 이루어져 있음.
차이점	층의 두께와 색깔이 다르며, 지층의 모양이 다름.

(2) 지층이 만들어지는 과정
① 지층에 줄무늬가 생기는 까닭: 지층을 이루고 있는 자갈, 모래, 진흙 등의 알갱이 크기와 색깔이 다르기 때문입니다.
② 지층이 만들어진 순서: 아래에 있는 층이 위에 있는 층보다 먼저 만들어진 것입니다.
③ 지층이 만들어져 발견되는 과정

물이 운반한 자갈, 모래, 진흙 등이 쌓임.	→	계속 쌓이면 먼저 쌓인 것들이 눌림.	→

오랜 시간이 지나면 단단한 지층이 만들어짐.	→	지층이 땅 위에 솟아오른 뒤 깎여서 보임.

(3) 퇴적암
① 퇴적암: 물이 운반한 자갈, 모래, 진흙 등의 퇴적물이 굳어져 만들어진 암석입니다.
② 퇴적암의 종류: 알갱이의 크기에 따라 이암, 사암, 역암으로 분류할 수 있습니다(알갱이의 크기: 역암 > 사암 > 이암).

(4) 퇴적암이 만들어지는 과정

퇴적물이 쌓이고 그 위에 쌓이는 퇴적물이 누르는 힘 때문에 알갱이 사이의 공간이 좁아짐.	→	녹아 있는 여러 가지 물질이 알갱이들을 서로 붙여 단단한 퇴적암이 됨.

(5) 화석이 만들어지는 과정 →옛날에 살았던 생물의 몸체와 흔적이 남아 있는 것
① 화석이 잘 만들어지는 조건: 생물의 몸체 위에 퇴적물이 빠르게 쌓이고, 생물의 몸체에 단단한 부분이 있으면 화석으로 만들어지기 쉽습니다.

② 화석이 만들어져 발견되는 과정

죽은 생물이나 나뭇잎 등이 호수나 바다의 바닥으로 운반됨.	→	그 위에 퇴적물이 계속 쌓여 지층이 만들어지고 그 속에 묻힌 생물이 화석이 됨.	→	지층이 높게 솟아오른 뒤 깎여 화석이 드러남.

(6) 화석을 통해 알 수 있는 것: 옛날에 살았던 생물의 생김새와 생활 모습, 지층이 쌓인 시기, 화석이 발견된 지역의 당시 환경 등을 알 수 있습니다. → 지층이 쌓인 시기를 알려 주기도 합니다.

3 식물의 한살이

(1) 여러 가지 씨 관찰하기

공통점	단단하고 껍질이 있으며, 대부분 주먹보다 크기가 작음.
차이점	색깔, 모양, 크기 등의 생김새가 다름.

(2) 씨 심는 방법: 화분 바닥에 있는 물 빠짐 구멍을 망이나 작은 돌로 막습니다. → 화분에 거름흙을 $\frac{3}{4}$ 정도 넣습니다. → 씨 크기의 두세 배 깊이로 씨를 심고 흙을 덮습니다. → 물뿌리개로 물을 충분히 줍니다. → 팻말을 꽂아 햇빛이 비치는 곳에 놓아둡니다.

(3) 씨가 싹 트는 데 필요한 조건: 씨가 싹 트려면 적당한 양의 물과 적당한 온도가 필요합니다.

(4) 씨가 싹 트는 과정

딱딱했던 씨가 부풂.	→	뿌리가 나옴.	→

떡잎 두 장이 나옴.	→	떡잎 사이로 본잎이 나옴.
→옥수수는 떡잎이 아닌 떡잎싸개가 나옴.

(5) 식물이 자라는 데 필요한 조건: 물, 빛, 적당한 온도 등이 필요합니다.

(6) 잎과 줄기가 자라는 모습

잎	줄기
개수가 많아지고 점점 넓어짐.	점점 굵어지고 길이가 길어짐.

(7) 꽃과 열매가 자라는 모습 →열매 속에 들어 있는 씨를 심으면 씨에서 다시 싹이 트고 자라 꽃이 피고 열매를 맺음.

꽃	열매
크기가 점점 커지고 개수도 많아짐.	크기가 점점 커지고 개수도 많아짐.

(8) 여러 가지 식물의 한살이 →식물의 씨가 싹 터서 자라며, 꽃이 피고 열매를 맺어 다시 씨가 만들어지는 과정
① 한해살이 식물과 여러해살이 식물

한해살이 식물	한 해 동안 한살이를 거치고 일생을 마치는 식물 예 벼, 옥수수, 강낭콩, 호박 등
여러해살이 식물	여러 해 동안 죽지 않고 살아가면서 한살이의 일부를 반복하는 식물 예 감나무, 개나리, 무궁화 등

② 한해살이 식물과 여러해살이 식물의 공통점: 씨가 싹 터서 자라며 꽃이 피고 열매를 맺어 번식합니다.
→식물이 자라면 꽃이 피고 열매를 맺는 까닭임.

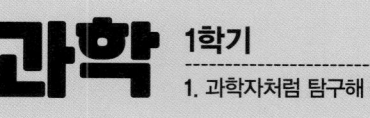

관련 단원 | 1. 과학자처럼 탐구해 볼까요?

01 전자저울을 사용해 가루 물질의 무게를 측정하는 방법으로 옳지 않은 것은 무엇입니까? ( )

① 전자저울을 편평한 곳에 놓는다.
② 가루 물질을 올리고 영점 단추를 누른다.
③ 가루 물질의 종류에 따라 다른 약포지를 사용한다.
④ 가루 물질의 종류에 따라 다른 약숟가락을 사용한다.
⑤ 수평을 맞추는 공기 방울이 원 안의 한가운데 오게 한다.

관련 단원 | 1. 과학자처럼 탐구해 볼까요?

02 과학적인 추리 방법으로 옳지 않은 것은 무엇입니까?
( )

① 탐구 대상을 다양하게 관찰한다.
② 탐구 대상을 정확하게 관찰한다.
③ 탐구 대상을 관찰한 것을 바탕으로 추리한다.
④ 추리한 것이 관찰 결과를 설명하지 못해야 한다.
⑤ 관찰한 것을 자신이 알고 있는 것과 관련지어 추리한다.

||중요||
03 관련 단원 | 2. 지층과 화석
다음 지층에 대한 설명으로 옳은 것은 무엇입니까?
( )

① 휘어진 지층이다.
② 줄무늬를 볼 수 없다.
③ 각 층의 두께는 같다.
④ 한 개의 층으로 이루어져 있다.
⑤ 각 층을 이루는 알갱이의 크기, 색깔이 다르다.

관련 단원 | 2. 지층과 화석

04 지층 모형과 실제 지층의 공통점에 대한 설명으로 옳지 않은 것은 무엇입니까? ( )

① 줄무늬가 보인다.
② 층층이 쌓여 있다.
③ 만들어지는 데 오랜 시간이 걸린다.
④ 아래에 있는 층이 먼저 쌓인 층이다.
⑤ 각 층을 이루는 알갱이의 크기가 다양하다.

||중요||
05 관련 단원 | 2. 지층과 화석
다음 퇴적암을 알갱이의 크기가 큰 순서대로 이름을 쓰시오.

▲ 사암   ▲ 역암   ▲ 이암

( ) → ( ) → ( )

관련 단원 | 2. 지층과 화석

06 퇴적암 모형을 만들 때 종이컵에 담긴 모래에 물 풀을 넣는 까닭으로 옳은 것은 무엇입니까? ( )

① 모래의 색깔을 더 진하게 하기 위해서
② 모래 알갱이를 서로 붙여 주기 위해서
③ 모래 알갱이의 크기를 작게 만들기 위해서
④ 퇴적암 모형이 천천히 만들어지게 하기 위해서
⑤ 모래 알갱이 사이의 공간을 넓어지게 하기 위해서

관련 단원 | 2. 지층과 화석

07 화석에 대한 설명으로 옳은 것은 무엇입니까? ( )

① 퇴적암에서 주로 발견된다.
② 동물이 기어간 흔적은 화석이 될 수 없다.
③ 얼음 속에서 나온 매머드는 화석이 아니다.
④ 공룡과 같이 몸체가 큰 생물만 화석으로 남을 수 있다.
⑤ 삼엽충 화석은 오늘날 살고 있는 식물의 모습과 비슷하므로 식물 화석이다.

||중요||
08 관련 단원 | 2. 지층과 화석
찰흙 반대기에 조개껍데기를 찍어서 화석 모형을 만드는 과정과 실제 화석이 만들어지는 과정을 비교하여 화석 모형과 각각 의미하는 것을 선으로 연결하시오.

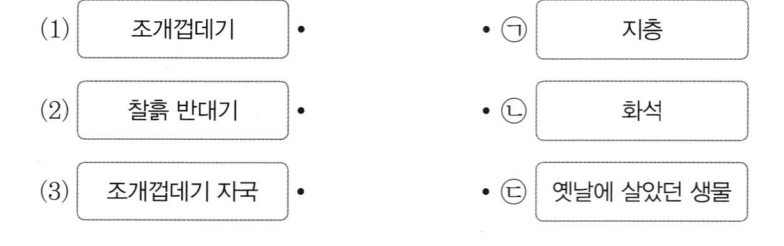

(1) 조개껍데기 • • ㉠ 지층
(2) 찰흙 반대기 • • ㉡ 화석
(3) 조개껍데기 자국 • • ㉢ 옛날에 살았던 생물

09 관련 단원 | 2. 지층과 화석
고사리 화석을 이용하여 알 수 있는 사실을 두 가지 고르시오. （　　，　　）

① 고사리가 사라진 까닭을 알 수 있다.
② 옛날에 살았던 고사리의 생김새를 알 수 있다.
③ 조상들이 고사리를 이용한 방법을 알 수 있다.
④ 고사리를 먹고 사는 동물의 종류를 알 수 있다.
⑤ 고사리 화석이 발견된 지역은 옛날에 따뜻하고 습기가 많은 곳이었을 것이다.

10 관련 단원 | 3. 식물의 한살이
여러 가지 씨의 특징으로 옳지 않은 것은 무엇입니까?
（　　）

① 호두는 강낭콩보다 크다.
② 사과씨는 동그랗고 주름이 있다.
③ 참외씨는 길쭉하고 연한 노란색이다.
④ 봉숭아씨는 둥글고 어두운 갈색이다.
⑤ 채송화씨는 동그란 모양이고 검은색이다.

[중요] 11 관련 단원 | 3. 식물의 한살이
씨가 싹 트는 데 필요한 조건에 대한 설명으로 옳은 것은 무엇입니까? （　　）

① 햇빛만 있으면 싹이 튼다.
② 공기가 없어야 싹이 튼다.
③ 물은 조금만 있어야 싹이 튼다.
④ 적당한 양의 물과 적당한 온도가 있어야 싹이 튼다.
⑤ 온도는 씨가 싹 트는 데 아무런 영향을 주지 않는다.

12 관련 단원 | 3. 식물의 한살이
다음은 옥수수가 싹 터서 자라는 과정입니다. ㉠과 ㉡에 들어갈 알맞은 말을 각각 쓰시오.

딱딱하다. → 부푼다. → 뿌리가 나온다. → （　㉠　）이/가 나온다. → （　㉠　） 사이로 （　㉡　）이/가 나온다.

㉠: （　　　　　　　　）, ㉡: （　　　　　　　　）

13 관련 단원 | 3. 식물의 한살이
다음 실험은 식물이 자라는 데 무엇이 미치는 영향을 알아보기 위한 것입니까? （　　）

식물이 비슷한 크기로 자란 화분 두 개를 빛이 잘 드는 곳에 두고 물을 준 뒤, 한 화분에만 빛을 차단하는 장치를 씌웠다.

① 물　　　　② 빛　　　　③ 온도
④ 양분　　　⑤ 공기

14 관련 단원 | 3. 식물의 한살이
식물의 잎과 줄기가 자란 정도를 측정하는 방법으로 옳지 않은 것은 무엇입니까? （　　）

① 잎의 개수를 센다.
② 새로 난 가지의 개수를 센다.
③ 잎에 모눈종이를 대고 그려서 칸을 세어 본다.
④ 매일 떼어 낸 잎을 서로 겹쳐서 크기를 비교해 본다.
⑤ 새순이 난 바로 아래까지의 줄기 길이를 줄자로 잰다.

15 관련 단원 | 3. 식물의 한살이
강낭콩의 꽃과 열매가 자라는 것을 관찰하는 방법으로 옳지 않은 것은 무엇입니까? （　　）

① 관찰한 날짜는 반드시 기록한다.
② 일정한 날짜 간격으로 꽃의 개수를 세어 본다.
③ 측정이 어려운 경우에는 사진을 찍어 기록한다.
④ 꼬투리의 개수는 날짜를 규칙적으로 정하여 세어 본다.
⑤ 열매가 생기자마자 꼬투리의 겉을 만져서 씨의 개수를 짐작한다.

[중요] 16 관련 단원 | 3. 식물의 한살이
식물의 한살이 과정이 나머지와 다른 하나는 무엇입니까? （　　）

①
▲ 감나무

②
▲ 개나리

③
▲ 무궁화

④
▲ 옥수수

⑤
▲ 단풍나무

4 물체의 무게

(1) 저울로 물체의 무게를 측정하는 까닭

① 저울을 사용하는 까닭: 저울을 사용하면 물체의 무게를 정확하게 측정할 수 있습니다. → 손으로 들어 보고 물체의 무게를 짐작할 수 있지만 사람마다 느끼는 물체의 무게가 다를 수 있음.

② 우리 생활에서 저울을 사용해 물체의 무게를 정확하게 측정하는 경우: 상품의 무게에 따라 가격을 다르게 정할 때, 정해진 무게의 재료를 사용해 상품을 만들 때, 운동 경기에서 선수들의 몸무게에 따라 체급을 나눌 때 등

(2) 물체의 무게와 늘어난 용수철의 길이 사이의 관계

① 무게: 지구가 물체를 끌어당기는 힘의 크기로, 단위로는 g중(그램중), kg중(킬로그램중), N(뉴턴)을 사용합니다.

② 물체의 무게와 늘어난 용수철의 길이 사이의 관계
- 물체의 무게가 무거울수록 용수철은 더 많이 늘어납니다.
- 용수철은 물체의 무게에 따라 일정하게 늘어나거나 줄어드는 성질이 있습니다. → 늘어난 용수철의 길이는 걸어 놓은 물체의 무게를 나타냄.

③ 용수철의 성질을 이용해 물체의 무게를 측정하는 저울: 용수철저울, 가정용 저울, 체중계 등

(3) 용수철저울로 물체의 무게 측정하기

① 가장 먼저 용수철저울의 표시 자를 눈금의 '0'에 맞춥니다.

② 고리에 물체를 걸고, 표시 자가 움직이지 않을 때 표시 자와 눈높이를 맞추어 눈금의 숫자를 단위와 같이 읽습니다.

(4) 수평 잡기로 물체의 무게 비교하기

① 수평 잡기의 원리(받침점이 가운데에 있는 경우)

무게가 같은 물체	각각의 물체를 받침점으로부터 양쪽으로 같은 거리에 올려놓으면 수평을 잡을 수 있음.
무게가 다른 물체	무거운 물체를 가벼운 물체보다 받침점에 더 가까이 놓아야 수평을 잡을 수 있음.

② 수평 잡기의 원리를 이용해 물체의 무게를 비교하는 방법
- 각각의 물체를 받침점으로부터 같은 거리에 놓습니다.
- 두 물체의 무게가 같으면 나무판자는 수평이 됩니다.
- 두 물체의 무게가 다르면 나무판자는 무거운 물체 쪽으로 기울어집니다.

(5) 양팔저울로 여러 가지 물체의 무게 비교하기

무게가 일정한 물체로 비교하기	한쪽 저울접시에 물체를 올려놓은 다음, 다른 한쪽 저울접시에 무게가 일정한 물체를 올려놓고 수평을 맞춘 후 그 물체의 개수를 세어 비교함.
물체의 무게를 직접 비교하기	양쪽 저울접시에 물체를 각각 올려놓고 어느 쪽으로 기울어졌는지 확인함.

(6) 우리 생활에서 사용하는 저울

① 용수철의 성질을 이용해 만든 저울: 용수철저울, 가정용 저울, 체중계 등

② 수평 잡기의 원리를 이용해 만든 저울: 양팔저울 등

③ 전기적 성질을 이용해 만든 저울: 전자저울 → 화면에 숫자로 물체의 무게를 표시하는 저울입니다.

5 혼합물의 분리

(1) 혼합물

① 혼합물: 두 가지 이상의 물질이 성질이 변하지 않은 채 서로 섞여 있는 것입니다. 예 김밥, 팥빙수, 샌드위치 등

② 혼합물의 특징: 여러 가지 물질이 섞여도 각 물질의 성질이 변하지 않습니다.

(2) 혼합물을 분리하면 좋은 점: 원하는 물질을 얻을 수 있고, 이를 우리 생활의 필요한 곳에 이용할 수 있습니다. → 사탕수수에서 분리한 설탕을 다른 물질과 섞으면 다양한 종류의 사탕을 만들 수 있음.

(3) 콩, 팥, 좁쌀의 혼합물 분리하기

① 손으로 분리하기: 콩, 팥, 좁쌀의 크기와 색깔이 다르기 때문에 손으로 하나씩 분리할 수 있습니다. → 시간이 오래 걸림.

② 체를 이용하여 분리하기: 콩, 팥, 좁쌀의 혼합물은 손으로 분리하는 것보다 체와 같은 도구를 사용하면 더 쉽게 분리할 수 있습니다. → 콩이 가장 크고, 좁쌀이 가장 작음.

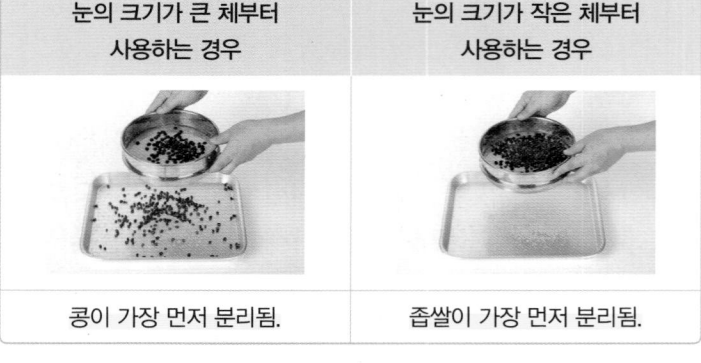

눈의 크기가 큰 체부터 사용하는 경우	눈의 크기가 작은 체부터 사용하는 경우
콩이 가장 먼저 분리됨.	좁쌀이 가장 먼저 분리됨.

③ 생활 속에서 알갱이의 크기 차이를 이용하여 혼합물을 분리하는 예: 해변 쓰레기 수거 장비로 해변에서 쓰레기 수거, 강에서 모래와 진흙 속에 사는 재첩 잡기 등

(4) 플라스틱 구슬과 철 구슬의 혼합물 분리하기

① 철 구슬이 자석에 붙는 성질이 있으므로 플라스틱 구슬과 철 구슬이 섞여 있는 혼합물을 자석을 사용하여 분리합니다.

② 생활 속에서 자석을 사용하여 혼합물을 분리하는 예: 자석을 사용한 자동 분리기로 철 캔과 알루미늄 캔 분리, 폐건전지를 가루로 만든 뒤 자석을 사용하여 철 분리, 식품 속에 있는 철 가루를 자석으로 분리 등

(5) 소금과 모래의 혼합물 분리하기

① 소금과 모래의 혼합물을 분리하는 방법 → 소금은 물에 녹고 모래는 물에 녹지 않는 성질이 있음.
- 소금과 모래의 혼합물을 물에 녹인 뒤 거름장치로 거르기

거름종이에 남아 있는 물질	거름종이를 빠져나간 물질
모래	소금물

- 거름종이를 빠져나간 소금물을 증발 접시에 붓고 가열하기

증발 접시에서 나타나는 현상	증발 접시에 생기는 물질
물이 끓고 물의 양이 줄어듦.	하얀색 고체인 소금

② 생활 속에서 거름과 증발을 이용한 예
- 거름을 이용: 녹찻잎을 우려서 녹차 마시기
- 증발을 이용: 염전에서 소금을 얻기

과학 1학기
4. 물체의 무게 ~ 5. 혼합물의 분리

확인문제

관련 단원 | 4. 물체의 무게

01 여러 가지 물체를 무거운 순서대로 정확하게 나열할 수 있는 방법으로 옳은 것은 무엇입니까?　　　（　　）

① 두 물체를 동시에 양손으로 들어 본다.
② 한 손으로 물체를 순서대로 들어 본다.
③ 한 손에 두 물체를 올려놓고 들어 본다.
④ 저울을 사용하여 물체의 무게를 측정한다.
⑤ 자를 사용하여 각 물체의 길이를 측정한다.

관련 단원 | 4. 물체의 무게

02 다음과 같이 추의 개수를 늘리면서 용수철에 걸어 놓았을 때 용수철의 길이가 늘어난 까닭은 무엇입니까?　　（　　）

① 지구가 추를 밀어 내기 때문이다.
② 지구가 추를 끌어당기기 때문이다.
③ 추가 용수철을 밀어 내기 때문이다.
④ 용수철이 추를 밀어 내기 때문이다.
⑤ 용수철이 원래의 모양으로 되돌아가기 때문이다.

관련 단원 | 4. 물체의 무게

03 무게에 대한 설명으로 옳지 <u>않은</u> 것을 다음 보기 에서 골라 기호를 쓰시오.

> **보기**
> ㉠ g중, kg중, N 단위를 사용한다.
> ㉡ 지구가 물체를 끌어당기는 힘의 크기이다.
> ㉢ 크기가 큰 물체가 크기가 작은 물체보다 항상 무겁다.

（　　　）

중요

관련 단원 | 4. 물체의 무게

04 다음은 용수철에 걸어 놓은 추의 무게에 따라 늘어난 용수철의 길이를 나타낸 것입니다. 이를 통해 알 수 있는 사실로 옳은 것을 두 가지 고르시오.　　（　　,　　）

추의 무게(g중)	0	20	40	60
늘어난 용수철의 길이(cm)	0	3	6	9

① 용수철에 걸어 놓은 추의 무게와 늘어난 용수철의 길이는 관계가 없다.
② 용수철에 걸어 놓은 추의 무게가 가벼울수록 용수철의 길이가 많이 늘어난다.
③ 용수철에 걸어 놓은 추의 무게가 무거울수록 용수철의 길이가 많이 늘어난다.
④ 용수철에 걸어 놓은 추의 무게가 일정하게 늘어나면 용수철의 길이도 일정하게 늘어난다.
⑤ 용수철에 걸어 놓은 추의 무게가 일정하게 줄어들면 용수철의 길이는 일정하게 늘어난다.

관련 단원 | 4. 물체의 무게

05 용수철저울의 눈금을 읽을 때의 눈높이로 옳은 것의 기호를 쓰시오.

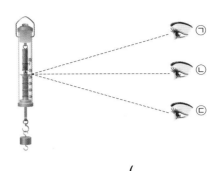

（　　　）

중요

관련 단원 | 4. 물체의 무게

06 다음은 받침점이 나무판자의 가운데에 있을 때 수평을 잡는 방법에 대한 설명입니다. （　） 안에 들어갈 말을 순서대로 옳게 짝 지은 것은 무엇입니까?　　（　　）

> 　무게가 같은 물체로 나무판자의 수평을 잡으려면 각각의 물체를 받침점으로부터 （　） 거리의 나무판자 위에 올려놓아야 하고, 무게가 다른 물체로 나무판자의 수평을 잡으려면 가벼운 물체를 무거운 물체보다 받침점으로부터 더 （　） 올려놓아야 한다.

① 같은, 멀리
② 다른, 멀리
③ 같은, 가까이
④ 다른, 가까이
⑤ 가까운, 멀리

관련 단원 | 4. 물체의 무게

07 다음과 같이 양팔저울로 물체의 무게를 비교할 때 가장 가벼운 물체는 어느 것인지 쓰시오.

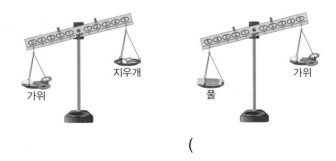

（　　　）

관련 단원 | 4. 물체의 무게

08 전자저울에 대한 설명으로 옳은 것은 무엇입니까?
　　（　　）

① 수평 잡기의 원리를 이용한 것이다.
② 클립과 같은 기준 물체가 필요하다.
③ 물체의 무게와 함께 부피가 표시된다.
④ 물체의 무게가 화면에 숫자로 표시된다.
⑤ 물체의 무게를 정확하게 측정하기 어렵다.

관련 단원 | 5. 혼합물의 분리

09 혼합물에 대한 설명으로 옳지 <u>않은</u> 것은 무엇입니까?
(　　)

① 혼합물은 우리 주위에서 쉽게 볼 수 있다.
② 세 가지 물질이 섞여 있는 것도 혼합물이다.
③ 혼합물을 이루는 물질은 섞이기 전과 성질이 다르다.
④ 고체 상태의 혼합물도 있고, 액체 상태의 혼합물도 있다.
⑤ 혼합물에 섞여 있는 물질을 분리해도 각 물질의 성질은 변하지 않는다.

관련 단원 | 5. 혼합물의 분리

10 생활 속에서 혼합물을 분리하는 경우를 두 가지 고르시오.
(　 , 　)

① 팥빙수 만들기
② 미숫가루 물 만들기
③ 철광석에서 철 분리하기
④ 우유에서 단백질을 분리하기
⑤ 여러 가지 채소를 이용해 샌드위치 만들기

 중요
관련 단원 | 5. 혼합물의 분리

11 다음과 같이 콩, 팥, 좁쌀의 혼합물을 체를 이용하여 분리했습니다. 콩, 팥, 좁쌀의 혼합물을 분리하기 위해 이용한 성질은 무엇입니까?
(　　)

① 알갱이의 맛 차이
② 알갱이의 크기 차이
③ 알갱이의 무게 차이
④ 알갱이의 모양 차이
⑤ 알갱이의 색깔 차이

관련 단원 | 5. 혼합물의 분리

12 혼합물의 분리 방법이 나머지와 <u>다른</u> 경우는 무엇입니까?
(　　)

① 콩과 좁쌀을 분리할 때
② 진흙 속에 사는 재첩을 잡을 때
③ 공사장에서 모래와 자갈을 분리할 때
④ 고춧가루에 섞인 철 가루를 분리할 때
⑤ 해변 쓰레기 수거 장비로 쓰레기를 수거할 때

 중요
관련 단원 | 5. 혼합물의 분리

13 다음은 크기가 비슷한 플라스틱 구슬과 철 구슬의 혼합물입니다. 혼합물을 쉽게 분리할 때 사용하는 도구는 무엇입니까?
(　　)

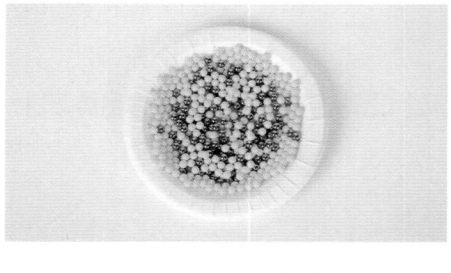

① 체　　　　　　　② 자석
③ 비커　　　　　　④ 증발 접시
⑤ 용수철저울

관련 단원 | 5. 혼합물의 분리

14 다음은 철 캔과 알루미늄 캔을 자동 분리기로 분리하는 모습입니다. 철 캔과 알루미늄 캔 중 ㉠에 모이는 것은 무엇인지 쓰시오.

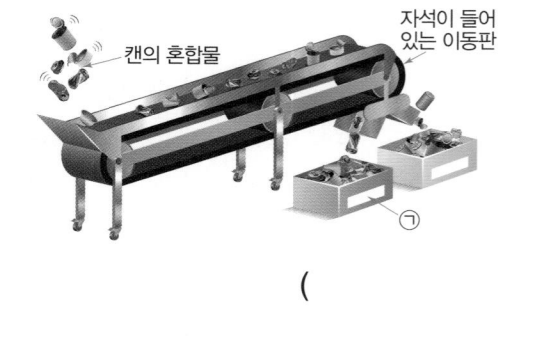

(　　　　　)

 중요
관련 단원 | 5. 혼합물의 분리

15 소금과 모래 혼합물의 분리 방법에 대한 설명으로 옳은 것은 무엇입니까?
(　　)

① 물이 어는 성질을 이용한다.
② 소금이 물에 녹는 성질을 이용한다.
③ 모래가 물에 녹는 성질을 이용한다.
④ 물이 거름종이를 빠져나가지 못하는 성질을 이용한다.
⑤ 물에 녹은 모래를 가열하여 모래를 분리하는 방법을 이용한다.

관련 단원 | 5. 혼합물의 분리

16 오른쪽과 같이 찻잎을 따뜻한 물에 넣어 우려내는 데 이용한 성질은 무엇입니까? (　　)

① 자석에 붙는 성질
② 물이 증발하는 성질
③ 알갱이의 모양이 다른 성질
④ 물 위에 뜨고 가라앉는 성질
⑤ 물에 녹는 성질과 녹지 않는 성질

1 식물의 생활

(1) 잎의 생김새에 따라 식물 분류하기: 전체적인 모양, 끝 모양, 가장자리 모양, 잎맥 모양 등 생김새에 따라 다양하게 분류할 수 있습니다.

```
                          ┌→ 잎은 한곳에 세 개씩 남.
      그렇다.                 그렇지 않다.
   소나무, 강아지풀, 단풍나무    잎의      토끼풀, 은행나무
                         끝 모양이
                         뾰족한가?
      └→ 잎이 손바닥 모양임.              └→ 잎의 끝은 물결
                                        모양임.
```

(2) 들이나 산에서 사는 식물

① 들이나 산에서 사는 식물을 풀과 나무로 분류하기

풀	민들레, 명아주, 강아지풀, 토끼풀 등
나무	소나무, 단풍나무, 떡갈나무, 밤나무 등

→ 잎이 한곳에서 뭉쳐남.
→ 잎의 가장자리는 톱니 모양임.

② 들이나 산에서 사는 풀과 나무의 공통점과 차이점

구분	풀	나무
공통점	뿌리, 줄기, 잎이 있고 잎은 초록색임.	
차이점	• 나무보다 키가 작음. • 줄기가 나무보다 가늚. • 대부분 한해살이 식물임.	• 풀보다 키가 큼. • 줄기가 풀보다 굵음. • 모두 여러해살이 식물임.

→ 여러해살이풀도 있음.

(3) 강이나 연못에서 사는 식물

① 강이나 연못에서 사는 식물

→ 생이가래는 물에 떠서 사는 식물임.

물속에 잠겨서 사는 식물	물에 떠서 사는 식물	잎이 물에 떠 있는 식물	잎이 물 위로 높이 자라는 식물
검정말, 나사말, 물수세미 등	부레옥잠, 개구리밥, 물상추 등	수련, 마름, 가래 등	연꽃, 부들, 창포 등

② 부레옥잠의 특징: 잎자루에 있는 공기주머니의 공기 때문에 물에 떠서 살 수 있습니다.

→ 잎자루가 부풀어 있음.

(4) 사막에서 사는 식물

① 사막에서 사는 식물: 선인장, 바오바브나무, 용설란, 회전초 등이 삽니다.

② 선인장의 특징
• 다른 식물에서 볼 수 있는 잎이 없고, 가시가 있으며, 줄기는 굵고 통통합니다.
• 줄기를 자른 면에 화장지를 대면 물이 묻어 나옵니다.

③ 사막에서 사는 식물의 특징
• 잎이 작거나 가시로 변하여 물의 증발을 막습니다.
• 선인장은 굵은 줄기에, 용설란은 크고 두꺼운 잎에 물을 저장합니다.

(5) 우리 생활에서 식물의 특징을 활용한 예

도꼬마리 열매	도꼬마리 열매의 생김새를 활용한 찍찍이 테이프는 끈을 대신해 신발이 벗겨지지 않게 하는 데 사용됨.
단풍나무 열매	날개가 하나인 선풍기는 떨어지면서 회전하는 단풍나무 열매의 생김새를 활용해 만들었음.
연꽃잎	비에 젖지 않는 연꽃잎의 특징을 활용해 물이 스며들지 않는 옷을 만들었음.

2 물의 상태 변화

(1) 물의 세 가지 상태

① 물의 세 가지 상태

얼음(고체)	일정한 모양이 있고, 차갑고 단단함.
물(액체)	일정한 모양이 없고, 흐르는 성질이 있음.
수증기(기체)	일정한 모양이 없고, 눈에 보이지 않음.

② 물의 상태 변화: 고체인 얼음이 녹으면 액체인 물이 되고, 액체인 물이 마르면 기체인 수증기가 됩니다.

(2) 물이 얼 때의 부피와 무게 변화

① 물이 얼면 부피는 늘어나고, 무게는 변하지 않습니다.
② 물이 얼어 부피가 늘어나는 예
→ 겨울철에 장독에 넣어 둔 물이 얼어서 장독이 깨짐.
• 한겨울에 수도관에 설치된 계량기가 얼어서 터집니다.
• 음료수가 가득 든 유리병을 얼리면 유리병이 깨집니다.

(3) 얼음이 녹을 때의 부피와 무게 변화

① 얼음이 녹으면 부피는 줄어들고, 무게는 변하지 않습니다.
② 얼음이 녹아 부피가 줄어드는 예: 꽁꽁 얼어 있던 튜브형 얼음 과자가 녹으면 얼음과자의 부피가 줄어듭니다.

(4) 물이 증발할 때의 변화
→ 물이 얼어 부푼 페트병을 냉동실에서 꺼내 놓으면 얼음이 녹으면서 부피가 줄어듦.

① 증발: 액체인 물이 표면에서 기체인 수증기로 상태가 변하는 현상입니다.
② 물이 증발하는 예 → 식품 건조기에 넣은 사과 조각의 표면이 쭈굴쭈굴해짐.
• 젖은 머리카락이나 빨래가 마릅니다.
• 과일, 고추, 오징어와 같은 음식 재료를 말립니다.

(5) 물이 끓을 때의 변화

① 물을 가열하면 처음에는 거의 변화가 없다가 시간이 지나면 매우 작은 기포가 조금씩 생깁니다.
② 물이 끓으면서 물속에서 큰 기포가 연속해서 매우 많이 생기고, 기포가 올라와 터지면서 물 표면이 울퉁불퉁해지며, 물이 끓으면서 물의 높이가 물이 끓기 전보다 낮아집니다.
③ 끓음: 물 표면과 물속에서 물이 수증기로 상태가 변하는 현상입니다.

(6) 물이 응결할 때의 변화

① 주스와 얼음을 넣은 차가운 컵 표면에서 일어나는 변화: 컵 표면에 물방울이 맺히며, 이는 공기 중의 수증기가 액체인 물로 상태가 변한 것입니다.
② 응결: 기체인 수증기가 액체인 물로 상태가 변하는 것입니다.
③ 응결의 예: 추운 겨울 유리창 안쪽에 맺힌 물방울, 맑은 날 아침 풀잎이나 거미줄에 맺힌 물방울 등

(7) 물의 상태 변화의 이용

물 → 얼음	얼음 작품을 만들 때, 스키장에서 인공 눈을 만들 때, 얼음과자를 만들 때, 이글루를 만들 때 등
물 → 수증기	음식을 찔 때, 스팀다리미로 옷의 주름을 펼 때, 가습기를 이용할 때, 스팀 청소기로 바닥을 닦을 때 등

과학 2학기
1. 식물의 생활 ~ 2. 물의 상태 변화

확인문제

관련 단원 | 1. 식물의 생활

01 토끼풀 잎에 대한 설명으로 옳은 것을 두 가지 고르시오.
(,)

① 잎의 끝은 둥글다.
② 잎은 세모 모양이다.
③ 잎은 손바닥 모양이다.
④ 잎은 한곳에 세 개씩 난다.
⑤ 잎의 가장자리에 털이 있다.

관련 단원 | 1. 식물의 생활

02 식물의 잎을 다음과 같이 분류할 때 ㈎와 ㈏에 들어갈 알맞은 식물 잎의 기호를 쓰시오.

ㄱ ▲ 강아지풀   ㄴ ▲ 소나무   ㄷ ▲ 단풍나무

분류 기준	잎의 전체적인 모양이 길쭉한가?

그렇다.	그렇지 않다.
(가)	(나)

(가): ( )， (나): ( )

관련 단원 | 1. 식물의 생활

03 민들레에 대한 설명으로 옳지 <u>않은</u> 것은 무엇입니까?
( )

① 잎이 한곳에서 뭉쳐난다.
② 단풍나무보다 키가 작다.
③ 들에서 볼 수 있는 풀이다.
④ 소나무보다 줄기가 가늘다.
⑤ 잎의 가장자리에 털이 있다.

‖중요‖
관련 단원 | 1. 식물의 생활

04 풀과 나무의 특징으로 옳은 것은 무엇입니까? ( )
① 나무는 풀보다 작다.
② 나무 줄기는 풀보다 굵다.
③ 나무는 모두 한해살이 식물이다.
④ 대부분의 풀은 겨울에 줄기를 볼 수 있다.
⑤ 모든 나무의 잎은 겨울이 되면 말라서 떨어진다.

‖중요‖
관련 단원 | 1. 식물의 생활

05 다음과 같은 특징이 있는 식물을 두 가지 고르시오.
(,)

• 대부분 키가 크고, 줄기가 단단하다.
• 뿌리가 물속이나 물가의 땅에 있다.

① ▲ 부들   ② ▲ 개구리밥   ③ ▲ 수련

④ ▲ 연꽃   ⑤ ▲ 생이가래

‖중요‖
관련 단원 | 1. 식물의 생활

06 다음 ( ) 안에 들어갈 알맞은 말을 쓰시오.

부레옥잠이 물에 떠서 살 수 있는 까닭은 잎자루에 많은 ( )을/를 저장하고 있기 때문이다.

( )

관련 단원 | 1. 식물의 생활

07 바오바브나무가 사막 환경에 적응한 특징으로 옳은 것은 무엇입니까? ( )
① 뿌리에 물을 저장한다.
② 줄기에 스펀지 같은 구조가 있다.
③ 바늘과 같은 뾰족한 가시가 있다.
④ 크고 두꺼운 잎에 물을 저장한다.
⑤ 줄기가 굵어서 물을 많이 저장할 수 있다.

관련 단원 | 1. 식물의 생활

08 오른쪽 같은 단풍나무 열매의 생김새를 우리 생활에서 활용한 예는 무엇입니까?
( )

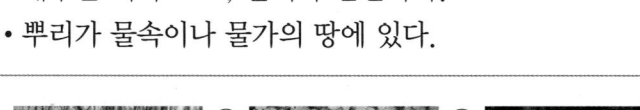

① 우산   ② 해충 퇴치제
③ 비행기 날개   ④ 자동차 바퀴
⑤ 날개가 하나인 선풍기

관련 단원 | 2. 물의 상태 변화

09 수증기에 대한 설명으로 옳은 것은 무엇입니까? (   )

① 고체 상태이다.
② 액체 상태이다.
③ 차갑고 단단하다.
④ 일정한 모양이 있다.
⑤ 눈에 보이지 않는다.

||중요||
관련 단원 | 2. 물의 상태 변화

10 햇볕을 받은 고드름에서 일어나는 물의 상태 변화에 대한 설명으로 옳은 것을 다음 보기 에서 골라 기호를 쓰시오.

보기
㉠ 고체인 얼음이 액체인 물이 된다.
㉡ 고체인 물이 액체인 수증기가 된다.
㉢ 기체인 수증기가 액체인 물이 된다.

(   )

관련 단원 | 2. 물의 상태 변화

11 한겨울에 수도관에 설치된 계량기가 터지는 까닭으로 옳은 것은 무엇입니까? (   )

① 물의 온도가 높아지기 때문에
② 물이 얼면서 계량기를 녹이기 때문에
③ 물이 얼면서 부피가 늘어나기 때문에
④ 물이 얼면서 부피가 줄어들기 때문에
⑤ 물이 얼면서 무게가 늘어나기 때문에

관련 단원 | 2. 물의 상태 변화

12 식품 건조기에 사과 조각을 넣고 건조시키면 사과 조각에서 어떠한 현상이 나타납니까? (   )

① 응결   ② 끓임   ③ 녹음
④ 증발   ⑤ 얼기

||중요||
관련 단원 | 2. 물의 상태 변화

13 물이 끓을 때 관찰할 수 있는 모습으로 옳지 않은 것은 무엇입니까? (   )

① 물 표면이 잔잔하다.
② 물 표면이 울퉁불퉁해진다.
③ 물속에서 기포가 올라와 터진다.
④ 큰 기포가 연속해서 많이 생긴다.
⑤ 증발할 때보다 물의 양이 빠르게 줄어든다.

관련 단원 | 2. 물의 상태 변화

14 증발과 끓음의 공통점으로 옳은 것은 무엇입니까? (   )

① 물 표면에서만 상태가 변한다.
② 고체에서 액체로 상태가 변한다.
③ 물의 양이 매우 빠르게 줄어든다.
④ 물이 수증기로 매우 천천히 상태가 변한다.
⑤ 물이 수증기로 변하는 상태 변화가 일어난다.

||중요||
관련 단원 | 2. 물의 상태 변화

15 다음과 같이 플라스틱 컵에 얼음과 주스를 넣고 뚜껑을 덮은 뒤 은박 접시에 올려놓고 전자저울로 무게를 측정하였습니다. 이때 나타나는 변화로 옳은 것을 두 가지 고르시오.
(,   )

① 아무 변화가 없다.
② 컵의 무게가 증가한다.
③ 컵 표면에 물방울이 맺힌다.
④ 주스 표면으로 기포가 올라와 터진다.
⑤ 컵 표면에 노란색 얼음 알갱이가 생긴다.

관련 단원 | 2. 물의 상태 변화

16 물이 수증기로 상태가 변화된 예는 무엇입니까? (   )

① 이글루를 만들 때
② 인공 눈을 만들 때
③ 얼음과자를 만들 때
④ 스팀다리미로 옷의 주름을 펼 때
⑤ 열이 나서 얼음주머니를 이용할 때

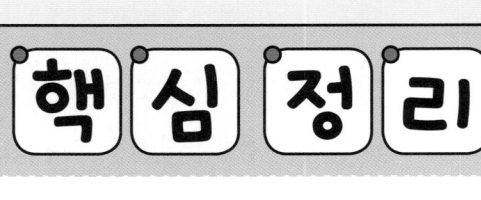

3 그림자와 거울

(1) 그림자가 생기는 조건: 빛과 물체가 있어야 하며, 물체에 빛을 비춰야 합니다.

(2) 불투명한 물체와 투명한 물체의 그림자
① 빛이 나아가다가 도자기 컵, 손과 같은 불투명한 물체를 만나면 빛이 통과하지 못해 진한 그림자가 생깁니다.
② 빛이 나아가다가 유리컵, 무색 비닐과 같은 투명한 물체를 만나면 빛이 대부분 통과해 연한 그림자가 생깁니다.

(3) 물체 모양과 그림자 모양이 비슷한 까닭
① 빛의 직진: 빛이 곧게 나아가는 성질입니다.
② 직진하는 빛이 물체를 만났을 때 물체를 통과하지 못하면 물체 모양과 비슷한 그림자가 물체의 뒤쪽에 생깁니다.
③ 물체 모양과 그림자 모양이 비슷한 까닭: 빛이 직진하기 때문입니다.
└→ 물체를 놓는 방향이 달라지면 그림자 모양이 달라지기도 함.

(4) 그림자의 크기를 변화시키는 방법: 물체와 스크린을 그대로 두었을 때 손전등을 물체에 가깝게 하면 그림자의 크기는 커지고, 손전등을 물체에서 멀게 하면 그림자의 크기는 작아집니다.
└→ 손전등과 물체 사이의 거리에 따라 그림자의 크기가 달라짐.

(5) 거울에 비친 물체의 모습과 실제 물체의 차이점
① 거울에 비친 물체의 모습과 실제 물체의 모습: 물체의 상하는 바뀌어 보이지 않지만 좌우는 바뀌어 보입니다. →색깔은 같음.
② 구급차의 앞부분에 글자를 좌우로 바꾸어 쓴 까닭: 자동차의 뒷거울에 구급차 앞부분의 모습이 비춰 보일 때 좌우로 바꾸어 쓴 글자의 좌우가 다시 바뀌어 똑바로 보이기 때문입니다.

(6) 빛이 거울에 부딪쳐 나아가는 모습
① 빛을 거울에 비추면 빛이 거울에 부딪쳐 방향이 바뀝니다.
② 빛의 반사: 빛이 나아가다가 거울에 부딪치면 거울에서 빛의 방향이 바뀌는 성질입니다.

(7) 우리 생활에서 거울을 이용한 예: 무용실 거울, 미용실 거울, 옷 가게 거울, 승강기 안 거울 등

4 화산과 지진

(1) 화산: 땅속 깊은 곳에서 암석이 녹은 마그마가 분출하여 생긴 지형입니다.
└→ 크기와 생김새가 다양함.

(2) 화산 활동으로 나오는 물질

화산 분출물	상태	특징
화산 가스	기체	여러 가지 기체가 섞여 있고, 대부분 수증기임.
용암	액체	매우 뜨겁고, 지표를 따라 흐르기도 함.
화산재, 화산 암석 조각	고체	화산재는 가루 같고, 화산 암석 조각은 크기가 매우 다양함.

(3) 현무암과 화강암
① 화성암: 현무암과 화강암 같이 마그마의 활동으로 만들어진 암석입니다.

② 현무암과 화강암의 특징 →표면에 구멍이 뚫려 있음.

구분	현무암	화강암 →반짝이는 알갱이가 있음.
암석의 색깔	어두운색	밝은색
암석을 이루는 알갱이의 크기	맨눈으로 구별하기 어려울 정도로 알갱이가 매우 작음.	맨눈으로 구별할 수 있을 정도로 알갱이가 큼.
만들어지는 장소	마그마가 지표 가까이에서 빠르게 식어서 만들어짐.	마그마가 땅속 깊은 곳에서 천천히 식어서 만들어짐.

(4) 화산 활동이 우리 생활에 주는 영향

피해	• 화산재는 비행기 엔진을 망가뜨려 항공기 운항을 어렵게 함. • 화산재가 태양 빛을 차단해 동식물에게 피해를 줌. • 용암이 흘러 산불이 나고 인명 피해가 발생함.
이로운 점	• 화산재는 땅을 기름지게 하여 농작물이 자라는 데 도움을 줌. • 땅속의 높은 열은 온천 개발이나 지열 발전에 활용함.

(5) 지진이 발생하는 까닭 →지진의 세기는 규모로 나타내며, 규모의 숫자가 클수록 강한 지진임.
① 지진: 땅이 끊어지면서 흔들리는 것입니다.
② 지진이 발생하는 원인: 땅이 지구 내부에서 작용하는 힘을 받아 끊어지면서 발생합니다. →지표의 약한 부분이나 지하 동굴이 함몰할 때 화산 활동 등에 의해 발생하기도 함.
③ 지진이 발생하면 나타나는 현상: 땅이 흔들리거나 갈라지고 건물과 도로가 무너집니다. └→산악 지형에서는 산사태가 발생함.

(6) 지진이 발생했을 때의 대처 방법

지진 발생 전	• 구급약품이나 비상식량 등의 비상 용품을 준비함. • 흔들리거나 떨어지기 쉬운 물건을 고정함.
지진이 발생했을 때	• 교실 안: 흔들릴 때에는 책상 아래로 들어가 머리와 몸을 보호하고, 책상 다리를 꼭 잡음. • 승강기 안: 모든 층의 버튼을 눌러 가장 먼저 열리는 층에서 내림.

5 물의 여행

(1) 물의 순환
① 물의 순환: 물이 상태를 바꾸면서 육지, 바다, 공기 중, 생명체 등 여러 곳을 끊임없이 돌고 도는 과정입니다.
② 물은 순환하지만 지구 전체 물의 양은 변하지 않습니다.

(2) 물의 이용과 물 부족 현상
① 물을 이용하는 경우 →물건과 주변을 깨끗하게 만들고, 생명을 유지시킴.
• 공장에서 물건을 만들 때 물을 이용합니다.
• 흐르는 물이 만든 지형을 관광 자원으로 이용합니다.
② 물의 중요성: 물은 우리 생활에서 다양하게 이용되고, 식물이나 동물의 몸속을 순환하면서 생명을 유지시킵니다.
③ 물이 부족한 까닭
• 자연 환경: 비가 적게 내리고, 물이 빨리 증발되어 물이 부족한 지역이 있습니다.
• 인구 증가: 물의 이용량이 많아지고, 물의 오염이 심각해졌기 때문입니다.
• 산업 발달: 환경이 오염되어 이용할 수 있는 물의 양이 줄어들었기 때문입니다.

중요
관련 단원 | 3. 그림자와 거울

01 그림자에 대한 설명으로 옳은 것을 다음 보기 에서 두 가지 골라 기호를 쓰시오.

보기
㉠ 그림자는 물체의 앞쪽에 생긴다.
㉡ 그림자가 생기려면 빛과 물체가 있어야 한다.
㉢ 그림자가 생기려면 물체에 빛을 비춰야 한다.

(,   )

관련 단원 | 3. 그림자와 거울

02 다음과 같이 장치하고 도자기 컵과 유리컵에 빛을 비춰 보았습니다. 도자기 컵과 유리컵에 손전등의 빛을 비추었을 때 생기는 그림자에 맞게 선으로 연결하시오.

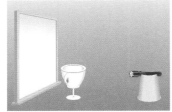 

▲ 도자기 컵에 빛을 비추었을 때   ▲ 유리컵에 빛을 비추었을 때

(1) 도자기 컵 •   • ㉠ 진하고 선명한 그림자

(2) 유리컵 •   • ㉡ 연하고 흐릿한 그림자

중요
관련 단원 | 3. 그림자와 거울

03 물체와 스크린을 그대로 두었을 때 그림자의 크기를 변화시키는 방법입니다. ( ) 안에 들어갈 알맞은 말을 쓰시오.

손전등을 물체에 가깝게 하면 그림자의 크기는 (㉠)지고, 손전등을 물체에서 멀게 하면 그림자의 크기는 (㉡)진다.

㉠: (   ), ㉡: (   )

관련 단원 | 3. 그림자와 거울

04 거울에 비친 물체의 모습에 대한 설명으로 옳은 것은 무엇입니까? ( )

① 실제 물체보다 크게 보인다.
② 실제 물체와 색깔이 다르게 보인다.
③ 실제 물체와 좌우가 바뀌어 보인다.
④ 실제 물체와 상하가 바뀌어 보인다.
⑤ 실제 물체와 상하좌우가 모두 바뀌어 보인다.

관련 단원 | 3. 그림자와 거울

05 빛이 나아가는 길에 거울을 놓았을 때에 대한 설명으로 옳은 것은 무엇입니까? ( )

① 빛이 사라진다.
② 빛이 더 밝아진다.
③ 빛이 더 어두워진다.
④ 빛이 거울에 부딪쳐 방향이 바뀐다.
⑤ 빛이 거울을 통과하여 곧게 나아간다.

관련 단원 | 3. 그림자와 거울

06 우리 생활에서 거울을 이용한 예가 아닌 것은 무엇입니까? ( )

① 세수를 할 때
② 무용 연습을 할 때
③ 농구 경기를 할 때
④ 미용실에서 머리를 자를 때
⑤ 외출하기 전 외출복의 맵시를 볼 때

관련 단원 | 4. 화산과 지진

07 다음에서 설명하는 이것은 무엇인지 쓰시오.

• 이것은 땅속 깊은 곳에서 암석이 녹은 것이다.
• 이것이 지표면으로 분출하여 만들어진 지형이 화산이다.

(   )

중요
관련 단원 | 4. 화산과 지진

08 화산 분출물에 대한 설명으로 옳은 것은 무엇입니까? ( )

▲ 용암   ▲ 화산재   ▲ 화산 암석 조각

① 화산 암석 조각의 크기는 일정하다.
② 화산재의 대부분은 수증기로 되어 있다.
③ 용암은 크기가 매우 작아 가루처럼 보인다.
④ 용암은 마그마에서 기체가 빠져나간 것이다.
⑤ 화산 분출물은 물질의 상태에 따라 구분할 수 없다.

관련 단원 | 4. 화산과 지진

09 화산 활동이 우리 생활에 주는 이로운 점은 무엇입니까?
（　　　）

① 용암에 의해 산불이 난다.
② 화산재가 태양 빛을 가린다.
③ 용암이 흘러 마을을 뒤덮는다.
④ 화산 가스의 영향으로 호흡기 질병에 걸린다.
⑤ 화산재가 쌓인 땅이 오랜 시간이 지나 기름진 땅이 된다.

중요
10 관련 단원 | 4. 화산과 지진
지진이 발생하는 원인이 아닌 것은 무엇입니까? （　　　）

① 화산 활동이 일어날 때
② 지하 동굴이 무너질 때
③ 지표의 약한 부분이 무너질 때
④ 땅속 깊은 곳에서 마그마가 식어서 암석이 될 때
⑤ 지구 내부에서 작용하는 힘을 받아 땅이 끊어질 때

관련 단원 | 4. 화산과 지진

11 다음 우드록을 이용한 지진 모형실험에 대한 설명으로 옳지 않은 것은 무엇입니까?　　　　　（　　　）

① 우드록이 끊어질 때 소리가 난다.
② 조금 힘을 주면 우드록이 휘어진다.
③ 우드록이 휘어진 것은 지진에 해당한다.
④ 우드록이 끊어질 때 손에 떨림이 느껴진다.
⑤ 지진이 발생하는 원인을 알아보는 실험이다.

중요
12 관련 단원 | 4. 화산과 지진
지진이 발생했을 때 대처 방법으로 옳지 않은 것은 무엇입니까?　　　　　　　　　　　　　　（　　　）

① 운동장에 있을 경우 교실로 대피한다.
② 승강기 대신 계단을 이용하여 대피한다.
③ 집 안에서는 가스 밸브를 잠그고 전깃불을 끈다.
④ 건물 밖으로 나오는 동안 가방 등으로 머리를 보호한다.
⑤ 무거운 물건이 넘어질 염려가 있는 곳에서 멀리 피한다.

관련 단원 | 5. 물의 여행

13 물의 상태가 나머지와 다른 하나는 무엇입니까? （　　　）

① 땅속에 지하수가 흐른다.
② 비가 되어 땅으로 내린다.
③ 물이 강으로 모여 흘러간다.
④ 땅속의 물이 식물의 뿌리로 흡수된다.
⑤ 식물의 잎에서 나온 물이 공기 중으로 이동한다.

중요
14 관련 단원 | 5. 물의 여행
물의 순환에 대한 설명으로 옳은 것은 무엇입니까?
（　　　）

① 물은 흘러가면 사라진다.
② 밤에는 물이 순환하지 않는다.
③ 물의 상태가 끊임없이 변한다.
④ 지구에 있는 전체 물의 양은 변한다.
⑤ 물이 이동할 때에는 상태가 변하지 않는다.

관련 단원 | 5. 물의 여행

15 다음은 물을 어떻게 이용하는 경우입니까?　（　　　）

① 농작물을 키운다.
② 생명을 유지시킨다.
③ 생선을 상하지 않게 한다.
④ 물이 떨어지는 높이 차이를 이용해 전기를 만든다.
⑤ 흐르는 물이 만든 다양한 지형을 관광 자원으로 이용한다.

관련 단원 | 5. 물의 여행

16 물 부족 현상을 해결할 방법으로 옳은 것을 다음 보기 에서 골라 기호를 쓰시오.

보기
　㉠ 샴푸를 많이 사용한다.
　㉡ 빨래는 조금씩 자주 한다.
　㉢ 세수할 때 물을 틀어 놓는다.
　㉣ 화단에 물을 줄 때 빗물 저금통을 활용한다.

（　　　）

1 때에 맞는 인사하기

(1) 만났을 때 인사하기

A: Good morning, Nick. 안녕, Nick.
B: Good morning, Julie. 안녕, Julie.

- 아침에 만났을 때는 Good morning.이라고 인사하고, 오후에 만났을 때는 Good afternoon.이라고 인사합니다. 저녁에 만났을 때는 Good evening.이라고 인사합니다.

(2) 밤에 헤어질 때 인사하기

- Good night, Nick. 잘 자, Nick.

- 밤에 자기 전에는 Good night.으로 인사하며, '잘 자.'라는 뜻입니다.

2 안부 묻고 답하기

A: How are you? 어떻게 지내니?
B: I'm good. 잘 지내.

- How are you?는 '어떻게 지내니?'라고 상대방의 안부를 묻는 표현입니다.

- 기분이나 몸 상태가 좋을 때는 I'm great. (매우 잘 지내.) / I'm good. (잘 지내.) / I'm okay. (괜찮아.) 등으로 대답합니다.

- 기분이나 몸 상태가 그저 그럴 때는 Not so good. (별로 좋지 않아.) 등으로 대답합니다.

3 다른 사람 소개하기

A: Hello, Jisu. 안녕, 지수야.
    This is my friend, Bora. 이 아이는 내 친구 보라야.
B: Nice to meet you, Bora. 만나서 반가워, 보라야.
C: Nice to meet you, too. 나도 만나서 반가워.

- 다른 사람을 소개할 때는 「This is + 이름 / 관계를 나타내는 말.」이라고 합니다.

- 소개를 받으면 서로에게 Nice to meet you.라고 인사합니다.

> 참고 관계를 나타내는 낱말
> dad (아빠), mom (엄마), brother (남자형제), sister (여자형제)
> friend (친구), teacher (선생님)

4 감정이나 상태 묻고 답하기

A: Are you happy? 너 행복하니?
B: Yes, I am. 응, 그래. /
    No, I'm not. I'm tired.
    아니, 그렇지 않아. 나는 피곤해.

- 상대방의 감정이나 상태가 어떤지 물을 때는 「Are you + 감정[상태]을 나타내는 말?」로 표현합니다.

- 묻는 내용과 감정이나 상태가 같으면 Yes, I am.으로, 그렇지 않으면 No, I'm not.으로 대답합니다.

- 자신의 감정이나 상태를 나타낼 때는 「I am + 감정[상태]을 나타내는 말.」로 표현합니다.
  예 I am sad. (나는 슬퍼.) I'm angry. (나는 화가 나.)

> 참고 감정이나 상태를 나타내는 낱말
> happy (행복한), sad (슬픈), hungry (배가 고픈), angry (화가 난),
> tired (피곤한)

5 직업 묻고 답하기

(1) 상대방의 직업 묻고 답하기

A: What do you do? 당신의 직업은 무엇인가요?
B: I'm a doctor. 저는 의사입니다.

- 상대방의 직업이 무엇인지 물을 때는 What do you do? 라고 합니다.

- '저는 ~입니다.'라며 직업을 말할 때는 「I am a[an] + 직업을 나타내는 말.」이라고 합니다.

(2) 다른 사람의 직업 묻고 답하기

A: What does he do? 그 남자의 직업은 무엇인가요?
B: He is a singer. 그는 가수입니다.

- 다른 사람의 직업이 무엇인지 물을 때는 What does he [she] do?라고 합니다.

- '그[그녀]는 ~입니다.'라며 다른 사람의 직업을 말할 때는 「He[She] is a[an] + 직업을 나타내는 말.」이라고 합니다.

> 참고 직업을 나타내는 낱말
> teacher (선생님), doctor (의사), nurse (간호사), cook (요리사),
> singer (가수), pilot (비행기 조종사), designer (디자이너)

영어

확인문제

[01~02] 그림을 보고, 상황에 알맞은 인사말을 고르시오.

01 관련 단원 | 1. 때에 맞는 인사하기 (   )

1:00 PM

① Good afternoon.
② Good morning.
③ Good evening.
④ Good night.
⑤ Goodbye.

02 관련 단원 | 1. 때에 맞는 인사하기 (   )

10:00 PM

① Good afternoon.
② Good morning.
③ Good evening.
④ Good night.
⑤ Goodbye.

[03~04] 그림을 보고, 대화의 빈칸에 알맞은 것을 고르시오.

03 관련 단원 | 5. 직업 묻고 답하기 (   )

A: What do you do?
B: I'm a _____.

① cook   ② pilot
③ singer   ④ teacher
⑤ designer

04 관련 단원 | 4. 감정이나 상태 묻고 답하기

A: Are you happy?
B: No, I'm not. I'm _____.

(   )

① sad   ② tired   ③ good
④ angry   ⑤ hungry

05 관련 단원 | 3. 다른 사람 소개하기

대화의 빈칸에 알맞은 말을 쓰시오.

A: Hello, Henry.
_____ is my friend, Sunny.
Sunny, this is Henry.
B: Nice to meet you, Sunny.
C: Nice to meet you, too.

(   )

중요
06 관련 단원 | 5. 직업 묻고 답하기

대화의 빈칸에 알맞은 말은 무엇입니까? (   )

A: _____
B: She is a singer.

① Are you tired?   ② How are you?
③ What do you do?   ④ What does he do?
⑤ What does she do?

07 관련 단원 | 2. 안부 묻고 답하기

대화의 빈칸에 알맞지 <u>않은</u> 것은 무엇입니까? (   )

A: How are you?
B: _____

① I'm great.   ② I'm good.
③ I'm okay.   ④ Not so good.
⑤ Good evening.

08 관련 단원 | 5. 직업 묻고 답하기

미라 엄마의 직업은 무엇입니까? (   )

Bill : Who is she?
Mira: She is my mom.
Bill : What does she do?
Mira: She is a teacher.

① 요리사   ② 가수   ③ 의사
④ 선생님   ⑤ 디자이너

09 관련 단원 | 3. 다른 사람 소개하기
다음 우리말을 영어로 바르게 표현한 것은 무엇입니까?
(　　)

> 이 아이는 내 남동생 지민이야.

① He is Jimin.
② Jimin is my brother.
③ She is my sister, Jimin.
④ Nice to meet you, Jimin.
⑤ This is my brother, Jimin.

10 관련 단원 | 4. 감정이나 상태 묻고 답하기
진희의 상태를 잘 나타낸 것은 무엇입니까? (　　)

> A: Are you hungry, Jinhee?
> B: No, I'm not. I'm angry.

① 　② 　③

④ 　⑤

11 관련 단원 | 2. 안부 묻고 답하기
괄호 안에 주어진 낱말을 바르게 배열하여 쓰시오.

> A: (you, How, are)?
> B: I'm good.

(　　　　　　　　　　)

12 관련 단원 | 3. 다른 사람 소개하기
대화의 내용과 일치하는 것은 무엇입니까? (　　)

> Julie : Mom, this is my friend, Jenny.
> 　　　　Jenny, this is my mom.
> Mom : Nice to meet you.
> Jenny: Nice to meet you, too.

① Julie의 엄마와 Jenny는 서로 아는 사이이다.
② Julie와 Jenny는 오늘 처음 만났다.
③ Jenny는 Julie의 여동생이다.
④ Julie가 Jenny를 자신의 엄마에게 소개하고 있다.
⑤ Julie와 Julie의 엄마는 Jenny를 처음 만났다.

13 관련 단원 | 4. 감정이나 상태 묻고 답하기
Ben의 지금 상태를 표현하는 낱말을 대화에서 찾아 쓰시오.

> Jina: Are you hungry, Ben?
> Ben: No, I'm not. I'm tired.

(　　　　　　　　　　)

14 관련 단원 | 5. 직업 묻고 답하기
짝 지어진 대화 중 자연스럽지 않은 것은 무엇입니까?
(　　)

① A: Good night.
　 B: Good night.
② A: How are you?
　 B: I'm good.
③ A: What does he do?
　 B: He is my dad.
④ A: Are you sad?
　 B: No, I'm not.
⑤ A: Good evening.
　 B: Good evening.

[15~16] 그림을 보고, 대화의 빈칸에 알맞은 말을 쓰시오.

15 관련 단원 | 4. 감정이나 상태 묻고 답하기

> A: Are you angry?
> B: _____, I am.

(　　　　　　　　　　)

16 관련 단원 | 5. 직업 묻고 답하기

> A: What does she do?
> B: She is a _____.

(　　　　　　　　　　)

6 요일 묻고 답하기

A: What day is it today? 오늘은 무슨 요일이니?
B: It's Friday. 금요일이야.

- 요일을 물을 때는 What day is it? 또는 What day is it today?라고 합니다.

- '~요일이야.'라고 말할 때는 「It is + 요일을 나타내는 말.」이라고 합니다.

- 요일을 말할 때 It is는 '그것은 ~이다.'라고 해석하지 않습니다.

> 참고 요일을 나타내는 낱말
> Monday (월요일), Tuesday (화요일), Wednesday (수요일),
> Thursday (목요일), Friday (금요일), Saturday (토요일),
> Sunday (일요일)

7 시각 묻고 답하기

(1) 시각 묻고 답하기

A: What time is it? 지금 몇 시예요?
B: It's eight twenty. 여덟 시 이십 분이야. /
    It's eight o'clock. 여덟 시 정각이야.

- 시각을 물을 때는 What time is it?이라고 합니다.

- 시각을 말할 때는 「It is + 시 + 분.」으로 표현합니다.

- '~시 정각이야.'라고 말할 때는 시 뒤에 '정각'을 나타내는 o'clock을 붙여 「It is + 시 o'clock.」이라고 합니다.

- 시각을 말할 때 It is는 '그것은 ~이다.'라고 해석하지 않습니다.

(2) 시간과 관련된 말하기

- It's time for school. 학교 갈 시간이야.

- '~할 시간이야.'라고 말할 때는 「It's time for + 할 일을 나타내는 말.」로 표현합니다.

> 참고 '~ 할 시간'에 대한 표현
> time for breakfast (아침 식사할 시간)
> time for school (학교 갈 시간)
> time for lunch (점심 식사할 시간)
> time for dinner (저녁 식사할 시간)
> time for bed (잘 시간)

8 가격 묻고 답하기

A: I want this toy car.
    저는 이 장난감 자동차를 사고 싶어요.
    How much is it? 얼마예요?
B: It's five dollars. 5달러예요.

- '얼마예요?'라고 가격을 물을 때는 How much is it?이라고 합니다.

- '그것은 (가격이) ~입니다.'라고 가격을 말할 때는 「It is + 가격을 나타내는 숫자 + 화폐 단위.」라고 합니다.

- 달러의 경우 2달러 이상일 때 dollar 뒤에 -s를 붙여 dollars라고 합니다. 원의 경우 항상 won을 씁니다.
  예 twenty dollars (이십 달러), twenty won (이십 원)

> 참고 화폐 단위
>
> | 나라 | 화폐 단위 | 통화 기호 |
> |---|---|---|
> | 대한민국 | won (원) | ₩ |
> | 미국, 캐나다 등 | dollar (달러) | $ |
> | 유럽 | euro (유로) | € |
> | 중국 | yuan (위안) | ¥ |
> | 일본 | yen (엔) | ¥ |

9 제안하고 답하기

A: Let's play basketball. 우리 농구하자.
B: Sounds good. 좋은 생각이야. /
    Sorry, I can't. I'm busy. 미안해, 안 되겠어. 나 바빠.

- '~하자.'라고 상대방에게 제안할 때는 「Let's + 행동을 나타내는 말.」로 표현합니다.

- 제안을 받아들일 때는 Okay. (좋아.) / Sounds good. (좋은 생각이야.) / Sure. (물론이지.) 등으로 대답합니다.

- 제안을 거절할 때는 Sorry, I can't. (미안하지만 안 되겠어.)로 대답하고, 뒤에 I'm sick. (나 아파.) / I'm busy. (나 바빠.) 등의 이유를 덧붙여 말할 수 있습니다.

> 참고 행동을 나타내는 표현
> play soccer/tennis/badminton/baseball/basketball
> (축구/테니스/배드민턴/야구/농구를 하다), swim (수영하다),
> go outside (밖으로 나가다), play outside (밖에서 놀다),
> have breakfast (아침을 먹다), have lunch (점심을 먹다)
> have dinner (저녁을 먹다)

01 관련 단원 | 6. 요일 묻고 답하기
다음 그림에 알맞은 말은 무엇입니까?　　(　　)

12월 14일
토요일

① It's Friday.
② It's Sunday.
③ It's Tuesday.
④ It's Saturday.
⑤ It's Thursday.

02 중요 관련 단원 | 7. 시각 묻고 답하기
대화에서 말하는 시각을 나타낸 것은 무엇입니까? (　　)

A: What time is it?
B: It's seven thirty.

① 03:07　② 07:13　③ 03:30
④ 07:30　⑤ 07:40

03 관련 단원 | 8. 가격 묻고 답하기
대화의 빈칸에 알맞은 것은 무엇입니까?　　(　　)

A: I want this pen. How much is it?
B: It's _____.

① a pen　② great　③ long
④ Sunday　⑤ two dollars

04 중요 관련 단원 | 9. 제안하고 답하기
밑줄 친 우리말을 영어로 바르게 표현한 것은 무엇입니까?
(　　)

A: Let's play tennis.
B: 좋아.

① I'm busy.　② No, thanks.
③ Not so good.　④ Sounds good.
⑤ Sorry, I can't.

[05~06] 대화의 빈칸에 알맞은 말을 고르시오.

05 관련 단원 | 6. 요일 묻고 답하기
(　　)

A: _____
B: It's Wednesday.

① What day is it?　② How are you?
③ How much is it?　④ What time is it?
⑤ What do you do?

06 관련 단원 | 7. 시각 묻고 답하기
(　　)

A: _____
B: It's five o'clock.

① What day is it?　② How are you?
③ How much is it?　④ What time is it?
⑤ What do you do?

07 관련 단원 | 9. 제안하고 답하기
그림의 상황에 알맞은 대화는 무엇입니까?　　(　　)

① A: Let's play soccer.
　B: Sounds good.
② A: Let's play baseball.
　B: Sorry, I can't.
③ A: Let's play basketball.
　B: Sorry, I can't.
④ A: Let's play tennis.
　B: Sounds good.
⑤ A: Let's play basketball.
　B: Okay.

08 중요 관련 단원 | 6. 요일 묻고 답하기
대화의 빈칸에 알맞은 말을 쓰시오.

A: What day is it today?
B: _____ Monday.

(　　)

09 관련 단원 | 8. 가격 묻고 답하기

대화의 빈칸에 알맞지 <u>않은</u> 말은 무엇입니까?　(　　　)

> A: I want this. How much is it?
> B: _____

① It's 10 dollars.　　② It's ten twenty.
③ It's 10,000 won.　　④ It's 100 dollars.
⑤ It's 1,000 dollars.

10 관련 단원 | 6. 요일 묻고 답하기

오늘의 요일로 알맞은 것은 무엇입니까?　(　　　)

> A: What day is it today?
> B: It's Thursday.

① 월요일　　② 화요일　　③ 수요일
④ 목요일　　⑤ 금요일

[11~12] 그림을 보고, 대화의 빈칸에 알맞은 말을 쓰시오.

11 관련 단원 | 9. 제안하고 답하기

> A: Let's play _____.
> B: Sounds good.

(　　　　　　　)

12 중요

관련 단원 | 8. 가격 묻고 답하기

$10
$7
$5

> A: How much is this cap?
> B: It's _____ dollars.

(　　　　　　　)

13 관련 단원 | 7. 시각 묻고 답하기

대화의 내용과 일치하는 것은 무엇입니까?　(　　　)

> A: Dad, what time is it now?
> B: It's nine o'clock. It's time for bed.

① 지금 시각은 9시이고 잘 시간이다.
② 지금 시각은 9시이고 학교 갈 시간이다.
③ 지금 시각은 9시이고 아침 식사할 시간이다.
④ 지금 시각은 8시이고 일어날 시간이다.
⑤ 지금 시각은 8시이고 저녁 식사할 시간이다.

[14~15] 다음 대화를 읽고, 물음에 답하시오.

> A: What time is it now?
> B: It's twelve o'clock. It's time for lunch.
> A: Let's have lunch.
> B: Okay.

14 관련 단원 | 7. 시각 묻고 답하기

대화가 이루어지고 있는 시각으로 알맞은 것은 무엇입니까?
(　　　)

① 11시　　② 11시 30분　　③ 12시
④ 12시 30분　　⑤ 1시

15 관련 단원 | 9. 제안하고 답하기

두 사람이 할 일은 무엇입니까?　(　　　)

① 시계를 찾는다.　　② 시간을 확인한다.
③ 시계를 고치러 간다.　　④ 점심 식사를 한다.
⑤ 점심으로 먹을 것을 만든다.

16 관련 단원 | 6. 요일 묻고 답하기 / 7. 시각 묻고 답하기

빈칸에 공통으로 들어갈 말을 쓰시오.

> • _____ day is it today?
> • _____ time is it?

(　　　　　　　)

17 중요

관련 단원 | 8. 가격 묻고 답하기

짝 지어진 대화 중 자연스럽지 <u>않은</u> 것은 무엇입니까?
(　　　)

① A: What day is it today?
　 B: It's Sunday.
② A: Let's have dinner.
　 B: Okay.
③ A: How much is it?
　 B: It's sunny.
④ A: What time is it?
　 B: It's nine o'clock.
⑤ A: It's time for bed.
　 B: Okay, Mom. Good night.

10 할 수 있는 것 묻고 답하기

(1) 할 수 있는 것과 할 수 없는 것 말하기

> • I can dance. 나는 춤출 수 있어.
> • I can't sing. 나는 노래할 수 없어.

• 할 수 있는 것은 「I can + 행동을 나타내는 말.」로, 할 수 없는 것은 「I can't + 행동을 나타내는 말.」로 표현합니다.

(2) 할 수 있는 것 묻고 답하기

> A: Can you play tennis? 너 테니스 칠 수 있어?
> B: Yes, I can. 응. 할 수 있어. /
>   No, I can't. 아니, 할 수 없어.

• '~할 수 있니?'라고 할 수 있는 것을 물을 때는 「Can you + 행동을 나타내는 말?」로 표현합니다.

• 상대방이 물은 것을 할 수 있을 때는 Yes, I can. 또는 Sure, I can.으로 답하고, 할 수 없을 때는 No, I can't. 로 답합니다.

> 참고 **행동을 나타내는 낱말**
> dance (춤추다), sing (노래하다), eat (먹다), touch (만지다), come (오다), go (가다), run (뛰다), push (밀다), open (열다), close (닫다), make (만들다), sit (앉다), read (읽다), draw (그리다), clean (청소하다), cook (요리하다)

11 지시하기

> A: Open your book, please. 책을 펴세요.
> B: Okay. 네.

• 상대방에게 어떤 행동을 하라고 지시할 때는 「행동을 나타내는 말.」로 표현합니다.

• 지시하는 말 앞이나 뒤에 please를 붙이면 좀 더 공손한 표현이 됩니다.
  예 Close the door, please. (문을 닫으세요.)
     Please sit down. (앉으세요.)

• 이에 대해 '네.'라고 대답할 때에는 Okay.로 합니다.

> 참고 **지시할 때 쓰는 다양한 표현**
> Open your book. (책을 펴세요.)
> Clean your room. (방을 청소하세요.)
> Sit down. (앉으세요.)
> Stand up. (일어서세요.)
> Come here. (이쪽으로 오세요.)

12 금지하기

> A: Don't run in the classroom.
>   교실에서 뛰지 마세요.
> B: Okay. 네.

• 어떤 행동을 금지할 때는 「Don't + 행동을 나타내는 말.」로 표현합니다.

• 이에 대해 '네.'라고 대답할 때는 Okay.로 합니다.

13 지금 하고 있는 것 묻고 답하기

(1) 상대방이 지금 하고 있는 것 묻고 답하기

> A: What are you doing?
>   너는 무엇을 하고 있니?
> B: I'm watching TV.
>   나는 텔레비전을 보고 있어.

• '너는 무엇을 하고 있니?'라고 상대방이 무엇을 하고 있는지 물을 때는 What are you doing?이라고 합니다.

• '나는 ~을 하고 있어.'라고 자신이 지금 하고 있는 일을 말할 때는 「I'm + 행동을 나타내는 말-ing.」라고 합니다.

(2) 다른 사람이 지금 하고 있는 것 묻고 답하기

> A: What is she doing?
>   그녀는 뭐 하고 있니?
> B: She is reading a book.
>   그녀는 책을 읽고 있어.

• '그[그녀]는 무엇을 하고 있니?'라고 다른 사람이 무엇을 하고 있는지 물을 때는 What is he[she] doing?이라고 합니다.

• '그[그녀]는 ~을 하고 있어.'라고 다른 사람이 하고 있는 행동을 말할 때는 「He[She] is + 행동을 나타내는 말-ing.」라고 합니다.

> 참고 **행동을 나타내는 말-ing 표현**
> singing (노래하다)
> cleaning the house (집을 청소하다)
> drawing a picture (그림을 그리다)
> taking a picture (사진을 찍다)
> watching TV (텔레비전을 보다)
> reading a book (책을 읽다)
> listening to music (음악을 듣다)
> playing games (게임을 하다)

관련 단원 | 12. 금지하기

01 다음 그림에 알맞은 말은 무엇입니까? (   )

① Don't eat.
② Don't run.
③ Don't touch.
④ Not eat.
⑤ Not touch.

중요

관련 단원 | 10. 할 수 있는 것 묻고 답하기

02 대화의 빈칸에 알맞은 말은 무엇입니까? (   )

> A: Can you play baseball?
> B: _____ I can play baseball.

① Yes, I am.
② Yes, I do.
③ Yes, I can.
④ No, I'm not.
⑤ No, I can't.

관련 단원 | 13. 지금 하고 있는 것 묻고 답하기

03 지수가 하고 있는 것은 무엇입니까? (   )

> A: What are you doing, Jisu?
> B: I'm drawing a picture.

① 책을 읽고 있다.
② 사진을 찍고 있다.
③ 그림을 그리고 있다.
④ 테니스를 치고 있다.
⑤ 텔레비전을 보고 있다.

관련 단원 | 11. 지시하기

04 다음 상황에서 엄마가 할 말로 가장 알맞은 것은 무엇입니까? (   )

① Stand up.
② Don't eat.
③ Come here.
④ Clean your room.
⑤ Don't close the door.

관련 단원 | 10. 할 수 있는 것 묻고 답하기

05 Tim과 Jim이 할 수 있는 것이 바르게 짝 지어진 것은 무엇입니까? (   )

> Tim: Can you play basketball, Jim?
> Jim: Yes, I can. Can you play basketball, Tim?
> Tim: No, I can't. I can play soccer.

	Tim	Jim		Tim	Jim
①	축구	농구	②	축구	축구
③	농구	축구	④	농구	농구
⑤	야구	축구			

관련 단원 | 13. 지금 하고 있는 것 묻고 답하기

06 그림과 대화의 내용이 일치하도록 할 때 빈칸에 알맞은 것은 무엇입니까? (   )

> A: What is he doing?
> B: He is _____ .

① cooking
② watching TV
③ reading a book
④ playing badminton
⑤ cleaning his room

관련 단원 | 12. 금지하기

07 도서관 안내문의 내용으로 <u>어색한</u> 것은 무엇입니까? (   )

① Don't eat.
② Don't talk.
③ Don't run.
④ Don't sing.
⑤ Don't read a book.

중요

관련 단원 | 11. 지시하기

08 Jack이 할 일은 무엇입니까? (   )

> Mom: It's raining. Close the window, Jack.
> Jack : Okay.

① 책을 덮는다.
② 집에 머문다.
③ 창문을 닫는다.
④ 창문을 닦는다.
⑤ 우산을 챙긴다.

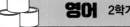

09 관련 단원 | 10. 할 수 있는 것 묻고 답하기
두 사람이 함께 할 운동은 무엇입니까?　　（　　）

> Mina: Can you swim?
> Tom : No, I can't.
> Mina: Can you play badminton?
> Tom : Sure, I can.
> Mina: Let's play badminton.
> Tom : Sounds good.

① 수영　　　　② 농구　　　　③ 야구
④ 축구　　　　⑤ 배드민턴

[10~11] 다음 대화를 읽고, 물음에 답하시오.

> Bora: Who is she?
> Sujin: She is my sister, Suji.
> Bora: (is, What, she, doing)?
> Sujin: She is making a cake.

10 《중요》 관련 단원 | 13. 지금 하고 있는 것 묻고 답하기
괄호 안의 말을 바르게 배열하여 쓰시오.
（　　　　　　　　　　）

11 관련 단원 | 13. 지금 하고 있는 것 묻고 답하기
대화의 내용과 일치하는 것을 고르시오.　　（　　）
① 수지는 수진이의 친구이다.
② 보라는 케이크를 좋아한다.
③ 수진이는 케이크를 만들 수 있다.
④ 수지는 케이크를 만들고 있다.
⑤ 보라와 수진이는 케이크를 살 것이다.

12 《중요》 관련 단원 | 12. 금지하기
그림을 보고, 빈칸에 알맞은 말을 쓰시오.

_____ eat.

13 관련 단원 | 13. 지금 하고 있는 것 묻고 답하기
대화에서 진수가 하고 있는 것을 세 글자의 우리말로 쓰시오.

> A: What are you doing, Jinsu?
> B: I'm cleaning my room.

（　　　　　　　　　　）

14 관련 단원 | 13. 지금 하고 있는 것 묻고 답하기
다음 중 글의 내용과 다른 행동을 하는 사람은 누구입니까?
（　　）

> I'm watching TV. My brother is drawing a picture. Mom and Dad are reading books. My baby sister is sleeping.

15 관련 단원 | 13. 지금 하고 있는 것 묻고 답하기
짝 지어진 대화 중 어색한 것은 무엇입니까?　　（　　）
① A: Close your book.
　　B: Okay.
② A: Don't watch TV.
　　B: Okay.
③ A: What is she doing?
　　B: I'm singing.
④ A: Can you play baseball?
　　B: Yes, I can.
⑤ A: What are you doing?
　　B: I'm eating dinner.

16 《중요》 관련 단원 | 13. 지금 하고 있는 것 묻고 답하기
대화의 밑줄 친 ①~⑤ 중 표현이 자연스럽지 않은 것을 고르시오.　　（　　）

> Hojin : What are you doing, Sohee?
> Sohui : ① I read a book.
> Hojin : ② Can you play soccer?
> Sohui : ③ Sure, I can.
> Hojin : ④ Let's play soccer.
> Sohui : ⑤ Sounds good.

14 도움 요청하고 답하기

> A: Can you help me? 나 좀 도와줄래?
> B: Sure, I can. 물론이지, 도와줄 수 있어. /
>   Sorry, I can't. 미안하지만 안 되겠어.

• 상대방에게 도움을 요청할 때는 Can you help me?라고 말합니다.

• 도움을 요청하는 말 뒤에 please를 붙이면 좀 더 공손한 표현이 됩니다.
  예 Can you help me, please?

• 이에 대해 도와줄 수 있을 때는 Yes, I can.이나 Sure. 또는 Sure, I can. 등으로 답하고, 도와줄 수 없을 때는 Sorry, I can't.라고 답합니다.

15 물건의 주인 묻고 답하기

(1) 물건의 주인인지 묻고 답하기

> A: Is this your book?
>   이것이 너의 책이니?
> B: Yes, it is. It's mine. /
>   응, 그래. 그것은 나의 것이야.
>   No, it isn't. It's not mine.
>   아니, 그렇지 않아. 그것은 나의 것이 아니야.

• '이것이 너의 ~이니?'라고 상대방이 자신의 가까이 있는 물건의 주인인지 확인할 때는 「Is this your + 사물 이름?」으로 표현합니다.

• 이에 대해 자신의 물건이 맞으면 Yes, it is.라고 답하고, 자신의 물건이 아니면 No, it isn't.라고 답합니다.

(2) 자신의 물건 말하기

> • This is my book. 그것은 나의 책이야.
> • That book is mine. 그 책은 나의 것이야.
>
> • This is not my book. 그것은 나의 책이 아니야.
> • That book is not mine. 그 책은 나의 것이 아니야.

• 자신의 물건을 표현할 때는 '나의'라는 뜻의 my 뒤에 사물 이름을 말하거나 '나의 것'이라는 뜻의 mine을 사용하여 말합니다.

• 자신의 물건이 아니면 「not my + 사물 이름」 혹은 not mine이라는 표현을 사용하여 말합니다.

16 물건의 위치 묻고 답하기

> A: Where is my bag? 내 가방이 어디에 있니?
> B: It's on the bed. 침대 위에 있어. /
>   It's under the desk. 책상 아래에 있어.

• 물건의 위치를 물을 때는 「Where is + 물건 이름?」으로 표현합니다.

• 물건의 위치를 말할 때는 「It's + 위치를 나타내는 말 + 장소 이름.」으로 표현합니다.

> **참고** 위치를 나타내는 말
> on (~ 위에), in (~ 안에), under (~ 아래에)

17 선물 주고받는 말하기

> A: Happy birthday! This is for you.
>   생일 축하해! 이것은 너를 위한 것이야.
> B: Thank you. 고마워.
> A: You're welcome. 천만에.

• This is for you.는 '이것은 너를 위한 것이야.' 또는 '이것은 너에게 주는 거야.'라는 뜻으로 선물을 주면서 하는 말입니다.

• 선물을 받는 사람은 Thank you.라고 답하며 상대방에게 고마움을 표현합니다.

18 음식 권하고 답하기

> A: Help yourself. 마음껏 먹으렴.
> B: Thanks. It's delicious. 감사합니다. 맛있어요.
> A: Do you want some more? 좀 더 먹을래?
> B: Yes, please. 네, 주세요. /
>   No, thanks. I'm full.
>   감사하지만 괜찮아요. 저는 배가 불러요.

• '~을 마음껏 먹어.'라고 음식을 권할 때는 Help yourself.라고 합니다.

• Do you want some more?는 '좀 더 먹을래?'라는 뜻으로 음식을 더 권할 때 사용하는 표현입니다.

• 이에 대해서 더 먹겠다고 할 때는 Yes, please.로 답하고, 거절할 때는 No, thanks.로 답합니다. 거절할 때는 뒤에 I'm full. 등 거절하는 이유를 덧붙여 말할 수 있습니다.

정답과 해설 16쪽

영어 2학기

14. 도움 요청하고 답하기 ~ 18. 음식 권하고 답하기

확인 문제

관련 단원 | 16. 물건의 위치 묻고 답하기

01 다음 그림에 알맞은 말은 무엇입니까?　　(　　)

① It's in the box.
② It's on the table.
③ It's on the chair.
④ It's under the box.
⑤ It's under the table.

[02~03] 그림을 보고, 대화의 빈칸에 알맞은 말을 고르시오.

관련 단원 | 17. 선물 주고받는 말하기

02　　　　　　　　　　　　　　　　(　　)

Happy birthday!
_____
Thank you.

① This is for you.
② This is my friend.
③ This book is not mine.
④ This book is five dollars.
⑤ The book is under the bed.

관련 단원 | 14. 도움 요청하고 답하기

03　　　　　　　　　　　　　　　　(　　)

Sure, I can.
_____

① Can you jump?
② Can you help me?
③ Can you make a cake?
④ Can you play baseball?
⑤ Can you draw a picture?

[04~05] 대화의 빈칸에 알맞은 말을 고르시오.

관련 단원 | 15. 물건의 주인 묻고 답하기

04　　　　　　　　　　　　　　　　(　　)

A: Is this your notebook?
B: Yes, it is. _____

① It's big.
② It's mine.
③ It's a book.
④ It's my pencil.
⑤ It's on the table.

관련 단원 | 18. 음식 권하고 답하기

05　　　　　　　　　　　　　　　　(　　)

A: Help yourself.
B: Thanks. It's delicious.
A: Do you want some more?
B: _____ I'm full.

① Sure.
② No, thanks.
③ Yes, please.
④ I'm hungry.
⑤ This is for you.

관련 단원 | 16. 물건의 위치 묻고 답하기

06 다음 대화의 빈칸에 알맞지 <u>않은</u> 것은 무엇입니까?
　　　　　　　　　　　　　　　　(　　)

A: Where is my glove?
B: _____

① It's in the box.
② It's on the chair.
③ It's on the bed.
④ It's not my glove.
⑤ It's under the desk.

관련 단원 | 15. 물건의 주인 묻고 답하기

07 대화의 밑줄 친 부분과 바꾸어 쓸 수 있는 것은 무엇입니까?
　　　　　　　　　　　　　　　　(　　)

A: Is this your umbrella?
B: No, it isn't. <u>It's not mine.</u>

① It's my umbrella.
② It's your umbrella.
③ It's not on the table.
④ It's not my umbrella.
⑤ It's not your umbrella.

확인 문제 | **61** | 영어

10일차

08 관련 단원 | 14. 도움 요청하고 답하기

밑줄 친 우리말을 영어로 바르게 표현한 것은 무엇입니까?
（　　　）

> A: Can you help me?
> B: 미안하지만 안 되겠어.

① No, thanks.　　　② Sure, I can.
③ Sorry, I don't.　　④ Sorry, I can't.
⑤ You're welcome.

09 중요 | 관련 단원 | 18. 음식 권하고 답하기

그림을 보고, 대화의 빈칸에 알맞은 말을 쓰시오.

> A: _____ yourself.
> B: Thanks. It's delicious.

（　　　　　　　）

10 관련 단원 | 16. 물건의 위치 묻고 답하기

고양이가 있는 곳은 어디입니까?　（　　　）

> A: Where is the cat?
> B: It's on the sofa.

① 침대 위　　　　② 침대 아래
③ 소파 위　　　　④ 소파 아래
⑤ 상자 안

11 중요 | 관련 단원 | 15. 물건의 주인 묻고 답하기

대화의 빈칸에 알맞은 낱말을 쓰시오.

> A: Is this your eraser?
> B: Yes, it is. It's _____.

（　　　　　　　）

12 관련 단원 | 14. 도움 요청하고 답하기

지훈이가 진희를 도와줄 수 없는 이유는 무엇입니까?
（　　　）

> Jinhui: Can you help me?
> Jihun : Sorry, I can't. I'm busy.

① 힘들어서　　　　② 바빠서
③ 피곤해서　　　　④ 배가 고파서
⑤ 몸이 아파서

13 중요 | 관련 단원 | 18. 음식 권하고 답하기

대화의 밑줄 친 ①~⑤ 중 자연스럽지 않은 것은 무엇입니까?
（　　　）

> A: ① Help yourself.
> B: ② Thanks. ③ It's delicious.
> A: ④ Do you want some more?
> B: ⑤ Yes, please. I'm full.

14 관련 단원 | 17. 선물 주고받는 말하기

짝 지어진 대화 중 자연스럽지 않은 것은 무엇입니까?
（　　　）

① A: Can you help me?
　 B: Sure, I can.
② A: Where is my phone?
　 B: It's on the bed.
③ A: This is for you.
　 B: You're welcome.
④ A: Help yourself.
　 B: Thank you.
⑤ A: Is this your jacket?
　 B: Yes, it is. It's mine.

15 중요 | 관련 단원 | 16. 물건의 위치 묻고 답하기

그림을 보고, 대화의 빈칸에 알맞은 말을 쓰시오.

> A: Where is my scarf?
> B: It's _____ the bed.

（　　　　　　　）

16 중요 | 관련 단원 | 18. 음식 권하고 답하기

괄호 안에 주어진 낱말을 바르게 배열하여 쓰시오.

> A: (Do, want, you, more, some)?
> B: No, thanks. I'm full.

（　　　　　　　　　　　　　）

모의 평가

각 과목별로 시험에 잘 나오는 문제들을
간추려 모의 평가를 3회씩
제공하였습니다.

모의 평가 1회

출제 범위: 4학년 전 범위 문항 수: 25문항

점수

정답과 해설 17쪽

01 일어난 일에 대한 의견이 서로 다른 까닭 알기
빈칸에 들어갈 말로 알맞지 **않은** 것을 두 가지 고르시오.
(,)

> 이야기에서 일어난 일에 대한 의견이 서로 다른 까닭
> 은 사람마다 ⬚⬚⬚⬚ 이/가 다르기 때문이다.

① 경험   ② 나이   ③ 체험
④ 생김새   ⑤ 좋아하는 것

[02~03] 다음 글을 읽고 물음에 답하시오.

> ㉠동물들이 소리를 내는 방식은 다양합니다. 성대를 이용
> 하여 소리를 내는 동물도 있고 다른 부위를 이용하는 동물도
> 있습니다.
> ㉡개나 닭은 사람과 같이 성대를 울려 소리를 내지만 다양
> 한 소리를 내지는 못합니다. 왜냐하면 성대나 입과 혀의 생김
> 새가 사람과 다르기 때문입니다. 그래서 몇 가지 소리만 낼
> 수 있습니다. ㉢동물들은 대개 서로를 부르거나 위협하기 위
> 해서 소리를 냅니다.
> ㉣매미는 발음근으로 소리를 냅니다. 매미는 수컷만 소리
> 를 낼 수 있고, 암컷은 소리를 내지 못합니다. 매미의 배에 있
> 는 발음막, 발음근, 공기주머니는 매미가 소리를 내게 도와줍
> 니다. 그런데 ㉤암컷은 발음근이 발달되어 있지 않고 발음막
> 이 없어서 소리를 낼 수 없답니다. 수컷은 발음근을 당겨서
> 발음막을 움푹 들어가게 한 다음 '딸깍' 하고 소리를 냅니다.
> 이 소리가 커지고 반복되면 '찌이이' 하고 소리가 납니다.

02 글의 내용을 간추리는 방법 알기
이 글의 내용을 간추리는 방법으로 알맞은 것은 무엇입니까?
( )

① 인물의 마음 변화에 따라 내용을 간추린다.
② 문제와 해결 방안에 따라 내용을 간추린다.
③ 각 문단의 중심 문장을 연결해 내용을 간추린다.
④ 일이 일어난 시간의 흐름에 따라 내용을 간추린다.
⑤ 일이 일어난 장소의 변화에 따라 내용을 간추린다.

03 중심 문장과 뒷받침 문장 찾기
㉠~㉤을 중심 문장과 뒷받침 문장으로 나누어 각각 기호를
쓰시오.
(1) 중심 문장: ( )
(2) 뒷받침 문장: ( )

04 적절한 표정, 몸짓, 말투를 사용해 말하기
다른 사람을 설득할 때의 태도로 바르지 **않은** 것은 무엇입니
까? ( )

① 부드러운 말투를 사용한다.
② 손을 자연스럽게 움직인다.
③ 따뜻한 표정으로 상대를 바라본다.
④ 자신 있는 표정으로 정확하게 말한다.
⑤ 감정이 그대로 드러나는 표정을 짓는다.

05 사실과 의견 구별하기
다음 문장을 사실과 의견으로 구별하여 알맞게 선으로 이으
시오.

(1) 정우와 함께 박물관 현장 체험학습을 다녀왔다. ·

(2) 박물관에는 우리 조상의 생활 모습을 담은 그림들이 전시되어 있었다. ·

(3) 그림에 나타난 조상의 생활 모습은 오늘날과는 많이 다르다는 생각이 들었다. ·

· ㉮ 사실

· ㉯ 의견

06 사건의 흐름 파악하기
다음은 「까마귀와 감나무」의 내용을 간추린 것입니다. 일이
일어난 차례대로 기호를 늘어놓으시오.

> ㉮ 우두머리 까마귀는 동생을 금으로 가득한 산에 데려
> 다주고 동생은 주머니에 금을 담아 와 부자가 됨.
> ㉯ 형은 부자가 된 동생을 보고 동생을 따라 함. 하지만
> 무거운 금 자루 때문에 까마귀 등에서 떨어져 금 산
> 에 남겨짐.
> ㉰ 동생의 감나무에 있는 감을 모두 먹은 까마귀는 감
> 을 따 먹은 대신 동생을 금이 있는 커다란 산으로 데
> 려다주겠다고 함.
> ㉱ 욕심 많은 형은 아버지가 남긴 재산 가운데 감나무
> 가 있는 허름한 집 한 채만 동생에게 주고 나머지는
> 모두 자신이 차지함.

( ) → ( ) → ( ) → ( )

07 회의 주제에 맞게 의견 말하기

다음 회의 주제에 알맞은 의견으로 볼 수 <u>없는</u> 것은 무엇입니까? ( )

> 회의 주제: 친구들과 사이좋게 지내자.

① 친구와 위험한 장난을 하지 말자.
② 친구와 매일 똑같은 행동을 하자.
③ 친구에게 바르고 고운 말을 사용하자.
④ 친구가 싫어하는 별명을 부르지 말자.
⑤ 친구 사이에 오해가 생기면 대화로 풀자.

08 형태가 바뀌는 낱말의 기본형 알기

다음과 같이 형태가 바뀌는 낱말의 기본형을 쓰시오.

> 묶고, 묶어서, 묶으니, 묶으면, 묶는다, 묶겠다

( )

[09~10] 다음 글을 읽고 물음에 답하시오.

> 일요일 아침이라 더 자고 싶었는데 엄마가 깨웠다.
> "수아야, 오늘이 무슨 ㉠요일인지 알지? 가족 봉사 활동 가기로 한 일요일이잖아. 얼른 일어나."
> 나는 다시 이불을 뒤집어썼지만 곧 엄마에게 빼앗기고 말았다.
> 우리 가족이 간 곳은 할머니, 할아버지 들이 계시는 요양원이었다.
> 뭘 해야 할까 두리번거리고 있을 때 안경 쓴 할머니가 나에게 오라고 손짓을 했다.
> "여기 책 좀 읽어 줄래? 내가 이래 봬도 예전에는 문학소녀여서 책을 많이 읽었는데 요즘은 눈이 ㉡침침해서 글씨가 잘 안 보이는구나."

09 포함 관계에 있는 낱말 찾기

이 글에서 ㉠'요일'에 포함되는 낱말을 찾아 쓰시오.

( )

10 뜻이 반대인 낱말 찾기

㉡'침침해서'와 뜻이 반대인 낱말을 모두 고르시오.

(, ,)

① 커서   ② 밝아서   ③ 또렷해서
④ 선명해서   ⑤ 어두워서

11 문장의 짜임 알기

'누가 + 어찌하다'와 같은 짜임의 문장을 보기 에서 두 가지 찾아 기호를 쓰시오.

> **보기**
> ㉮ 할머니가 지팡이를 짚고 있다.
> ㉯ 아이들이 차는 공이 축구공이다.
> ㉰ 안경 낀 아이가 두더지를 바라본다.
> ㉱ 공원 안에 피어 있는 꽃들이 아름답다.
> ㉲ 피리를 부는 젊은 남자는 키가 매우 크다.

( )

12 제안하는 글 쓰기

제안하는 글을 써야 하는 상황으로 알맞은 것은 무엇입니까? ( )

① 우리 가족을 소개할 때
② 웃어른께 안부를 전할 때
③ 운동장에 쓰레기가 많을 때
④ 친구에게 고마운 마음을 전할 때
⑤ 자신의 나쁜 습관을 고치려고 할 때

13 한글의 특성 알기

다음 글에서 ㉠에 들어갈 내용으로 알맞은 것은 무엇입니까? ( )

> 한글의 자음자는 'ㄱ, ㄴ, ㅁ, ㅅ, ㅇ' 등과 같이 기본 문자를 바탕으로 새로운 문자를 만들어 그것들이 서로 연관 있는 소리임을 미루어 짐작할 수 있다. 기본 자음자에 획을 더 그으면 거센소릿자가 되고 겹쳐 쓰면 된소릿자가 된다. 한글의 모음자는 소리의 변화가 없이 한 문자가 한 소리만 나타낸다. 한글의 '아'는 언제나 [아]로만 발음되지만, 영어의 'a'는 낱말에 따라 여러 가지로 발음되기 때문에 영어는 발음법을 배우는 데 상당한 노력을 기울여야 한다. 이렇게 한글이 ㉠ 까닭에 세계 언어학자들은 한글을 '알파벳의 꿈'이라고 표현한다.

① 기계화에 적합한
② 영어와 전혀 다른
③ 배우기 쉽고 과학적인
④ 깊은 의미를 담고 있는
⑤ 발음 기관의 모양을 본떠 만든

14 만화 영화를 보고 인물의 성격 파악하기

㉠, ㉡에 들어갈 인물의 성격이 알맞게 짝 지어진 것은 무엇입니까? ( )

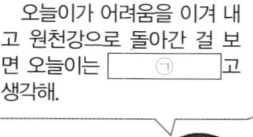
오늘이가 어려움을 이겨 내고 원천강으로 돌아간 걸 보면 오늘이는 ┌ ㉠ ┐고 생각해.

매일이는 정말 열심히 책을 읽었어. 그 덕분에 오늘이에게 원천강으로 가는 길을 책에서 찾아 주기도 했어. 매일이는 ┌ ㉡ ┐ 것 같아.

① 겁이 없다 – 용감한
② 장난스럽다 – 답답한
③ 용기가 있다 – 성실한
④ 부지런하다 – 불만이 많은
⑤ 친절하다 – 부끄러움이 많은

[15~16] 다음 글을 읽고 물음에 답하시오.

> 사랑하는 아들 필립
> 어머니의 편지를 받아 보았다. 네가 넘어져 팔을 다쳤다는 소식이 들어 있어 매우 걱정되는구나. 팔이 낫거들랑 내게 바로 알려라. 한 학년 올라가게 된 것을 축하한다. 아버지는 무척 기쁘구나. 나는 이곳에 편안히 잘 있다. 미국 국회 의원들이 동양에 온다고 해 홍콩으로 왔다만 그들이 이곳에 들르지 않아 만나지는 못했단다. 나는 곧 상하이로 돌아갈 거란다.
> 내 아들 필립아. 키가 크고 몸이 커지는 만큼 스스로 좋은 사람이 되려고 힘써야 한단다. 네가 어리고 몸이 작았을 때보다 더욱더 힘써야 하지. 스스로 좋은 사람이 되려고 노력하는 네 모습을 내 눈으로 직접 보고 싶구나.

15 글쓴이가 전하려는 마음 파악하기

글쓴이가 아들에게 전하려는 마음으로 볼 수 <u>없는</u> 것을 두 가지 고르시오. (,)

① 다친 일을 걱정하는 마음
② 한 학년 올라간 일을 축하하는 마음
③ 어머니를 잘 보살펴 드리기를 바라는 마음
④ 홍콩에서 편안히 지내는 것을 기뻐하는 마음
⑤ 좋은 사람이 되기 위해 힘쓰기를 당부하는 마음

16 마음을 전하는 글에 들어갈 내용 알기

이와 같은 글을 쓰는 데 필요한 내용이 <u>아닌</u> 것은 무엇입니까? ( )

① 있었던 일
② 전하려는 마음
③ 마음을 전할 사람
④ 일이 일어난 차례
⑤ 마음을 나타내는 표현

17 온라인 대화 예절 알기

예절을 지키며 온라인 대화를 하는 태도로 볼 수 <u>없는</u> 것은 무엇입니까? ( )

① 바른 말을 사용한다.
② 상대를 존중하며 대화한다.
③ 그림말을 적절하게 사용한다.
④ 줄임 말을 사용하여 간략하게 대화한다.
⑤ 얼굴이 보이지 않는다고 해서 함부로 말하지 않는다.

[18~19] 다음 글을 읽고 물음에 답하시오.

> 우봉이는 시장 골목으로 들어갔어요. 할아버지는 구경하느라 느릿느릿 걸으며 가다 서다를 반복했어요. 우봉이는 할아버지보다 앞서가며 눈을 굴렸어요. 두부 가게가 어디 있나 하고요.
> '어, 주은이잖아!'
> 주은이가 채소 ㉠가게 안에서 젓가락질 연습을 하고 있었어요. 나무젓가락으로 강낭콩을 들었다 놓았다 하고 있었어요. 주은이 옆에는 한 아줌마가 있었는데 생김새가 좀 남달랐어요. 얼굴도 가무잡잡했어요. 아줌마가 대나무로 만든 작은 그릇에서 뭔가를 꺼내 조몰락조몰락했어요.
> "그렇게 먹지 마. 정말 싫어."
> 주은이가 아줌마에게 화를 내듯 크게 말했어요.
> "카오리아오는 이렇게 손으로 먹는 꺼야. 우리 꼬향에선 다 끄래."
> 아줌마는 목소리도 컸어요. 그렇다고 주은이처럼 화난 건 아니었어요. 웃고 있었으니까요.
> 그런데 말투가 이상했어요. 사투리도 아닌데 아주 어색하게 들렸어요.
> 아줌마가 조몰락조몰락하던 것을 입에 쏙 넣었어요. 밥 덩어리 비슷했어요.

18 이야기의 구성 요소 알기

다음은 이 이야기의 구성 요소를 정리한 것입니다. 빈칸에 알맞은 내용을 쓰시오.

인물	우봉, 할아버지, 주은이, 주은이 어머니
사건	우봉이가 주은이 어머니께서 손으로 음식을 드시는 것을 우연히 보게 됨.
배경	

19 뜻이 비슷한 낱말 찾기

㉠'가게'와 뜻이 비슷한 낱말을 모두 고르시오. (, ,)

① 가정
② 사업
③ 상점
④ 점방
⑤ 점포

[20~22] 다음 글을 읽고 물음에 답하시오.

어느 날 연천 지역을 돌던 정약용은 주막에서 들려오는 이야기 소리에 귀가 번쩍 뜨였어요.

"아이고, 못 살겠다. 흉년이 들어 나라에서는 세금을 면제해 주었다는데, 왜 우리 사또는 세금을 걷는 거야? 그걸로 자기 재산 불리려는 속셈을 누가 모를 줄 알고? 흉년이 들어 먹을 것도 없는데 욕심 많은 사또 때문에 아주 죽겠네그려."

정약용은 서둘러 사실을 알아보았어요. 그러고는 백성의 재물을 빼앗아 자기 배를 불린 연천 현감 김양직을 크게 벌했어요.

정약용은 암행어사로 일하는 동안 지방 관리가 어떤 마음을 가져야 하는지에 대해 깊이 생각했어요. 임금이 아무리 나라를 잘 다스려도 지방 관리가 나쁜 짓을 일삼으면 백성은 어렵게 살 수밖에 없다는 것을 알게 되었거든요. 어릴 때 아버지 옆에서 보았던 백성의 어려운 삶도 머릿속을 떠나지 않았어요. 정약용은 쉰일곱 살이 되던 1818년, 이런 생각들을 자세히 담은 『목민심서』라는 책을 펴냈어요.

전기문을 읽는 방법 알기

20 이와 같은 글을 읽는 방법으로 알맞은 것은 무엇입니까?
　　　　　　　　　　　　　　　　　　(　　)

① 주장과 근거를 구분하며 읽는다.
② 각 문단의 중심 문장을 찾으며 읽는다.
③ 해결해야 할 문제 상황을 알아보며 읽는다.
④ 인물이 언제 어떤 일을 했는지 파악하며 읽는다.
⑤ 인물의 마음이 어떻게 달라졌는지 생각하며 읽는다.

인물의 가치관 짐작하기

21 이 글의 내용으로 보아, 정약용이 가치 있게 여기는 것은 무엇이겠습니까?
　　　　　　　　　　　　　　　　　　(　　)

① 과학 기술을 발전시키는 것
② 백성의 삶에 도움을 주는 것
③ 재물을 쌓아 부자로 사는 것
④ 높은 관직을 얻어 출세하는 것
⑤ 새로운 학문을 배우고 익히는 것

인물이 한 일 파악하기

22 정약용이 지방 관리들의 잘못을 꾸짖고 백성들을 다스리는 도리를 설명한 책의 제목을 쓰시오.
　　　　　　　　　(　　　　　　　)

독서 감상문에 알맞은 제목 붙이기

23 독서 감상문에 제목을 붙이는 방법으로 알맞지 않은 것은 무엇입니까?
　　　　　　　　　　　　　　　　　　(　　)

① 책 제목이 드러나게 제목을 붙인다.
② 읽은 책의 주제가 드러나게 제목을 붙인다.
③ 독서 감상문의 형식이 돋보이게 제목을 붙인다.
④ 책을 같이 읽은 사람이 드러나게 제목을 붙인다.
⑤ 책을 읽고 생각한 점이 잘 드러나게 제목을 붙인다.

[24~25] 다음 시를 읽고 물음에 답하시오.

지하 주차장으로
차 가지러 내려간 아빠
한참 만에
차 몰고 나와 한다는 말이

내려가고 내려가고 또 내려갔는데 글쎄, 계속 지하로 계단이 있는 거야! 그러다 아이쿠, 발을 헛디뎠는데 아아아…… 이상한 나라의 앨리스처럼 깊은 동굴 속으로 끝없이 떨어지지 않겠니? 정신을 차려 보니까 호빗이 사는 마을이었어. 호박처럼 생긴 집들이 미로처럼 뒤엉켜 있는데 갑자기 흰머리 간달프가 나타나 말하더구나. 이 새 자동차가 네 자동차냐? 내가 말했지. 아닙니다, 제 자동차는 10년 다 된 고물 자동차입니다. 오호, 정직한 사람이구나. 이 새 자동차를……

에이, 아빠!
차 어디에 세워 놨는지 몰라서 그랬죠?
차 찾느라
온 지하 주차장 헤매고 다닌 거
다 알아요.
피이!

시에서 인물의 마음 알기

24 이 시에 나오는 아빠의 마음으로 알맞은 것에 ○표 하시오.

(1) 걱정되고 다급한 마음 　　　　　(　　)
(2) 설레고 기대하는 마음 　　　　　(　　)
(3) 신기하고 흥미진진한 마음 　　　(　　)

시를 읽은 느낌 표현하기

25 이 시를 읽고 떠오르는 느낌을 표현하기에 알맞지 않은 것은 무엇입니까?
　　　　　　　　　　　　　　　　　　(　　)

① 낭독하기　　　　　　② 역할극하기
③ 노랫말 만들기　　　　④ 숫자로 나타내기
⑤ 장면을 이야기로 들려주기

모의 평가 1회

출제 범위: 4학년 전 범위 문항 수: 25문항

다섯 자리 수

01 다음을 수로 바르게 쓴 것은 어느 것입니까? (   )

> 오만 이천칠백삼

① 52730　　② 50273　　③ 52703
④ 57203　　⑤ 52073

뛰어 세기

02 다음은 얼마씩 뛰어 센 것입니까? (   )

319억 — 329억 — 339억
— 349억 — 359억 — 369억

① 10만　　② 100만　　③ 1억
④ 10억　　⑤ 100억

각의 크기 비교

03 각의 크기가 큰 것부터 차례대로 쓴 것은 어느 것입니까?
(   )

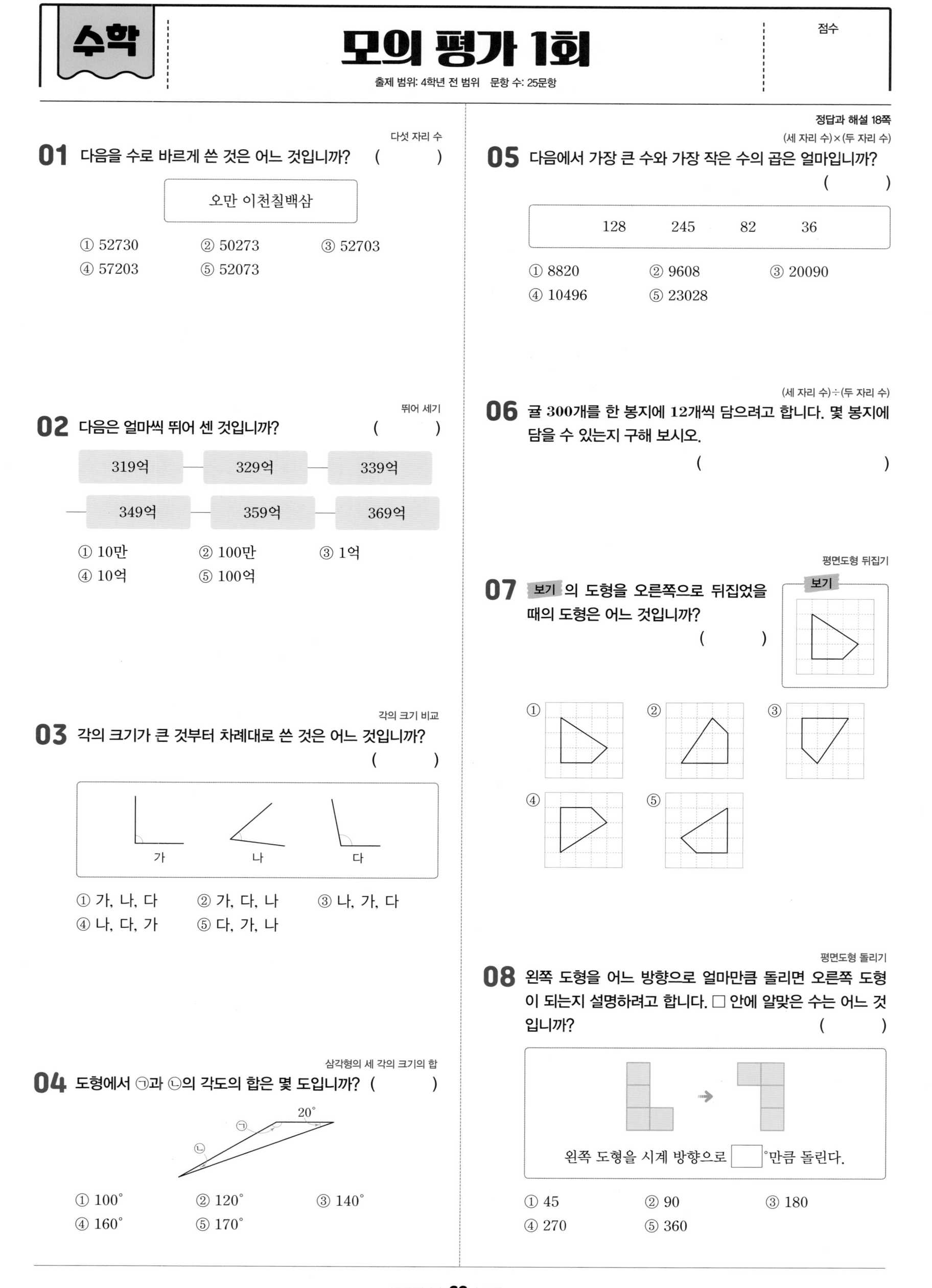

가　　나　　다

① 가, 나, 다　　② 가, 다, 나　　③ 나, 가, 다
④ 나, 다, 가　　⑤ 다, 가, 나

삼각형의 세 각의 크기의 합

04 도형에서 ㉠과 ㉡의 각도의 합은 몇 도입니까? (   )

20°

① 100°　　② 120°　　③ 140°
④ 160°　　⑤ 170°

(세 자리 수)×(두 자리 수)

05 다음에서 가장 큰 수와 가장 작은 수의 곱은 얼마입니까?
(   )

| 128 | 245 | 82 | 36 |

① 8820　　② 9608　　③ 20090
④ 10496　　⑤ 23028

(세 자리 수)÷(두 자리 수)

06 귤 300개를 한 봉지에 12개씩 담으려고 합니다. 몇 봉지에 담을 수 있는지 구해 보시오.
(   )

평면도형 뒤집기

07 보기 의 도형을 오른쪽으로 뒤집었을 때의 도형은 어느 것입니까?
(   )

보기

① ② ③
④ ⑤

평면도형 돌리기

08 왼쪽 도형을 어느 방향으로 얼마만큼 돌리면 오른쪽 도형이 되는지 설명하려고 합니다. □ 안에 알맞은 수는 어느 것입니까? (   )

왼쪽 도형을 시계 방향으로 □°만큼 돌린다.

① 45　　② 90　　③ 180
④ 270　　⑤ 360

[09~10] 형석이네 농장에서 기르는 동물 수를 조사하여 나타낸 막대그래프입니다. 물음에 답하시오.

형석이네 농장에서 기르는 동물 수

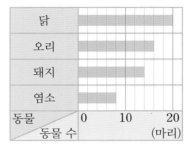

09 가로 눈금 한 칸은 몇 마리를 나타냅니까? （   ）

막대그래프

① 1마리   ② 2마리   ③ 3마리
④ 4마리   ⑤ 5마리

10 돼지는 염소보다 몇 마리 더 많습니까? （   ）

막대그래프에서 알 수 있는 내용

① 2마리   ② 4마리   ③ 6마리
④ 8마리   ⑤ 10마리

[11~12] 규칙적인 계산식을 보고 물음에 답하시오.

순서	계산식
첫째	$12+21=33$
둘째	$123+321=444$
셋째	$1234+4321=5555$
넷째	

11 넷째에 알맞은 계산식을 쓰시오.

계산식에서 규칙 찾기

（   ）

12 규칙에 따라 계산 결과가 777777이 되는 계산식을 쓰시오.

계산식에서 규칙 찾기

（   ）

13 □ 안에 공통으로 들어갈 수는 어느 것입니까? （   ）

분모가 같은 진분수의 덧셈

$\frac{4}{7}$는 $\frac{1}{7}$이 4개이고 $\frac{2}{7}$는 $\frac{1}{7}$이 2개이므로

$\frac{4}{7}+\frac{2}{7}$는 $\frac{1}{7}$이 $\boxed{}$개이다.

➡ $\frac{4}{7}+\frac{2}{7}=\dfrac{\boxed{}}{7}$

① 2   ② 4   ③ 6
④ 7   ⑤ 8

14 우유가 2 L 있었습니다. 지석이는 우유를 오전에 $\frac{2}{11}$ L 마셨고, 오후에 $\frac{3}{11}$ L 마셨습니다. 지석이가 마시고 남은 우유는 몇 L입니까? （   ）

자연수와 분수의 뺄셈

① $\frac{5}{11}$ L   ② $\frac{6}{11}$ L   ③ $1\frac{5}{11}$ L
④ $1\frac{6}{11}$ L   ⑤ $1\frac{7}{11}$ L

15 정삼각형의 세 변의 길이의 합은 몇 cm입니까? （   ）

정삼각형의 성질

13 cm

① 24 cm   ② 26 cm   ③ 33 cm
④ 36 cm   ⑤ 39 cm

16 다음 중 예각삼각형은 어느 것입니까? （   ）

삼각형을 각의 크기에 따라 분류하기

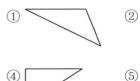 

17 □ 안에 들어갈 수를 알맞게 짝지은 것은 어느 것입니까? ( )

소수 사이의 관계

$$\boxed{㉠} \xleftarrow{\frac{1}{10}} \boxed{0.6} \xrightarrow{10배} \boxed{㉡}$$

① ㉠ 0.06, ㉡ 6 ② ㉠ 0.06, ㉡ 60
③ ㉠ 0.006, ㉡ 6 ④ ㉠ 0.006, ㉡ 60
⑤ ㉠ 0.006, ㉡ 600

18 다음에서 설명하는 수는 얼마입니까? ( )

소수 한 자리 수의 덧셈

> 0.4보다 0.8 큰 수

① 0.2 ② 1 ③ 1.1
④ 1.2 ⑤ 1.3

19 세 직선 가, 나, 다는 서로 평행합니다. 직선 가와 직선 다 사이의 거리는 몇 cm입니까? ( )

평행선 사이의 거리 알아보기

① 4 cm ② 6 cm ③ 9 cm
④ 13 cm ⑤ 15 cm

20 다음 도형은 평행사변형입니다. 평행사변형의 네 변의 길이의 합이 30 cm일 때, 변 ㄱㄴ의 길이는 몇 cm입니까? ( )

평행사변형의 성질

① 5 cm ② 6 cm ③ 7 cm
④ 8 cm ⑤ 9 cm

[21~22] 공원의 온도를 조사하여 나타낸 표를 보고 꺾은선그래프로 나타내려고 합니다. 물음에 답하시오.

공원의 온도

시각	오전 10시	오전 11시	낮 12시	오후 1시
온도(℃)	12	16	20	22

공원의 온도

21 세로 눈금 한 칸의 크기는 몇 ℃입니까? ( )

꺾은선그래프

① 1 ℃ ② 2 ℃ ③ 3 ℃
④ 4 ℃ ⑤ 5 ℃

22 낮 12시의 온도를 나타내기 위해 찍어야 하는 점의 위치는 어느 곳입니까? ( )

꺾은선그래프로 나타내기

① ㉠ ② ㉡ ③ ㉢
④ ㉣ ⑤ ㉤

23 오른쪽 다각형의 이름은 어느 것입니까? ( )

다각형

① 삼각형 ② 사각형
③ 오각형 ④ 육각형
⑤ 칠각형

24 집 주변에 한 변의 길이가 5 m인 정팔각형 모양의 울타리를 치려고 합니다. 울타리는 모두 몇 m인지 구해 보시오.

정다각형

5 m

( )

25 두 대각선이 서로 수직으로 만나는 사각형을 두 가지 고르시오. (,)

대각선

① 평행사변형 ② 사다리꼴 ③ 마름모
④ 직사각형 ⑤ 정사각형

사회

모의 평가 1회

출제 범위: 4학년 전 범위   문항 수: 25문항

점수

지도의 의미 알기

01 다음 지도를 보고 알 수 있는 것은 무엇입니까? (   )

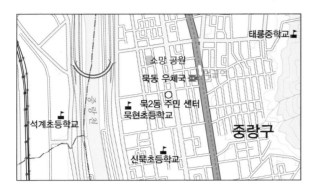

① 바람의 방향
② 오늘의 날씨
③ 하천의 이름
④ 지역 주민의 수
⑤ 학교 건물의 높이

[02~03] 다음 지도를 보고 물음에 답하시오.

지도의 방위표 알기

02 위 지도의 ㉠을 무엇이라고 하는지 쓰시오.

(   )

지도의 방위표 보고 위치 파악하기

03 위 지도에서 울산 시민 공원을 기준으로 남쪽에 있는 시설이 아닌 것은 무엇입니까? (   )

① 청솔 초등학교
② 울산광역시청
③ 울산 지방 법원
④ 울산 고속버스 터미널
⑤ 중앙동 행정 복지 센터

중심지의 특징 알기

04 다음 중 중심지에서 주로 볼 수 있는 모습으로 알맞지 않은 것은 무엇입니까? (   )

① 군청
② 학교
③ 경찰서
④ 높은 산
⑤ 버스 터미널

다양한 중심지의 특징 알기

05 다음과 같은 시설이 있는 중심지에 사람들이 모이는 까닭은 무엇입니까? (   )

▲ 김천(구미)역

▲ 김천 버스 터미널

① 일하기 위해
② 문화유산을 보기 위해
③ 필요한 물건을 사기 위해
④ 행정 업무를 처리하기 위해
⑤ 다른 지역으로 이동하기 위해

문화유산의 종류 알기

06 다음 문화유산 중 무형 문화유산으로 알맞은 것은 무엇입니까? (   )

① 경복궁
② 강강술래
③ 강화 고인돌
④ 익산 미륵사지 석탑
⑤ 보은 법주사 쌍사자 석등

문화유산을 보호하는 방법 알기

07 다음 중 문화유산을 보호하는 노력으로 알맞지 않은 것은 무엇입니까? (   )

① 축제를 열어 지역의 문화유산을 널리 알린다.
② 많은 사람에게 문화유산을 소개하여 그 가치를 전한다.
③ 문화유산을 오래도록 지키고자 문화유산을 수리하고 복원한다.
④ 아직 알려지지 않은 문화유산은 발굴하지 않고 그대로 보존한다.
⑤ 문화재 지킴이를 모집해 지역 주민이 문화유산을 보호하는 데 적극 참여하도록 한다.

우리 지역의 역사적 인물 조사 보고서 알기

08 우리 지역의 역사적 인물에 대한 조사 보고서에 들어갈 내용으로 알맞지 않은 것은 무엇입니까? (   )

① 준비물
② 느낀 점
③ 조사 목적
④ 조사 방법
⑤ 조사 내용

09 다음 모습과 관련된 우리 지역의 역사적 인물 조사 계획 단
계는 무엇입니까? ( )

우리 지역의 역사적 인물 조사 계획 알기

김만덕은 어떤 일을 했을까?

김만덕은 어떤 삶을 살았을까?

김만덕은 우리 지역에 어떤 영향을 미쳤을까?

김만덕과 관련된 장소는 어디일까?

① 역할 나누기
② 조사 내용 정하기
③ 조사 방법 정하기
④ 조사 계획서 작성하기
⑤ 조사할 역사적 인물 정하기

공공 기관의 역할 알기

10 보건소에서 하는 일로 알맞은 것은 무엇입니까? ( )

① 우편물과 소포를 배달한다.
② 주민들의 생명과 재산을 보호한다.
③ 살아가는 데 필요한 지식을 가르친다.
④ 질병을 예방하고 주민들의 건강을 지킨다.
⑤ 주민이 생활하는 데 필요한 서류를 발급한다.

공공 기관 조사하는 방법 알기

11 다음과 같이 공공 기관에서 하는 일을 조사하는 방법을 무엇
이라고 하는지 쓰시오.

> 조사하려는 공공 기관을 직접 방문하여 공공 기관에
> 서 일하시는 분께 어떤 일을 하는지 설명을 듣고, 다양
> 한 일을 하는 모습을 직접 볼 수 있다.

( )

우리 지역 문제가 발생한 원인 조사하기

12 다음 모습과 관련된 지역 문제 발생 원인을 찾는 자료 수집
방법은 무엇입니까? ( )

① 도서관에서 관련 자료를 찾는다.
② 지역 신문이나 방송에서 관련 자료를 찾는다.
③ 현장에 가서 주위를 둘러보고 사진을 찍거나 기록한다.
④ 통계청이나 기관의 누리집에서 관련 통계 자료를 찾는다.
⑤ 근처에 사는 주민에게 지역 문제가 일어난 원인이 무
엇인지 물어본다.

주민 참여 방법 알기

13 다음과 같은 주민 참여 방법은 무엇입니까? ( )

> 지역의 일을 결정하는 투표에 참여하여 자신의 의견
> 을 나타낸다.

① 서명 운동하기
② 공청회 참여하기
③ 시민 단체 활동하기
④ 주민 투표 참여하기
⑤ 시·도청 누리집에 의견 올리기

촌락의 종류와 특징 알기

14 다음과 같은 촌락에 사는 사람들이 주로 하는 생산 활동으로
알맞은 것은 무엇입니까? ( )

① 벼농사
② 고기잡이
③ 목장 운영
④ 버섯 재배
⑤ 채소 재배

도시의 특징 알기

15 도시에서 많이 볼 수 있는 모습이 <u>아닌</u> 것은 무엇입니까?
( )

① 공원
② 박물관
③ 백화점
④ 양식장
⑤ 대형 병원

촌락의 문제점 알기

16 다음 모습을 통해 알 수 있는 촌락 문제는 무엇입니까?
( )

버스가 띄엄띄엄 와서 한참을 기다려야 해.

근처에 병원이 없어서 멀리까지 나가야 해.

학교가 없어져서 멀리 있는 학교로 가는 버스를 기다려야 해.

① 환경 문제
② 주택 문제
③ 일손 부족 문제
④ 소득 감소 문제
⑤ 시설 부족 문제

촌락과 도시 사이의 다양한 교류 모습 알기

17 다음과 같은 촌락과 도시의 교류 모습으로 알맞은 것은 무엇입니까? ( )

① 도시 사람들이 체험 마을에서 다양한 경험을 한다.
② 도시 사람들이 자연환경을 이용한 생산 활동을 한다.
③ 도시 사람들이 축제에 참가하여 새로운 문화를 경험한다.
④ 촌락 사람들이 첨단 의료 시설을 갖춘 종합 병원을 이용한다.
⑤ 촌락 사람들이 백화점이나 대형 시장에서 필요한 물건을 산다.

촌락과 도시가 도움을 주고받는 모습 알기

18 다음 내용과 관계 깊은 촌락과 도시의 교류 모습은 무엇입니까? ( )

① 자매결연을 통한 교류   ② 주말농장을 통한 교류
③ 문화 공연을 통한 교류   ④ 시설 이용을 통한 교류
⑤ 지역 축제를 통한 교류

생산과 소비의 모습 알기

19 빈칸에 들어갈 알맞은 말을 쓰시오.

생활하는 데 필요한 물건을 만들거나 생활을 편리하고 즐겁게 해 주는 활동을 [   ](이)라고 한다.

( )

물건의 정보를 얻는 다양한 방법 알기

20 다음과 관련 있는 물건의 정보를 얻는 방법은 무엇입니까? ( )

이 물건 써 봤니? 어떤 점이 가장 좋았니?

① 광고 보기
② 상점 방문하기
③ 인터넷 검색하기
④ 판매원에게 추천받기
⑤ 주변 사람들에게 물어보기

경제 교류의 의미 알기

21 경제 교류에 대한 설명으로 알맞지 <u>않은</u> 것은 무엇입니까? ( )

① 우리 주변의 물건은 여러 곳에서 만들어진다.
② 지역은 물자, 기술, 문화 등을 한 지역과만 교류한다.
③ 각 지역은 그 지역에서 생산하기 어려운 물자를 다른 지역에서 들여온다.
④ 각 지역은 경제적 교류를 통해 부족한 부분을 보완하면서 함께 발전한다.
⑤ 지역 간에 경제적 교류가 생기는 까닭은 각 지역의 자연환경, 기술, 문화 등이 다르기 때문이다.

고령화로 인한 사회 변화 모습 알기

22 보기 에서 고령화 현상으로 변화하는 우리 사회의 모습을 바르게 말한 친구를 두 명 골라 기호를 쓰시오.

보기
㉠ 민아: 실버산업이 발달하고 있어.
㉡ 현우: 폐교하는 학교가 늘어나고 있어.
㉢ 경민: 산부인과 병원이 줄어들고 있어.
㉣ 지수: 노인 전문 요양 시설이 늘어나고 있어.

(,)

정보화 사회의 문제점 알기

23 정보화 사회의 문제점으로 알맞지 <u>않은</u> 것은 무엇입니까? ( )

① 사이버 폭력   ② 저작권 침해
③ 개인 정보 유출   ④ 문화 다양성 약화
⑤ 인터넷 및 스마트폰 중독

문화의 의미 알기

24 문화에 대한 설명으로 알맞지 <u>않은</u> 것은 무엇입니까? ( )

① 의식주, 언어, 종교 등은 모두 문화이다.
② 지역의 환경이 달라도 문화는 모두 같다.
③ 각 사회의 문화는 비슷한 점도 있고 다른 점도 있다.
④ 사람들이 사는 사회에는 그 사회 나름의 문화가 있다.
⑤ 문화란 한 사회 안에서 살아가는 사람들이 지닌 공통의 생활 방식이다.

다양한 문화 이해하고 존중하기

25 다른 문화를 존중하려는 노력으로 알맞지 <u>않은</u> 것은 무엇입니까? ( )

① 차별을 없애려고 관련 법을 만든다.
② 우리 입장에서 다른 문화를 평가한다.
③ 사람들의 생각을 바꾸기 위한 캠페인을 한다.
④ 다양한 문화의 가치를 알리는 행사를 마련한다.
⑤ 다문화에 대한 이해를 높이는 교육을 시행한다.

모의 평가 1회

출제 범위: 4학년 전 범위 문항 수: 25문항

점수

정답과 해설 20쪽

과학적인 관찰 방법 알아보기

01 과학적인 관찰 방법으로 옳지 <u>않은</u> 것을 다음 보기 에서 골라 기호를 쓰시오.

보기
㉠ 나타나는 변화를 주의 깊게 관찰한다.
㉡ 관찰할 때는 관찰 도구를 사용하지 않는다.
㉢ 여러 가지 감각 기관을 사용하여 관찰한다.
㉣ 변화 과정을 변화가 일어나기 전, 변화가 일어나는 중, 변화가 일어난 후의 상태를 모두 관찰한다.

(   )

지층의 특징 알아보기

02 지층에 대한 설명으로 옳은 것은 무엇입니까? (   )

① 층이 보이지 않는다.
② 층마다 두께가 같다.
③ 줄무늬를 볼 수 있다.
④ 자갈 알갱이로만 이루어져 있다.
⑤ 같은 색깔의 층이 끊어져 있으면 지층이 아니다.

화석의 특징 알아보기

03 다음은 무엇에 대한 설명입니까? (   )

• 크기와 형태가 다양하다.
• 주로 퇴적암에서 발견된다.
• 옛날에 살았던 생물의 몸체나 생물이 생활한 흔적이 남아 있는 것이다.

① 역암   ② 사암   ③ 화석
④ 화산   ⑤ 퇴적물

화석을 통하여 알 수 있는 것 알아보기

04 어떤 지역에서 조개 화석이 발견되었다면 이 지역의 옛날 환경으로 옳은 것은 무엇입니까? (   )

① 산이었을 것이다.
② 강이나 바다였을 것이다.
③ 건조한 사막이었을 것이다.
④ 나무가 많은 숲이었을 것이다.
⑤ 얼음으로 뒤덮인 추운 곳이었을 것이다.

식물의 한살이 관찰하기

05 사과나무보다 봉숭아가 식물의 한살이를 관찰하기에 적합한 까닭은 무엇입니까? (   )

① 봉숭아는 꽃이 피지 않기 때문이다.
② 봉숭아는 사과나무보다 크게 자라기 때문이다.
③ 봉숭아는 사과나무보다 싸게 살 수 있기 때문이다.
④ 봉숭아는 사과나무보다 열매를 많이 맺기 때문이다.
⑤ 봉숭아는 사과나무보다 한살이 기간이 짧기 때문이다.

강낭콩이 싹 터서 자라는 과정 알아보기

06 강낭콩이 싹 터서 자라는 과정에 맞게 순서대로 기호를 쓰시오.

㉠ 뿌리가 나온다.
㉡ 떡잎이 나온다.
㉢ 본잎이 나온다.
㉣ 딱딱하던 씨가 부푼다.

(   ) → (   ) → (   ) → (   )

여러해살이 식물 알아보기

07 여러해살이 식물에 대한 설명으로 옳은 것은 무엇입니까? (   )

① 씨를 만들고 일생을 마친다.
② 새로운 열매를 만들지 않는다.
③ 풀은 모두 여러해살이 식물이다.
④ 열매를 맺지만 꽃은 피우지 않는다.
⑤ 싹이 터서 자라고 겨울 동안에도 죽지 않고 살아남는다.

무게 알아보기

08 무게에 대한 설명으로 옳은 것은 무엇입니까? (   )

① 무게의 단위는 km이다.
② 지구가 물체를 밀어 내는 힘의 크기이다.
③ 지구가 물체를 끌어당기는 힘의 크기이다.
④ 물체가 지구를 끌어당기는 힘의 크기이다.
⑤ 지구는 모든 물체를 같은 힘으로 끌어당긴다.

용수철저울의 사용 방법 알아보기

09 용수철저울에 대한 설명으로 옳은 것은 무엇입니까? (   )

① 물체의 무게를 측정한 후에 영점 조절을 한다.
② 측정할 수 있는 무게의 범위가 정해져 있지 않다.
③ 눈금을 읽을 때 용수철의 끝과 눈높이를 맞추어 읽는다.
④ 표시 자를 돌려 영점 조절 나사를 눈금의 '0'에 맞춘다.
⑤ 물체의 무게에 따라 용수철이 일정하게 늘어나는 성질을 이용한 것이다.

수평 잡기의 원리를 이용해 물체의 무게 비교하기

10 다음과 같이 수평대를 사용하여 물체의 무게를 비교하였을 때 더 무거운 물체의 기호를 쓰시오.

(   )

혼합물을 분리하는 경우 알아보기

11 혼합물을 분리하는 경우로 옳은 것은 무엇입니까?
( )

① 사탕수수에서 설탕 얻기
② 김, 밥, 단무지 등으로 김밥 만들기
③ 구리에 다른 물질을 섞어 그릇 만들기
④ 팥, 얼음, 과일을 섞어서 팥빙수 만들기
⑤ 설탕에 다른 물질을 섞어 막대 사탕 만들기

콩, 팥, 좁쌀의 혼합물 분리하기

12 다음은 콩, 팥, 좁쌀의 혼합물을 분리하기 위해 이용하는 성
질에 대한 설명입니다. ( ) 안에 들어갈 알맞은 말을 쓰
시오.

> 콩, 팥, 좁쌀의 알갱이의 ( ) 차이를 이용해서 분
> 리한다.

( )

소금과 모래의 혼합물 분리하기

13 소금과 모래의 혼합물을 분리할 때 가장 먼저 해야 할 일은
무엇입니까? ( )

① 혼합물을 가열한다.
② 혼합물의 맛을 본다.
③ 혼합물을 물에 녹인다.
④ 혼합물을 체에 통과시킨다.
⑤ 혼합물에 자석을 가까이 가져간다.

들이나 산에서 사는 식물의 특징 알아보기

14 들이나 산에서 사는 식물에 대한 설명으로 옳은 것은 무엇입
니까? ( )

① 뿌리, 줄기, 잎이 없다.
② 대부분 땅에 뿌리를 내린다.
③ 대부분 잎이 바늘같이 생겼다.
④ 뿌리와 잎이 잘 구분되지 않는다.
⑤ 줄기와 잎이 잘 구분되지 않는다.

강이나 연못에서 사는 식물의 특징 알아보기

15 부레옥잠이 물에 떠서 살 수 있는 까닭으로 옳은 것은 무엇
입니까? ( )

① 잎자루가 있기 때문이다.
② 잎자루가 홀쭉하기 때문이다.
③ 잎자루가 잘 부풀어 오르기 때문이다.
④ 잎자루에 물이 많이 들어 있기 때문이다.
⑤ 잎자루에 공기를 저장하고 있기 때문이다.

사막에서 사는 식물의 특징 알아보기

16 다음은 선인장이 사막에서 살 수 있는 까닭을 설명한 것입니
다. ( ) 안에 들어갈 알맞은 말을 각각 쓰시오.

> • 굵은 (㉠)에 물을 저장하여 건조한 날씨에도
> 잘 견딜 수 있다.
> • 잎이 (㉡) 모양이라 동물이 함부로 먹지 못한다.

㉠: ( ), ㉡: ( )

물의 세 가지 상태 알아보기

17 기체 상태의 물에 대한 설명으로 옳은 것은 무엇입니까?
( )

① 단단하다.
② 모양이 일정하다.
③ 눈에 보이지 않는다.
④ 얼음은 기체 상태의 물이다.
⑤ 흐르는 성질이 있어 손으로 잡을 수 있다.

얼음이 녹을 때의 부피 변화 알아보기

18 꽁꽁 언 얼음과자가 녹은 후 용기 안에 빈 공간이 생기는 까
닭으로 옳은 것은 무엇입니까? ( )

① 얼음이 녹아 부피가 늘어났기 때문이다.
② 얼음이 녹아 무게가 늘어났기 때문이다.
③ 얼음이 녹아 색깔이 달라졌기 때문이다.
④ 얼음이 녹아 부피가 줄어들었기 때문이다.
⑤ 얼음이 녹아 무게가 줄어들었기 때문이다.

물이 응결할 때의 변화 알아보기

19 다음과 같이 플라스틱 컵에 주스와 얼음을 넣고 뚜껑을 덮은 뒤 은박 접시 위에 올려놓았습니다. 시간이 지난 뒤 플라스틱 컵 표면에 생긴 액체에 대한 설명으로 옳은 것을 두 가지 고르시오. (,)

① 색깔이 없다.
② 주스 맛이 난다.
③ 얼음이 녹아서 생긴 것이다.
④ 컵 안의 주스가 새어 나온 것이다.
⑤ 공기 중의 수증기가 물로 상태가 변한 것이다.

그림자가 생기는 조건 알아보기

20 그림자가 생기는 조건에 대한 설명으로 옳은 것을 다음 보기 에서 모두 골라 바르게 짝 지은 것은 무엇입니까? ( )

보기
㉠ 구름이 있어야 한다.
㉡ 빛과 물체가 있어야 한다.
㉢ 물체에 빛을 비춰야 한다.
㉣ 물체가 없어도 빛은 꼭 있어야 한다.

① ㉠, ㉡   ② ㉠, ㉢   ③ ㉡, ㉢
④ ㉡, ㉣   ⑤ ㉢, ㉣

거울에 비친 물체의 모습 알아보기

21 거울에 비친 물체의 모습에 대해 옳게 말한 친구의 이름을 쓰시오.

• 민주: 실제 물체보다 투명하게 보여.
• 사일: 실제 물체와 색깔이 다르게 보여.
• 경식: 실제 물체와 좌우가 바뀌어 보여.
• 우림: 실제 물체와 상하좌우가 바뀌어 보여.

( )

화산의 특징 알아보기

22 화산에 대한 설명으로 옳지 <u>않은</u> 것은 무엇입니까? ( )

① 크기와 모양이 다양하다.
② 지금도 활동 중인 화산이 있다.
③ 분화구에 물웅덩이가 생기기도 한다.
④ 화산의 윗부분은 모두 뾰족한 모양이다.
⑤ 땅속의 마그마가 지표로 분출하여 생긴 지형이다.

지진이 발생했을 때의 대처 방법 알아보기

23 학교에 있을 때 지진이 발생한 경우에 대처하는 방법으로 옳지 <u>않은</u> 것은 무엇입니까? ( )

① 큰 책장 옆에 붙어 서 있는다.
② 이동할 때에는 머리를 보호한다.
③ 선생님의 지시에 따라 침착하게 행동한다.
④ 흔들림이 멈추면 계단을 이용하여 이동한다.
⑤ 흔들림이 있을 때에는 책상 아래로 들어가 책상 다리를 꼭 잡는다.

물의 순환 알아보기

24 지구에 있는 물에 대한 설명으로 옳지 <u>않은</u> 것은 무엇입니까? ( )

① 공기 중에는 물이 없다.
② 물은 여러 곳에서 볼 수 있다.
③ 물은 순환하면서 모습이 변한다.
④ 물은 순환하면서 우리 생활에 다양한 영향을 준다.
⑤ 기후, 지역 등에 따라 나라마다 이용할 수 있는 물의 양이 다르다.

물이 중요한 까닭 알아보기

25 물이 중요한 까닭으로 옳지 <u>않은</u> 것은 무엇입니까? ( )

① 물은 생명을 유지할 수 있게 한다.
② 물은 우리 생활에 다양하게 이용된다.
③ 한 번 이용한 물은 다시 이용할 수 없다.
④ 빗물이 땅속에 스며들어 나무와 풀을 자라게 한다.
⑤ 우리가 마신 물은 몸 곳곳으로 영양분을 운반해 준다.

모의 평가 1회

출제 범위: 4학년 전 범위   문항 수: 25문항

정답과 해설 21쪽

1번부터 17번까지는 듣고 답하는 문제입니다. 녹음 내용을 잘 듣고, 물음에 답하기 바랍니다. 내용은 한 번만 들려줍니다.

인사하는 표현 이해하기

01 다음을 듣고, 그림에 가장 어울리는 대화를 고르시오.
(   )

① 🎧   ② 🎧   ③ 🎧   ④ 🎧   ⑤ 🎧

안부를 묻고 답하는 표현 이해하기

02 다음을 듣고, 이어질 대답으로 알맞은 것을 고르시오.
(   )

① It's me.   ② I'm great.
③ No, thanks.   ④ I'm a teacher.
⑤ It's seven thirty.

다른 사람을 소개하는 표현 이해하기

03 대화를 듣고, 여자아이가 민호에게 소개하고 있는 사람을 고르시오.
(   )

① 엄마   ② 이모
③ 여동생   ④ 할머니
⑤ 선생님

직업을 묻고 답하는 표현 이해하기

04 다음을 듣고, 그림에 알맞은 대답을 고르시오. (   )

① 🎧   ② 🎧   ③ 🎧   ④ 🎧   ⑤ 🎧

감정을 묻고 답하는 표현 이해하기

05 대화를 듣고, 여자아이의 상태로 알맞은 것을 고르시오.
(   )

① 슬프다.   ② 기쁘다.
③ 피곤하다.   ④ 화가 났다.
⑤ 배가 고프다.

요일을 묻고 답하는 표현 이해하기

06 대화를 듣고, 오늘이 무슨 요일인지 고르시오. (   )

① 월요일   ② 화요일   ③ 수요일
④ 목요일   ⑤ 금요일

시각을 묻고 답하는 표현 이해하기

07 대화를 듣고, 지금이 몇 시인지 고르시오. (   )

① 2시   ② 3시   ③ 3시 12분
④ 3시 20분   ⑤ 2시 20분

가격을 묻고 답하는 표현 이해하기

08 대화를 듣고, 가방의 가격을 고르시오. (   )

① 5달러   ② 10달러   ③ 15달러
④ 30달러   ⑤ 40달러

제안하고 답하는 표현 이해하기

09 대화를 듣고, 두 사람이 할 일을 고르시오. (   )

① 테니스   ② 수영   ③ 춤추기
④ 배드민턴   ⑤ 농구

할 수 있는 것을 묻고 답하는 표현 이해하기

10 대화를 듣고, 지나가 할 수 있는 것을 고르시오. (   )

① 농구   ② 야구   ③ 테니스
④ 축구   ⑤ 달리기

도움을 요청하고 답하는 표현 이해하기

15 대화를 듣고, 남자아이의 상황으로 알맞은 것을 고르시오.
(   )

① 졸리다.   ② 아프다.
③ 청소하고 있다.   ④ 수업이 있다.
⑤ 음식을 만들고 있다.

금지하는 표현 이해하기

11 대화를 듣고, 대화의 내용에 알맞은 표지판을 고르시오.
(   )

음식을 권하고 답하는 표현 이해하기

16 대화를 듣고, 대화의 마지막에 이어질 말로 알맞은 것을 고르시오.
(   )

① I'm angry.   ② Not so good.
③ She is a cook.   ④ It's time for lunch.
⑤ No, thanks. I'm full.

지금 하고 있는 것을 묻고 답하는 표현 이해하기

12 대화를 듣고, 그림에서 준호를 고르시오. (   )

선물을 주고받는 표현 이해하기

17 다음을 듣고, 그림에 가장 어울리는 대화를 고르시오.
(   )

①🎧   ②🎧   ③🎧   ④🎧   ⑤🎧

물건의 주인인지 묻고 답하는 표현 이해하기

13 다음을 듣고, 이어질 대답으로 알맞은 것을 고르시오.
(   )

① It's a coat.
② It's on the coat.
③ Yes, it is. It's mine.
④ No, it isn't. It's my coat.
⑤ This coat is forty dollars.

이제 듣기 문제가 모두 끝났습니다. 18번부터는 문제지의 지시에 따라 답하기 바랍니다.

사물의 위치를 묻고 답하는 표현 이해하기

14 다음을 듣고, 그림에 알맞은 대답을 고르시오. (   )

①🎧   ②🎧   ③🎧   ④🎧   ⑤🎧

직업을 나타내는 낱말 읽고 의미 이해하기

18 그림을 보고, 알맞은 낱말을 고르시오. (   )

① cook   ② pilot
③ doctor   ④ teacher
⑤ designer

19 다음 빈칸에 알맞은 낱말을 고르시오.   (   )

때를 나타내는 낱말 읽고 의미 이해하기

| morning | → | | → | evening |

① night   ② weekend   ③ afternoon
④ Saturday   ⑤ Thursday

감정을 나타내는 낱말 읽고 의미 이해하기

20 그림과 낱말이 바르게 짝 지어진 것을 고르시오. (   )

①
happy

②
angry

③
tired

④
hungry

⑤
sad

시간과 관련된 문장 읽고 의미 이해하기

21 다음을 읽고, 문장의 내용에 알맞은 것을 고르시오.
     (   )

It's time for bed.

①  07:30
② 08:30
③ 12:00
④ 07:00
⑤ 10:00

지금 하고 있는 일을 나타내는 문장 읽고 의미 이해하기

22 그림을 보고, 알맞은 문장을 고르시오.   (   )

① I'm singing.   ② I'm dancing.
③ I'm reading a book.   ④ I'm drawing pictures.
⑤ I'm cleaning my room.

운동 이름을 나타내는 낱말 완성하여 쓰기

23 그림을 보고, 빈칸에 알맞은 알파벳을 고르시오. (   )

socc_r

① a   ② e   ③ i   ④ o   ⑤ u

사물을 나타내는 낱말 완성하여 쓰기

24 그림을 보고, 보기 의 알파벳을 사용하여 바르게 쓴 낱말을 고르시오.   (   )

보기
a, b, e, l, t,

① tbale   ② table   ③ tabel
④ tebla   ⑤ teabl

사물의 위치를 나타내는 어구 완성하여 쓰기

25 그림을 보고, 인형의 위치를 나타내는 표현이 되도록 빈칸에 알맞은 낱말을 고르시오.   (   )

_____ the box

① in   ② on   ③ for
④ down   ⑤ under

모의 평가 2회

출제 범위: 4학년 전 범위 | 문항 수: 25문항

정답과 해설 23쪽

[01~03] 다음 글을 읽고 물음에 답하시오.

> "너, 내 구슬 봤니?"
> "무슨 구슬 말야?"
> "파란 유리구슬 말야."
> "난 못 봤다."
> 그러나 노마는 그 말을 정말로 듣지 않나 봅니다. 여전히 기동이 조끼 주머니를 보고, 두 손을 보고 합니다.
> 그러다가 노마는 입을 열어 또 물었습니다.
> ㉠"너, 구슬 가진 것 좀 보자."
> "그건 봐 뭣 해."
> "보면 어때."
> "봐 뭣 해."
> 하고 기동이는 조끼 주머니를 손으로 가립니다.
> 정말 기동이가 그 구슬을 얻어 제 것처럼 가졌나 봅니다. 아니면 선선하게 보이지 못할 게 뭡니까.

01 글의 내용 이해하기

노마가 기동이에게 ㉠처럼 말한 까닭은 무엇입니까? ( )

① 기동이의 말을 믿지 않아서
② 기동이의 구슬을 빼앗고 싶어서
③ 기동이와 구슬치기를 하고 싶어서
④ 기동이의 구슬이 몇 개나 되는지 궁금해서
⑤ 구슬을 많이 가지고 있는 기동이가 부러워서

02 인물의 마음 파악하기

이 글에 담겨 있는 노마의 마음으로 알맞은 것을 두 가지 고르시오. (,)

① 기동이를 의심하는 마음
② 기동이를 부러워하는 마음
③ 기동이를 안타까워하는 마음
④ 기동이가 구슬을 내놓기를 바라는 마음
⑤ 기동이가 구슬을 찾아 주기를 바라는 마음

03 일어난 일에 대한 의견 말하기

이 글을 읽고 인물의 행동에 대한 자신의 의견을 바르게 말한 친구는 누구인지 쓰시오.

> 은서: 노마는 잃어버린 구슬을 찾아다니고 있어.
> 민혁: 기동이는 노마 때문에 기분이 나빴을 것 같아.
> 세진: 기동이는 기분이 나쁘더라도 노마에게 자신이 가진 구슬을 보여 주는 게 좋을 것 같아.

( )

04 이야기의 흐름에 따라 내용 간추리기

이야기의 흐름에 따라 내용을 간추릴 때 살펴볼 내용으로 거리가 먼 것은 무엇입니까? ( )

① 시간의 순서
② 장소의 변화
③ 중요한 사건
④ 글쓴이의 의견
⑤ 중심인물의 이동

[05~06] 다음 글을 읽고 물음에 답하시오.

> 그럼 지폐는 무엇으로 만들까요?
> 당연히 종이라고 생각하겠지만, 지폐는 솜으로 만들어요. 방적 공장에서 옷감의 재료로 사용하고 남은 찌꺼기 솜인 낙면이 그 재료이지요. 이 솜으로 만든 지폐는 습기에도 강하고 정교하게 인쇄 작업을 할 수 있으며 위조를 방지할 수 있다는 장점이 있어요. 그래서 오늘날 대부분의 국가들은 솜으로 지폐를 만들어요.
> 그렇지만 특이하게 플라스틱으로 지폐를 만드는 나라도 있어요. 호주와 뉴질랜드는 플라스틱의 일종인 폴리머라는 재료로 지폐를 만들어요.

05 글의 내용 이해하기

이 글의 내용으로 알맞지 않은 것은 무엇입니까? ( )

① 지폐는 종이가 아니라 솜으로 만든다.
② 지폐는 정교하게 인쇄 작업을 할 수 있다.
③ 지폐는 위조를 방지할 수 있다는 게 장점이다.
④ 낙면을 재료로 하여 만든 지폐는 습기에 약하다.
⑤ 호주와 뉴질랜드는 플라스틱으로 지폐를 만든다.

06 듣는 사람을 고려해 상황에 맞게 말하기

이 글의 내용을 동생에게 말할 때 고려해야 할 점으로 알맞지 않은 것은 무엇입니까? ( )

① 내용에 알맞은 몸짓을 하며 설명한다.
② 동생이 이해하기 쉬운 말로 설명한다.
③ 말할 내용을 짧게 줄여서 쉽게 설명한다.
④ 부드러운 표정과 말투를 사용하여 설명한다.
⑤ 동생의 처지를 존중하여 높임말로 설명한다.

07 사실과 의견의 차이점 알기

다음 문장을 읽고 알맞은 말에 ○표 하시오.

> 실제로 있었던 일은 (사실, 의견)이고, 그 일에 대한 생각은 (사실, 의견)이다.

[08~09] 다음 글을 읽고 물음에 답하시오.

사회자: 이번 주 학급 회의 주제를 무엇으로 정하면 좋을지 말씀해 주십시오.
　　　김영이 친구가 의견을 발표해 주십시오.
회의 참여자 1: 요즘 교실이 많이 지저분합니다. 그래서 "깨끗한 교실을 만들자."를 주제로 제안합니다.
사회자: 박지희 친구도 의견을 발표해 주십시오.
회의 참여자 2: 지난주에 복도에서 뛰다가 다친 친구를 봤습니다. 저는 "학교생활을 안전하게 하자."를 주제로 제안합니다.
사회자: 이제 어떤 주제로 할지 표결을 하겠습니다. 참석자의 반이 넘는 수가 찬성하는 것으로 주제를 정하겠습니다.
　　　두 주제 가운데에서 첫 번째 주제에 찬성하시는 분은 손을 들어 주십시오. 두 번째 주제에 찬성하시는 분은 손을 들어 주십시오.
　　　27명 가운데 18명이 두 번째 주제를 선택했습니다. 이번 주 학급 회의 주제는 "학교생활을 안전하게 하자."입니다.
기록자: (칠판이나 회의록에 내용을 기록한다.)

학급 회의 절차 알기

08 이 글은 회의 절차 가운데에서 무엇에 속합니까? (　　　)

① 개회 　　　② 표결 　　　③ 폐회
④ 주제 선정 　　⑤ 결과 발표

회의 참여자의 역할 알기

09 이 글에 나타난 회의 참여자의 역할을 두 가지 고르시오.
(　　,　　)

① 회의 내용을 기록한다.
② 회의 절차를 안내한다.
③ 말할 기회를 골고루 준다.
④ 의견을 적극적으로 발표한다.
⑤ 다른 사람의 의견을 주의 깊게 듣는다.

낱말의 포함 관계 알기

10 보기 의 낱말들을 모두 포함하는 낱말은 무엇입니까?
(　　　)

보기
장롱, 책장, 탁자

① 도구 　　　② 가구 　　　③ 침대
④ 이삿짐 　　⑤ 가전제품

문제 상황 떠올리기

11 우리 주변에서 해결했으면 하는 문제로 보기 <u>어려운</u> 것은 무엇입니까?
(　　　)

① 동네 골목이 어두운 문제
② 친구를 놀리고 괴롭히는 문제
③ 점심시간에 음식을 남기는 문제
④ 여름철에 비가 많이 내리는 문제
⑤ 학교 앞에서 자동차들이 과속하는 문제

[12~13] 다음 글을 읽고 물음에 답하시오.

가 한글은 컴퓨터, 휴대 전화 등 ⓐ 에 적합한 문자이다. 오늘날과 같은 정보 통신 시대에 사용하기 좋은 '디지털 문자'로서 탁월하다. 휴대 전화로 문자를 보낼 때에 한글로는 5초면 되는 문장을 중국어나 일본어로는 35초가 걸린다는 연구가 있다. 휴대 전화의 한글 자판은 한글의 자음자와 모음자의 획을 더하는 원리에 기초하여 설계되었다. 그렇기 때문에 누구나 쉽고 빠르게 글자를 입력할 수 있다.

나 공부를 마치고 집으로 가는 동안 주시경은 골똘히 생각에 잠겼어요.
　'나무 찍는 소리 쩡쩡은 쩡이라 읽는 한자가 없어 정을 쓰고, 새 울음소리 쨱쨱도 쨱이라 읽는 한자가 없어 새가 운다는 뜻의 한자 앵을 쓴 거야. '쩡쩡'과 '쨱쨱'이라 쓰면 훨씬 알아듣기 쉽고 본디 소리에도 가까운데 말이야.'
　주시경은 답답한 마음에 철퍼덕 주저앉았어요. 그러고는 몇 해 전 배운 한글을 흙바닥에 끼적였어요. 십 년을 넘게 배워도 아직 다 깨치지 못한 한문과 달리 한글은 며칠 만에 읽고 쓸 수 있었어요.

한글의 특성 이해하기

12 글 **가** 의 ⓐ에 들어갈 한글의 특성으로 알맞은 것은 무엇입니까?
(　　　)

① 기계화 　　② 다문화 　　③ 민주화
④ 세계화 　　⑤ 차별화

한글의 우수성 알기

13 글 **나** 의 내용과 관계있는 한글의 우수성을 두 가지 고르시오.
(　　,　　)

① 제자 원리가 독창적이다.
② 쉽고 빨리 배울 수 있는 문자이다.
③ 하늘, 땅, 사람을 본떠 모음자를 만들었다.
④ 적은 수의 문자로 많은 소리를 적을 수 있다.
⑤ 발음 기관의 모양을 본떠 자음자를 만들었다.

[14~15] 다음은 영화 「우리들」에 나오는 장면의 내용을 간추린 것입니다. 글을 읽고 물음에 답하시오.

1 선은 지아가 금을 밟지 않았다고 용기를 내어 친구들에게 말한다.

2 선은 지아와 예전처럼 친해지려고 노력했지만 결국 크게 싸우고 만다.

3 체육 시간에 피구를 하려고 편을 가르는데 선은 맨 마지막까지 선택을 받지 못한다.

4 개학을 하고 학교에서 선을 만난 지아는 선을 따돌리는 보라 편에 서서 선을 외면한다.

5 언제나 혼자인 외톨이 선은 여름 방학을 시작하는 날, 전학생인 지아를 만나 친구가 된다.

6 지아와 선은 봉숭아 꽃물을 들이며 여름 방학을 함께 보내고 순식간에 세상 누구보다 친한 사이가 된다.

영화 속 사건의 내용 떠올리기

14 영화 「우리들」에서 사건이 일어난 차례대로 장면의 기호를 늘어놓으시오.

3 → ( ) → ( ) → ( ) → ( ) → **1**

영화에서 등장인물의 마음 파악하기

15 장면 **3**에서 선은 어떤 마음이 들었겠습니까? ( )

① 신나는 마음
② 흐뭇한 마음
③ 실망하는 마음
④ 후회하는 마음
⑤ 자랑스러운 마음

[16~18] 다음 글을 읽고 물음에 답하시오.

우리 반 친구들에게
친구들아, 안녕?
나 태웅이야. 오늘 운동회에서 있었던 일을 생각하면 아직도 가슴이 두근거려. 그때 그 고마운 마음을 직접 말로 전하고 싶었지만 ㉠쑥스러워서 이렇게 편지를 쓰게 되었어.
운동회 날이 되면 나는 기쁘면서도 두려웠어. 달리기 경기를 하는 게 늘 걱정이 되었거든. 달리기를 할 때면 나는 어디론가 숨고 싶었어. 잔뜩 긴장해서 달리다가 오늘도 그만 넘어지고 말았지. 그런데 그때 너희가 달리다가 돌아와서 나를 일으켜 주었어. 내 손을 꼭 잡은 너희의 따뜻한 마음이 느껴져서 눈물이 날 것 같았어. 힘껏 달리고 싶었을 텐데 나 때문에 참았을 것 같아서 ㉡미안한 마음이 들어.
㉢고마워, 친구들아!
같이 달려 주고 ㉣응원해 준 너희의 따뜻한 마음 잊지 않을게.

마음을 전하고 싶은 일 떠올리기

16 태웅이가 이 편지를 쓴 까닭은 무엇입니까? ( )

① 반 친구들에게 마음을 전하려고
② 반 친구들과 달리기 시합을 하려고
③ 운동회 날이 언제였는지 기억하려고
④ 달리기를 하는 친구들을 응원하려고
⑤ 운동회에서 있었던 일을 널리 알리려고

마음을 나타내는 낱말 찾기

17 ㉠~㉣ 가운데에서 태웅이의 마음을 나타내는 낱말이 <u>아닌</u> 것을 찾아 기호를 쓰시오.

( )

마음을 드러내는 말하기

18 이 편지를 받은 친구들은 어떤 말로 마음을 전할지 알맞은 것에 ○표 하시오.

(1) 네가 많이 서운했겠구나! ( )
(2) 내가 깜빡했어. 많이 속상했겠다. ( )
(3) 나도 함께 뛸 수 있어서 참 행복했어. ( )

회의 시간에 지켜야 할 예절 알기

19 회의할 때 예절에 <u>어긋난</u> 행동은 무엇입니까? ( )

① 높임말을 사용하여 말한다.
② 다른 사람의 의견을 경청한다.
③ 다른 사람이 발표할 때 끼어든다.
④ 자신과 다른 의견도 귀담아듣는다.
⑤ 손을 들어 말할 기회를 얻고 발표한다.

이야기를 구성하는 요소 알기

20 이야기를 구성하는 중요한 요소에 속하지 <u>않는</u> 것은 무엇입니까? ( )

① 이야기에서 일어나는 일
② 이야기가 펼쳐지는 시간
③ 이야기가 펼쳐지는 장소
④ 이야기의 전체적인 길이
⑤ 이야기에서 어떤 일을 겪는 사람이나 사물

[21~22] 다음 글을 읽고 물음에 답하시오.

> 어제 만강에 댐을 건설할 수 있는지 알아보려고 담당자들께서 우리 마을을 방문하셨습니다. 담당자들께서는 작년에 비가 많이 와서 만강 하류에 있는 도시에 물난리가 났다고 말씀하셨습니다. 그래서 홍수를 막으려면 우리 마을에 댐을 건설해야 한다고 하셨습니다.
> 하지만 저는 ⟨　　　　⊙　　　　⟩ 우리 상수리에 댐을 건설하면 숲에 사는 동물들이 살 곳을 잃고, 우리는 만강의 물고기들을 다시는 볼 수 없게 될 것입니다. 그리고 마을 어른들께서는 평생 살아온 고향을 떠나야 한다고 말씀하십니다. 우리 마을에 댐을 건설하기로 한 계획을 취소해 주시기를 부탁합니다.

글쓴이의 의견 파악하기

21 이 글에서 ⊙에 들어갈 글쓴이의 의견으로 알맞은 것은 무엇입니까? (　　　)

① 누가 댐을 건설하는지 모릅니다.
② 댐을 건설하는 것에 찬성합니다.
③ 댐을 건설하는 것에 반대합니다.
④ 댐을 건설하려면 시간이 오래 걸린다고 들었습니다.
⑤ 댐을 건설하는 데 많은 비용이 들어가서 걱정입니다.

의견을 뒷받침하는 까닭 알기

22 이 글에서 글쓴이의 의견을 뒷받침하는 까닭을 모두 고르시오. (　　,　　,　　)

① 만강에서 물고기들이 사라진다.
② 숲에 사는 동물들이 살 곳을 잃는다.
③ 댐을 건설하기로 한 계획을 취소해야 한다.
④ 여름철에 폭우로 인한 피해를 막을 수 있다.
⑤ 마을 어른들께서 평생 살아온 고향을 떠나야 한다.

전기문의 특성 알기

23 다음 글에 나타나 있는 전기문의 특성으로 알맞은 것에 ○표 하시오.

> 김만덕은 1739년에 제주도의 가난한 선비 집안에서 태어났다. 비록 가난하였으나 사랑과 정이 깊은 부모님 밑에서 자랐다. 그러나 열두 살이 되던 해에 심한 흉년과 전염병 때문에 부모님을 차례로 여의고 말았다.

(1) 인물의 삶을 사실에 근거해 쓴 글이다. (　　)
(2) 인물이 한 일과 가치관이 나타나 있다. (　　)
(3) 인물이 한 일에 대한 글쓴이의 의견이나 평가가 나타나 있다. (　　)

[24~25] 다음 글을 읽고 물음에 답하시오.

> 가 옛날 동쪽 바다에 멸치 대왕이 살고 있었어. 그런데 어느 날 아주 이상한 꿈을 꾸었지. 꿈속에서 멸치 대왕이 하늘을 오르락내리락, 구름 속을 왔다 갔다, 그러다가 갑자기 흰 눈이 펄펄 내리더니 추웠다가 더웠다가 하는 거야. 멸치 대왕은 무슨 꿈인지 몹시 궁금했어.

> 나 멸치 대왕이 망둥 할멈에게 꿈 이야기를 해 주자 망둥 할멈은 벌떡 일어나 절을 하면서 "대왕마마, 용이 될 꿈입니다."라고 말했어. 그러면서 하늘을 오르락내리락 구름 속을 왔다가 갔다가 하는 것은 용이 되어서 하늘을 날아다니는 것이고, 흰 눈이 내리면서 추웠다가 더웠다가 하는 것은 용이 되어 날씨를 마음대로 다스리게 되는 것이라고 풀이해 주었어. 망둥 할멈의 꿈풀이에 멸치 대왕은 기분이 좋아 덩실덩실 춤을 추었지.
> 하지만 넓적 가자미는 멸치 대왕한테 용이 되는 꿈이 아니라 큰 변을 당하게 될, 아주 나쁜 꿈이라고 말했어. 그러면서 하늘을 오르락내리락한다는 것은 낚싯대에 걸린 것이고, 구름은 모락모락 숯불 연기이고, 또 흰 눈은 소금이고, 추웠다가 더웠다가 한다는 것은 잘 익으라고 뒤집었다 엎었다 하는 것이라고 멸치 대왕의 꿈을 풀이했어.
> 넓적 가자미의 꿈풀이를 듣던 멸치 대왕은 화가 나 얼굴이 점점 붉어졌어. 꿈풀이를 다 듣고 난 뒤 멸치 대왕은 너무나도 화가 나 넓적 가자미의 뺨을 때렸는데 어찌나 세게 때렸던지 넓적 가자미의 눈이 한쪽으로 찍 몰려가 붙어 버리고 말았던 거야.

이야기를 실감 나게 들려주기

24 이 이야기를 친구들에게 실감 나게 들려주려고 합니다. 각 인물의 표정, 말투, 행동으로 어울리는 것을 모두 골라 기호를 쓰시오.

> ㉮ 멸치 대왕 – 장난스러운 표정
> ㉯ 멸치 대왕 – 거칠고 사나운 행동
> ㉰ 넓적 가자미 – 점잖고 너그러운 표정
> ㉱ 넓적 가자미 – 울면서 뺨을 부여잡는 행동
> ㉲ 망둥 할멈 – 아부하는 듯한 알랑거리는 말투
> ㉳ 망둥 할멈 – 몸을 낮추고 등을 구부리는 행동

(　　　　　)

인물의 성격 파악하기

25 이 글에 나타난 멸치 대왕의 성격으로 알맞은 것을 두 가지 고르시오. (　　,　　)

① 아부를 잘한다.
② 점잖고 너그럽다.
③ 부끄러움이 많다.
④ 화를 참지 못한다.
⑤ 기분이 쉽게 변한다.

모의 평가 2회

출제 범위: 4학년 전 범위   문항 수: 25문항

점수

정답과 해설 24쪽

01 십만, 백만, 천만
만이 5690개, 일이 749개인 수는 어느 것입니까?
( )

① 5690749   ② 56900749   ③ 56907049
④ 56907490   ⑤ 56907409

02 조
다음을 수로 나타내면 0은 모두 몇 개입니까? ( )

구천칠십조 팔천오백억 이백육십삼

① 7개   ② 8개   ③ 9개
④ 10개   ⑤ 11개

03 각 그리기
크기가 105°인 각 ㄱㄴㄷ을 그리려고 합니다. 점 ㄱ을 어느 곳에 찍어야 합니까? ( )

① ㉠   ② ㉡   ③ ㉢
④ ㉣   ⑤ ㉤

04 사각형의 네 각의 크기의 합
□ 안에 알맞은 수는 어느 것입니까? ( )

사각형의 네 각의 크기의 합은 □°이다.

① 360   ② 300   ③ 240
④ 180   ⑤ 120

05 (세 자리 수)×(몇십)
다음을 계산하면 얼마입니까? ( )

920×30

① 2760   ② 27600   ③ 276000
④ 2760000   ⑤ 27600000

06 (세 자리 수)÷(몇십)
640÷80과 몫이 같은 것은 어느 것입니까? ( )

① 350÷50   ② 540÷90   ③ 240÷30
④ 420÷60   ⑤ 420÷70

07 평면도형 밀기
도형의 이동 방법을 설명한 것입니다. □ 안에 알맞은 수를 차례로 써넣은 것은 어느 것입니까? ( )

㉯ 도형은 ㉮ 도형을 오른쪽으로 □cm, 위쪽으로 □cm만큼 밀어서 이동한 도형이다.

① 5, 1   ② 6, 1   ③ 5, 2
④ 6, 2   ⑤ 7, 1

08 평면도형 돌리기
세 자리 수가 적힌 카드를 시계 방향으로 180°만큼 돌렸을 때 만들어지는 수를 구해 보시오.

628

( )

수학

[09~10] 현진이네 반 학생들의 취미를 조사하여 나타낸 막대그래프입니다. 물음에 답하시오.

취미별 학생 수

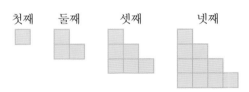

막대그래프

09 운동을 좋아하는 학생은 몇 명입니까? (   )

① 5명   ② 6명   ③ 7명
④ 8명   ⑤ 9명

막대그래프에서 알 수 있는 내용

10 가장 많은 학생들이 좋아하는 취미와 가장 적은 학생들이 좋아하는 취미의 학생 수의 차는 몇 명입니까? (   )

① 1명   ② 2명   ③ 3명
④ 4명   ⑤ 5명

[11~12] 도형의 배열을 보고 물음에 답하시오.

첫째   둘째   셋째   넷째

도형의 배열에서 규칙 찾기

11 □ 안에 들어갈 수를 차례대로 쓴 것은 어느 것입니까? (   )

> 도형의 배열에서 ▨의 개수는 1개, 3개, 6개, 10개, … 로 □개, □개, □개, … 늘어나는 규칙이 있다.

① 1, 2, 3   ② 2, 2, 2   ③ 2, 3, 4
④ 1, 3, 5   ⑤ 2, 4, 6

도형의 배열에서 규칙 찾기

12 다섯째에 알맞은 도형은 몇 개인지 구해 보시오.

(   )

분모가 같은 진분수의 덧셈과 뺄셈

13 분모가 11인 진분수가 2개 있습니다. 합이 $\frac{5}{11}$, 차가 $\frac{1}{11}$ 인 두 진분수를 구해 보시오.

(,   )

분모가 같은 대분수의 덧셈

14 두 색 테이프의 길이의 합은 몇 cm입니까? (   )

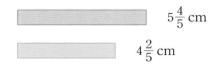

$5\frac{4}{5}$ cm

$4\frac{2}{5}$ cm

① $9\frac{1}{5}$ cm   ② $9\frac{3}{5}$ cm   ③ $10\frac{1}{5}$ cm
④ $10\frac{3}{5}$ cm   ⑤ $11\frac{1}{5}$ cm

이등변삼각형의 성질

15 다음 도형은 이등변삼각형입니다. 세 변의 길이의 합은 몇 cm입니까? (   )

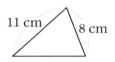

11 cm   8 cm

① 19 cm   ② 27 cm   ③ 30 cm
④ 33 cm   ⑤ 36 cm

정삼각형의 성질

16 다음 도형은 정삼각형입니다. □ 안에 알맞은 수는 어느 것입니까? (   )

① 50   ② 60   ③ 70
④ 80   ⑤ 90

소수의 크기 비교

17 다음 중 가장 큰 수는 어느 것입니까? (   )

① 0.6   ② 1.4   ③ 1.321
④ 1.573   ⑤ 0.91

18 빈칸에 알맞은 수는 얼마입니까? ( )

소수 한 자리 수의 뺄셈

0.9 → −0.3 → [ ]

① 0.2　　　② 0.4　　　③ 0.5
④ 0.6　　　⑤ 0.7

19 직선 가에 수직인 직선을 그으려고 합니다. 점 ㅇ과 어느 점을 이어야 합니까? ( )

수직

① ㄱ　　　② ㄴ　　　③ ㄷ
④ ㄹ　　　⑤ ㅁ

20 변 ㄱㅂ과 평행한 변은 어느 것입니까? ( )

평행

① 변 ㄱㄴ　　　② 변 ㄴㄷ　　　③ 변 ㄷㄹ
④ 변 ㄹㅁ　　　⑤ 변 ㅁㅂ

21 다음 도형은 평행사변형입니다. □ 안에 알맞은 수는 어느 것입니까? ( )

평행사변형의 성질

① 120　　　② 130　　　③ 140
④ 150　　　⑤ 160

[22~23] 도영이의 키를 학년별로 재어 나타낸 꺾은선그래프입니다. 물음에 답하시오.

도영이의 키

22 물결선에 대한 설명으로 틀린 것은 어느 것입니까? ( )

물결선이 있는 꺾은선그래프

① 물결선은 0 cm와 120 cm 사이에 그려져 있습니다.
② 필요 없는 부분을 나타낼 때 물결선을 이용합니다.
③ 물결선을 이용하여 그래프를 그리면 변화하는 모습을 잘 볼 수 있습니다.
④ 세로 눈금은 물결선 위로 120 cm부터 시작하고 있습니다.
⑤ 조사한 자료의 값이 있는 부분에 물결선을 넣어서 그래프로 나타냅니다.

23 4학년일 때의 키는 3학년일 때의 키보다 몇 cm 더 자랐습니까? ( )

꺾은선그래프에서 알 수 있는 내용

① 6 cm　　　② 8 cm　　　③ 10 cm
④ 12 cm　　　⑤ 14 cm

24 다음은 어떤 도형에 대한 설명인지 도형의 이름을 쓰시오.

다각형

- 선분으로만 둘러싸여 있다.
- 변의 수가 8개이다.
- 꼭짓점의 수가 8개이다.

( )

25 다음 모양을 채우려면 ▲ 모양 조각은 모두 몇 개 필요합니까? ( )

모양 만들기

① 2개　　　② 3개　　　③ 4개
④ 5개　　　⑤ 6개

지도 이해하기

01 지도에 대한 설명으로 알맞지 <u>않은</u> 것은 무엇입니까?
( )

① 지도에 방위표가 없으면 위쪽이 남쪽이다.
② 지도는 땅의 높낮이를 등고선과 색깔로 나타낸다.
③ 지도를 보면 지형지물의 위치와 종류를 알 수 있다.
④ 지도는 제목, 방위표, 기호와 범례, 축척을 갖추고 있다.
⑤ 실제 땅 위 모습을 일정한 규칙에 따라 줄여서 나타낸 그림이다.

방위표에 따라 여러 지역 위치 설명하기

02 다음 지도를 보고, 대전광역시의 방위를 바르게 나타낸 것은 무엇입니까? ( )

① 강원도의 동쪽
② 제주도의 북쪽
③ 전라북도의 남쪽
④ 충청남도의 서쪽
⑤ 서울특별시의 북쪽

중심지의 특징 알기

03 ㉮, ㉯ 지역을 비교한 것으로 알맞은 것은 무엇입니까?
( )

㉮

㉯

① ㉮에는 여러 시설이 모여 있다.
② ㉮는 대부분 고장의 가운데에 위치한다.
③ ㉮에서 사람들은 생활에 필요한 것들을 구한다.
④ ㉯는 건물들의 높이가 낮다.
⑤ ㉯는 오고 가는 사람들로 붐빈다.

중심지 답사 과정 알기

04 중심지를 답사하는 과정에서 해야 할 일로 알맞지 <u>않은</u> 것은 무엇입니까? ( )

① 중심지의 위치를 확인한다.
② 사람들이 하는 일을 조사한다.
③ 건물과 시설을 사진으로 찍는다.
④ 중심지에서 관찰한 내용을 기록한다.
⑤ 답사 경로를 생각하며 자료를 정리한다.

문화유산의 의미 알기

05 빈칸 ㉠, ㉡에 들어갈 알맞은 말을 쓰시오.

문화유산 가운데 석탑, 건축물, 책 등과 같이 일정한 형태가 있는 것을 ㉠ (이)라고 하고, 무용, 연극, 무예 등과 같이 일정한 형태가 없이 그 기능을 지닌 사람이 전해 줘야 하는 것을 ㉡ (이)라고 한다.

㉠: ( ), ㉡: ( )

우리 지역의 문화유산 답사 보고서 작성하기

06 문화유산 답사 보고서에 들어갈 내용으로 알맞지 <u>않은</u> 것은 무엇입니까? ( )

① 느낀 점   ② 답사 목적
③ 답사 장소   ④ 주의할 점
⑤ 답사로 알게 된 점

우리 지역의 역사적 인물 조사 방법 알기

07 다음 그림과 같이 우리 지역의 역사적 인물을 조사하는 방법은 무엇입니까? ( )

① 기념관 방문하기
② 기록물 찾아보기
③ 박물관 방문하기
④ 위인전으로 조사하기
⑤ 인터넷으로 조사하기

우리 지역의 역사적 인물 조사 방법 알기

08 우리 지역을 대표하는 역사적 인물에 대해 조사할 내용으로 알맞지 <u>않은</u> 것은 무엇입니까? ( )

① 역사적 인물의 일생
② 역사적 인물의 업적
③ 역사적 인물이 지역에 미친 영향
④ 역사적 인물과 관련된 지역의 장소
⑤ 역사적 인물이 다른 지역에서 한 활약

공공 기관의 역할 알기

09 다음 상황에서 도움을 요청할 공공 기관은 어디인지 쓰시오.

강가에서 캠핑을 하다가 강물이 불어나서 갇혀 버렸어요.

( )

공공 기관의 특징 알기

10 다음과 같은 곳의 특징으로 알맞지 <u>않은</u> 것은 무엇입니까?
( )

> • 소방서   • 보건소   • 행정 복지 센터

① 개인의 이익을 위한 곳이다.
② 지역 주민이 요청하는 일을 처리한다.
③ 국가나 지방 자치 단체가 관리하는 곳이다.
④ 지역 주민들이 편리하게 생활하도록 돕는다.
⑤ 주로 지역의 중심지나 교통이 편리한 곳에 있다.

우리 지역 문제가 발생한 원인 파악하기

11 다음 신문 기사를 보고 지역 문제의 원인을 바르게 말한 친구는 누구입니까? ( )

> **재활용 필요성 잘 몰라**
> 최근 ○○시 주민들을 대상으로 한 설문 조사에 따르면 재활용이 필요한 까닭과 분리배출 방법을 바르게 알지 못하는 주민이 40%를 넘는다고 한다.

① 가영: 쓰레기 무단 배출 건수가 해마다 늘고 있어.
② 나영: 하루 평균 쓰레기 배출량이 해마다 늘고 있어.
③ 다영: 쓰레기 문제에 관심이 많다는 것을 알 수 있어.
④ 라영: 쓰레기를 제대로 버리는 방법이 너무 어려운 것 같아.
⑤ 마영: 재활용이 필요한 까닭과 분리배출 방법을 모르는 주민이 많은 것 같아.

지역 문제 해결 방안 결정하기

12 다음은 지역 문제 해결 단계를 순서없이 나열한 것입니다. 차례대로 기호를 늘어놓으시오.

> ㉮ 지역 문제 확인하기
> ㉯ 문제 해결 방안 실천하기
> ㉰ 문제 해결 방안 결정하기
> ㉱ 문제 해결 방안 탐색하기
> ㉲ 문제 발생 원인 파악하기

( ) → ( ) → ( ) → ( ) → ( )

촌락의 종류와 특징 알기

13 다음과 같은 시설을 볼 수 있는 촌락은 무엇인지 쓰시오.

( )

도시의 특징 알기

14 도시에 사는 사람들이 주로 하는 일로 알맞지 <u>않은</u> 것은 무엇입니까? ( )

① 회사 사무실에서 일한다.
② 염전에서 소금을 생산한다.
③ 지하철로 승객을 태워다 준다.
④ 여러 사람에게 다양한 물건을 판다.
⑤ 병원에서 환자를 치료하거나 돌본다.

촌락의 문제점과 해결 방안 파악하기

15 다음과 같은 촌락 문제를 해결하기 위한 노력으로 알맞은 것을 두 가지 고르시오. (,)

> 예전에는 촌락에 사람들이 많이 살았는데, 새로운 일자리를 찾아 도시로 이사하는 사람들이 늘어나면서 인구가 감소하고, 일할 수 있는 사람들이 줄어들었다.

① 농업의 기계화
② 귀촌 지원 정책
③ 지역 특산물 홍보 축제
④ 농산물의 품질을 높이기 위한 연구
⑤ 폐교를 활용해 미술관 등 문화 시설 마련

교류가 필요한 까닭 알기

16 다음 그림과 같은 교류가 이루어지는 까닭은 지역마다 무엇이 다르기 때문입니까? ( )

① 기술   ② 문화
③ 소득   ④ 자원
⑤ 생산품

촌락과 도시 사이의 다양한 교류 알기

17 촌락 사람들이 도시를 찾는 모습으로 알맞지 <u>않은</u> 것은 무엇입니까? ( )

① 공공 기관에서 필요한 행정 업무를 처리한다.
② 첨단 의료 시설을 갖춘 종합 병원을 이용한다.
③ 여러 문화 시설에서 공연이나 전시를 관람한다.
④ 백화점이나 대형 시장과 같은 상업 시설에서 필요한 물건을 산다.
⑤ 자연환경과 특산물을 이용한 축제에 참가하여 새로운 문화를 경험한다.

생산의 의미 알기

18 보기 에서 생산 활동을 두 가지 골라 기호를 쓰시오.

보기
ㄱ 고등어 팝니다.
ㄴ 바지 길이를 줄여 주세요.
ㄷ 주문한 비빔밥이 맛있어.
ㄹ 물건을 배달해야지.

(,   )

현명한 소비 생활을 하는 방법 알기

19 현명한 소비 생활을 하는 방법으로 알맞은 것은 무엇입니까? (   )

① 마음에 드는 물건이 있으면 바로 산다.
② 소득의 일부를 저축하여 미래를 준비한다.
③ 무조건 물건을 사 달라고 부모님께 떼를 쓴다.
④ 내가 쓸 수 있는 돈의 범위를 생각하지 않고 물건을 고른다.
⑤ 새로운 물건이 나오면 이전에 쓰던 물건이 있더라도 새로 산다.

다양한 경제적 교류 사례 알기

20 다음 사진에 나타난 지역 간 경제 교류의 종류를 쓰시오.

▲ 다른 지역의 공연, 전시와 같은 문화 상품 체험

(   )

우리 사회의 변화 모습 알기

21 다음 내용과 관련 있는 사회 변화는 무엇입니까? (   )

노인 전문 병원 등 노인을 위한 시설이 늘어나고 있다. 국민건강보험공단에 따르면 노인을 돌보는 기관이 2018년에 2만 1천여 곳으로 늘어난 것으로 나타났다.

① 고령화   ② 산업화   ③ 세계화
④ 저출산   ⑤ 정보화

우리 사회의 변화 모습 알기

22 다음과 관계있는 사회 변화는 무엇인지 쓰시오.

오늘날에는 옛날과 달리 언제든지 스마트폰을 통해 날씨를 확인할 수 있다.

(   )

세계화로 나타나는 문제에 대한 대응 알기

23 세계화로 나타나는 문제에 대한 대응으로 알맞지 <u>않은</u> 것은 무엇입니까? (   )

① 서로 다른 문화를 존중한다.
② 다른 나라의 문화를 무조건 받아들인다.
③ 다양한 문화를 열린 마음으로 받아들인다.
④ 우리 것을 소중히 여기는 태도가 필요하다.
⑤ 세계 곳곳에서 일어나는 문제에 관심을 갖는다.

다른 문화에 편견을 갖고 차별하는 모습 알기

24 다음 그림에 나타난 편견의 모습을 보기 에서 한 가지 골라 기호를 쓰시오.

보기
ㄱ 피부색이 다른 사람들을 나쁘게 평가하는 것
ㄴ 다른 문화를 가진 사람들의 옷차림을 놀리는 것
ㄷ 세대나 나이 때문에 그들의 문화를 무시하는 것

(   )

다른 문화를 존중하려는 우리 사회의 노력 알기

25 빈칸에 들어갈 알맞은 말은 무엇입니까? (   )

다른 문화를 존중하기 위해서는 다양한 문화를 가진 사람들이 ☐☐☐ 을/를 할 수 있는 자리를 마련한다.

① 법   ② 소통   ③ 축제
④ 행사   ⑤ 캠페인

모의 평가 2회

출제 범위: 4학년 전 범위 문항 수: 25문항

점수

정답과 해설 26쪽

과학적으로 분류하기

01 과학적으로 분류하는 방법에 대한 설명으로 옳지 <u>않은</u> 것은 무엇입니까? ( )

① 분류하는 단계는 두 번으로만 한다.
② 분류할 때마다 다른 분류 기준을 세운다.
③ 분류 대상 각각의 특징을 관찰하여 분류한다.
④ 공통점과 차이점을 바탕으로 분류 기준을 세운다.
⑤ 누가 분류하더라도 같은 분류 결과가 나오도록 분류 기준을 세운다.

지층 모형과 실제 지층 비교하기

02 지층 모형과 실제 지층의 공통점을 두 가지 고르시오. (,)

① 줄무늬가 보인다.
② 지층의 단단한 정도가 같다.
③ 지층을 이루는 층의 두께가 같다.
④ 아래에 있는 층이 먼저 쌓인 것이다.
⑤ 지층이 만들어지는 데 걸린 시간이 같다.

지층이 만들어지는 과정 알아보기

03 다음은 지층이 만들어져 발견되는 과정을 순서 없이 나타낸 것입니다. 순서대로 기호를 쓰시오.

> ㉠ 지층이 땅 위로 솟아오른 뒤 깎여서 보인다.
> ㉡ 물이 운반한 자갈, 모래, 진흙 등이 쌓인다.
> ㉢ 자갈, 모래, 진흙 등이 계속 쌓이면 먼저 쌓인 것들이 눌린다.
> ㉣ 오랜 시간이 지나면 단단한 지층이 만들어진다.

( ) → ( ) → ( ) → ( )

화석을 통하여 알 수 있는 것 알아보기

04 조개 화석에 대한 설명으로 옳지 <u>않은</u> 것은 무엇입니까? ( )

① 조개의 맛을 알 수 있다.
② 지층 속에서 잘 발견된다.
③ 조개의 모습을 알 수 있다.
④ 오랜 시간이 걸려 만들어졌다.
⑤ 조개는 단단한 껍데기가 있어 화석이 되기 쉽다.

씨가 싹 트는 데 필요한 조건 알아보기

05 다음은 씨가 싹 트는 데 필요한 조건을 알아보는 실험입니다. 이 실험에서 다르게 해 준 조건은 무엇입니까? ( )

> ㉠ 페트리 접시 두 개에 탈지면을 깔고 강낭콩을 올려 놓은 다음 물을 주어 탈지면이 흠뻑 젖게 한다.
> ㉡ 하나의 페트리 접시는 상온에 두고, 다른 하나는 냉장고에 두고 강낭콩의 변화를 관찰한다.

① 햇빛   ② 온도   ③ 공기
④ 물의 양   ⑤ 탈지면

강낭콩 꽃과 열매의 자람 알아보기

06 강낭콩의 꽃과 열매의 변화에 대한 설명으로 옳은 것을 두 가지 고르시오. (,)

① 꼬투리 속에 씨가 자란다.
② 꼬투리의 개수가 점점 많아진다.
③ 꼬투리가 크기가 점점 작아진다.
④ 꼬투리가 떨어진 자리에 꽃이 핀다.
⑤ 꽃봉오리가 커지면서 꼬투리가 된다.

한해살이 식물의 특징 알아보기

07 다음 식물들의 공통점으로 옳은 것은 무엇입니까? ( )

▲ 벼   ▲ 강낭콩   ▲ 옥수수

① 씨의 색깔이 노란색이다.
② 겨울 동안에도 죽지 않고 살아간다.
③ 한살이가 한 해 동안에 이루어진다.
④ 싹이 틀 때 본잎이 가장 먼저 나온다.
⑤ 한살이의 일부를 여러 해 동안 반복한다.

무게를 측정하는 예 알아보기

08 우리 생활에서 무게를 측정하는 예로 옳지 <u>않은</u> 것은 무엇입니까? ( )

① 버스를 탈 때
② 우체국에서 택배를 보낼 때
③ 운동 경기에서 체급을 나눌 때
④ 수박의 무게에 따라 가격을 다르게 정할 때
⑤ 정해진 무게의 재료를 사용해 식빵을 만들 때

물체의 무게와 늘어난 용수철 사이의 관계 알아보기

09 다음은 용수철에 걸어 놓은 추의 무게에 따라 늘어난 용수철의 길이를 나타낸 것입니다. 추 한 개당 늘어난 용수철의 길이는 몇 cm입니까? ( )

추의 무게(g중)	0	20	40	60
늘어난 용수철의 길이(cm)	0	3	6	9

① 1 cm　　　　　　② 2 cm
③ 3 cm　　　　　　④ 4 cm
⑤ 5 cm

우리 생활에서 사용하는 저울 알아보기

10 수평 잡기의 원리를 이용해 만든 저울은 무엇입니까?
( )

① 체중계　　　　　　② 전자저울
③ 양팔저울　　　　　④ 용수철저울
⑤ 가정용 저울

콩, 팥, 좁쌀의 혼합물 분리하기

11 콩, 팥, 좁쌀의 혼합물을 분리하기 위해 필요한 체를 두 가지 고르시오. (,)

① 눈의 크기가 콩보다 큰 체
② 눈의 크기가 콩과 같은 체
③ 눈의 크기가 좁쌀보다 작은 체
④ 눈의 크기가 콩보다 작고 팥보다 큰 체
⑤ 눈의 크기가 팥보다 작고 좁쌀보다 큰 체

자석을 이용하여 혼합물 분리하기

12 다음은 자동 분리기로 철 캔과 알루미늄 캔을 분리하는 방법에 대한 설명입니다. ( ) 안에 들어갈 알맞은 말을 쓰시오.

> 섞여 있는 철 캔과 알루미늄 캔을 자동 분리기에 넣으면 이동판에 실려 옮겨질 때, ( )이/가 들어 있는 위쪽 이동판에 철 캔만 달라붙어 분리된다.

( )

소금과 모래 혼합물 분리하기

13 물에 녹인 소금과 모래의 혼합물을 거름 장치로 거른 뒤, 거름종이를 빠져나간 물질을 증발 접시에 붓고 가열하였을 때 나타나는 현상으로 옳지 않은 것은 무엇입니까? ( )

① 물이 끓는다.
② 하얀 고체가 생긴다.
③ 물의 양이 점점 줄어든다.
④ 하얀색 고체가 사방으로 튄다.
⑤ 하얀색 고체가 녹아서 물의 양이 많아진다.

식물 잎의 구조 알아보기

14 다음은 식물 잎의 구조를 나타낸 것입니다. ㉠과 ㉡의 이름을 각각 쓰시오.

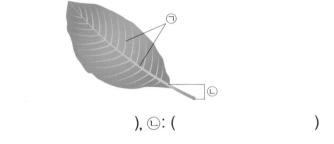

㉠: ( ), ㉡: ( )

연못에서 사는 식물 알아보기

15 물에 떠서 사는 식물은 무엇입니까? ( )

① 수련　　　　　　② 창포
③ 명아주　　　　　④ 검정말
⑤ 부레옥잠

사막에서 사는 식물의 특징 알아보기

16 선인장이 가시 모양의 잎을 가지고 있어서 좋은 점을 두 가지 고르시오. (,)

① 강한 바람을 막아준다.
② 물의 증발을 막아준다.
③ 햇빛을 많이 받을 수 있다.
④ 잎에 물을 많이 저장할 수 있다.
⑤ 다른 동물이 공격하는 것을 피할 수 있다.

물이 얼 때의 변화 알아보기

17 물이 얼 때 나타나는 변화에 대한 설명으로 옳은 것을 두 가지 고르시오. (,)

① 부피가 줄어든다.　　② 부피가 늘어난다.
③ 무게가 줄어든다.　　④ 무게가 늘어난다.
⑤ 무게는 변화가 없다.

물이 증발할 때의 변화 알아보기

18 다음은 사과를 자른 것과 식품 건조기에 넣어 건조시킨 사과 조각의 모습입니다. 식품 건조기에 건조시킨 사과 조각이 마르고 크기가 작아진 까닭에 맞게 (　　) 안에 들어갈 알맞은 말을 쓰시오.

▲ 자른 사과 조각

▲ 식품 건조기에 건조시킨 사과 조각

> 사과 표면에서부터 물이 (　　　　)(으)로 변해 공기 중으로 흩어졌기 때문이다.

(　　　　　　　　)

물의 상태 변화의 이용 알아보기

19 물의 상태 변화를 이용한 예 중 물의 상태가 나머지와 <u>다른</u> 하나는 무엇입니까? (　　)

① 이글루를 만들었다.
② 얼음과자를 만들었다.
③ 얼음 작품을 만들었다.
④ 스팀 청소기로 바닥을 닦았다.
⑤ 스키장에서 인공 눈을 만들었다.

그림자가 생기는 까닭 알아보기

20 그림자가 생기는 까닭에 대한 설명으로 옳은 것은 무엇입니까? (　　)

① 그림자는 항상 생긴다.
② 그림자는 빛과 상관없이 생긴다.
③ 물체가 빛을 반사하기 때문에 생긴다.
④ 빛이 물체를 통과하여 그 모양대로 생긴다.
⑤ 빛이 나아가다가 물체를 통과하지 못하면 그림자가 생긴다.

거울에 비친 물체의 모습 알아보기

21 구급차의 앞부분에 글자를 좌우로 바꾸어 쓴 까닭입니다. (　　) 안에 들어갈 알맞은 말을 쓰시오.

> 자동차의 뒷거울에 구급차 앞부분의 모습이 비춰 보일 때 좌우로 바뀌어 쓴 글자의 (　⊙　)이/가 다시 바뀌어 (　ⓒ　) 보이기 때문이다.

⊙: (　　　　　　　), ⓒ: (　　　　　　　)

현무암과 화강암의 특징 알아보기

22 다음 ⊙에서 만들어진 암석에 대한 설명으로 옳은 것은 무엇입니까? (　　)

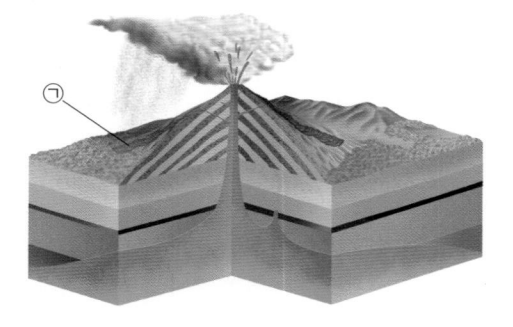

① 밝은색을 띤다.
② 반짝이는 알갱이가 있다.
③ 표면에 구멍이 있는 것도 있다.
④ 마그마가 천천히 식어서 만들어진다.
⑤ 맨눈으로 구별할 수 있을 정도로 알갱이가 크다.

지진의 특징 알아보기

23 지진에 대한 설명으로 옳지 <u>않은</u> 것은 무엇입니까? (　　)

① 지진으로 산사태가 발생하기도 한다.
② 지진은 우리나라에서는 발생하지 않는다.
③ 지진이 발생하면 건물이 무너지기도 한다.
④ 지구 내부에서 작용하는 힘 때문에 발생한다.
⑤ 지표의 약한 부분이 무너질 때 발생하기도 한다.

물의 순환 알아보기

24 다음과 같이 얼음을 투명한 플라스틱 컵에 넣고 지퍼 백에 담아 지퍼를 닫은 뒤, 햇볕이 잘 드는 창문에 고정했습니다. 3일 동안 물의 순환 실험 장치에서 나타나는 변화로 옳지 <u>않은</u> 것은 무엇입니까? (　　)

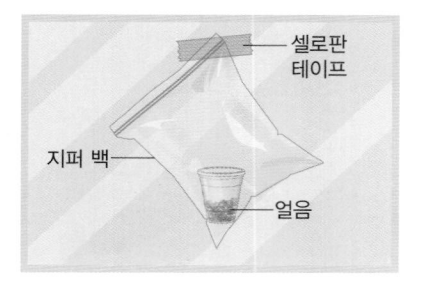

① 얼음이 녹는다.
② 컵 안 물의 양은 줄어든다.
③ 지퍼 백 안 전체 물의 양은 늘어난다.
④ 컵 안의 물이 증발하여 지퍼 백 안쪽에 물방울이 맺힌다.
⑤ 지퍼 백 안쪽에 맺힌 물방울이 흘러내려 지퍼 백의 아래쪽에 고인다.

물 부족 현상의 원인 알아보기

25 우리가 이용할 수 있는 물이 부족해지는 까닭에 대한 설명으로 옳은 것은 무엇입니까? (　　)

① 물이 끊임없이 순환하기 때문이다.
② 물이 순환할 때 상태가 변하기 때문이다.
③ 생명체로 흡수된 물은 순환하지 않기 때문이다.
④ 나라 별로 이용할 수 있는 물의 양이 같기 때문이다.
⑤ 인구가 증가하고 산업이 발달하여 물이 오염됐기 때문이다.

모의 평가 2회

출제 범위: 4학년 전 범위 | 문항 수: 25문항

점수

정답과 해설 27쪽

1번부터 17번까지는 듣고 답하는 문제입니다. 녹음 내용을 잘 듣고, 물음에 답하기 바랍니다. 내용은 한 번만 들려줍니다.

시각을 나타내는 표현 이해하기

01 다음을 듣고, 대화의 내용에 알맞은 시각을 고르시오.
( )

① 09:00 AM
② 10:00 AM
③ 12:10 PM
④ 02:10 PM
⑤ 10:20 PM

인사하는 표현 이해하기

02 그림을 보고, 남자아이가 할 말로 가장 알맞은 것을 고르시오.
( )

08:30 AM

① 🎧　② 🎧　③ 🎧　④ 🎧　⑤ 🎧

안부를 묻고 답하는 표현 이해하기

03 다음을 듣고, 이어질 대답으로 알맞지 <u>않은</u> 것을 고르시오.
( )

① 🎧　② 🎧　③ 🎧　④ 🎧　⑤ 🎧

다른 사람을 소개하는 표현 이해하기

04 대화를 듣고, 대화의 내용과 일치하는 것을 고르시오.
( )

① 지수와 Mark는 처음 만난 사이이다.
② Mark는 지수를 자신의 엄마에게 소개하고 있다.
③ 지수는 Mark를 자신의 엄마에게 소개하고 있다.
④ Mark의 엄마와 Mark는 지수를 잘 알고 있다.
⑤ Mark의 엄마가 Mark에게 지수를 소개하고 있다.

직업을 묻고 답하는 표현 이해하기

05 대화를 듣고, 지호 누나의 이름과 직업이 바르게 짝 지어진 것을 고르시오.
( )

	이름	직업
①	지나	선생님
②	지나	의사
③	지나	디자이너
④	지현	선생님
⑤	지현	의사

감정을 묻고 답하는 표현 이해하기

06 그림을 보고, 이어질 대답으로 알맞은 것을 고르시오.
( )

① 🎧　② 🎧　③ 🎧　④ 🎧　⑤ 🎧

요일을 묻고 답하는 표현 이해하기

07 다음을 듣고, 이어질 대답으로 알맞은 것을 고르시오.
( )

① It's cloudy.
② It's Thursday.
③ It's five o'clock.
④ It's my umbrella.
⑤ It's under the bed.

금지하는 표현 이해하기

08 대화를 듣고, 남자아이가 지켜야 할 행동을 고르시오.
( )

① 먹지 않기
② 뛰지 않기
③ 떠들지 않기
④ 노래하지 않기
⑤ 낙서하지 않기

가격을 묻고 답하는 표현 이해하기

09 대화를 듣고, 두 사람이 말하고 있는 것을 고르시오.
( )

① 500원　② 500원　③ 1000원

④ 5000원　⑤ 1500원

지시하는 표현 이해하기

10 대화를 듣고, 여자아이가 할 행동으로 알맞은 것을 고르시오.
( )

① 문을 닫고 자리에 앉는다.
② 문을 열고 밖으로 나간다.
③ 책을 덮고 자리에 앉는다.
④ 책을 펴고 자리에 앉는다.
⑤ 책을 덮고 자리에서 일어난다.

할 수 있는 것을 묻고 답하는 표현 이해하기

11 대화를 듣고, 지나와 민수가 할 수 있는 것이 바르게 짝 지어진 것을 고르시오. ( )

	지나	민수
①	테니스	배드민턴
②	배드민턴	배드민턴
③	테니스	테니스
④	배드민턴	탁구
⑤	탁구	테니스

시각을 묻고 답하는 표현 이해하기

12 대화를 듣고, 지금이 몇 시인지 고르시오. ( )

① 오전 7시 12분   ② 오전 7시 20분
③ 오후 7시   ④ 오후 7시 12분
⑤ 오후 7시 20분

음식을 권하고 답하는 표현 이해하기

13 다음을 듣고, 그림에 가장 어울리는 대화를 고르시오.
( )

① 🎧   ② 🎧   ③ 🎧   ④ 🎧   ⑤ 🎧

사물의 위치를 묻고 답하는 표현 이해하기

14 대화를 듣고, 남자아이의 가방이 있는 곳을 고르시오.
( )

① 침대 위   ② 침대 아래   ③ 책상 위
④ 책상 아래   ⑤ 의자 아래

제안하고 답하는 표현 이해하기

15 대화를 듣고, 두 사람이 할 일을 고르시오. ( )

① 자전거 타기   ② 교실 청소하기
③ 숙제하고 책 읽기   ④ 노래하고 춤추기
⑤ 영화 보며 팝콘 먹기

지금 하고 있는 것을 묻고 답하는 표현 이해하기

16 대화를 듣고, Jenny가 하고 있는 일을 고르시오. ( )

① 노래를 듣고 있다.
② 요리를 하고 있다.
③ 공부를 하고 있다.
④ 방 청소를 하고 있다.
⑤ 텔레비전을 보고 있다.

음식을 권하고 답하는 표현 이해하기

17 다음을 듣고, 이어질 대답으로 알맞은 것을 고르시오.
( )

① 🎧   ② 🎧   ③ 🎧   ④ 🎧   ⑤ 🎧

이제 듣기 문제가 모두 끝났습니다. 18번부터는 문제지의 지시에 따라 답하기 바랍니다.

운동 이름을 나타내는 낱말 읽고 의미 이해하기

18 그림을 보고, 알맞은 낱말을 고르시오. (   )

① tennis   ② soccer   ③ baseball
④ basketball   ⑤ badminton

요일을 나타내는 낱말 읽고 의미 이해하기

19 다음 빈칸에 알맞은 낱말을 고르시오. (   )

| Sunday | → | | → | Tuesday |

① Monday   ② Friday   ③ Saturday
④ Thursday   ⑤ Wednesday

사물을 나타내는 낱말 읽고 의미 이해하기

20 그림과 낱말이 바르게 짝 지어진 것을 고르시오. (   )

① sofa   ② bed   ③ chair
④ desk   ⑤ bag

물건의 가격을 나타내는 문장 읽고 의미 이해하기

21 다음을 읽고, 문장의 내용에 알맞은 것을 고르시오. (   )

This skirt is five dollars.

① $5   ② $4   ③ $5
④ $4   ⑤ $5

직업을 나타내는 문장 읽고 의미 이해하기

22 그림을 보고, 알맞은 문장을 고르시오. (   )

① He is a cook.   ② He is a pilot.
③ He is a doctor.   ④ He is a singer.
⑤ He is a teacher.

맛을 나타내는 낱말 완성하여 쓰기

23 그림을 보고, 빈칸에 알맞은 알파벳을 고르시오. (   )

deli_ious

① c   ② s   ③ d   ④ g   ⑤ j

감정을 나타내는 낱말 완성하여 쓰기

24 그림을 보고, 보기 의 알파벳을 사용하여 바르게 쓴 낱말을 고르시오. (   )

보기
a, g, n, r, y

① angry   ② anrgy   ③ agrny
④ agnry   ⑤ arngy

시간과 관련된 어구 완성하여 쓰기

25 그림을 보고, 그림을 설명하는 표현이 되도록 빈칸에 알맞은 낱말을 고르시오. (   )

time for _____

① bed   ② lunch   ③ dinner
④ school ⑤ breakfast

모의 평가 3회

출제 범위: 4학년 전 범위 | 문항 수: 25문항

정답과 해설 29쪽

[01~02] 다음 시를 읽고 물음에 답하시오.

텅 빈 운동장을
혼자 걸어 나오는데
운동장가에 있던 나무가
등을 구부리며
말타기놀이하잔다
얼른 올라타라고
등을 내민다

내가 올라타자
따그닥따그닥
달린다
학교 앞 문방구를 지나서
네거리를 지나서
우리 집을 지나서
달린다

달리고 또 달린다
차보다 빠르다
어, 어, 어,
구름 위를 달린다
비행기보다 빠르다
저 밑의 집들이
점점 작게 보인다

"성민아, 뭐 해?"

은찬이가 부르는 소리에
말은 그만
걸음을 뚝, 멈춘다

아깝다,
달나라까지도 갈 수 있었
는데

시에서 상상한 내용 파악하기

01 이 시에서 성민이가 상상 속에서 간 곳과 관련이 없는 장소는 어디입니까? ( )

① 네거리   ② 운동장   ③ 구름 위
④ 성민이네 집   ⑤ 학교 앞 문방구

생각이나 느낌을 표현하는 방법 알기

02 다음은 이 시를 읽고 자신의 생각이나 느낌을 어떤 방법으로 표현한 것입니까? ( )

등: 등 굽은 나무는
굽: 굽은 허리로 일하시는
은: 은빛 머리
나: 나의 할머니처럼
무: 무척 포근하다

① 노래 부르기
② 오행시 짓기
③ 몸으로 표현하기
④ 그림으로 표현하기
⑤ 인물이 되어 말하기

글의 내용을 간추리는 방법 알기

03 다음은 글의 내용을 간추리는 방법입니다. 빈칸에 알맞은 말을 보기에서 찾아 쓰시오.

보기
사건   전개   중심

(1) [   ] 문장을 연결해 글 전체의 내용을 간추린다.
(2) 이야기에서 일어난 중요한 [   ]을/를 중심으로 내용을 간추린다.
(3) 글의 [   ]에 따라 내용을 정리해 간추린다.

듣는 사람을 고려해 상황에 맞게 말하기

04 다음과 같은 내용은 누구에게 들려주기에 알맞겠습니까? ( )

사람들이 돈을 만든 까닭을 알고 있니? 물건과 물건을 바꾸어 쓰던 사람들이 불편해서 물건의 가격을 매길 수 있는 돈을 만들어 낸 거야. 처음 돈은 조개껍데기였대.

① 동생
② 선생님
③ 여러 사람 앞
④ 반 친구들 앞
⑤ 할머니, 할아버지

[05~06] 다음 글을 읽고 물음에 답하시오.

㉠지난 방학 때 나는 가족과 함께 독도를 다녀왔다. 평소에 독도에 관심이 많아 독도에 대한 책도 읽고 사진도 여러 장 찾아보았다. 그런데 마침 아버지께서 독도를 다녀오자고 하셨다. 책이나 인터넷에서만 보던 ㉡독도를 직접 가 보는 것이 좋겠다고 생각했다.

우리는 울릉도에 가서 다시 독도로 가는 배를 탔다. 배는 항구를 떠나 독도로 향했다. 우리는 바다를 바라보며 독도에 대한 이야기를 나누었다. 한참을 지나 드디어 독도에 도착했다. 배에서 내려 독도에 발을 내딛는 순간 이상하게 가슴이 떨렸다. 수많은 괭이갈매기가 우리를 반겨 주었다. ㉢독도에는 괭이갈매기뿐만 아니라 슴새, 바다제비 같은 텃새도 산다고 한다.

내용 이해하기

05 글쓴이가 평소에 독도에 대하여 알아본 방법이 아닌 것을 두 가지 고르시오. (,)

① 독도에 대한 책 읽기
② 인터넷에서 독도 검색하기
③ 독도에 대한 사진 찾아보기
④ 독도에 직접 가서 살펴보기
⑤ 반 친구들과 독도에 대한 이야기 나누기

사실과 의견 구별하기

06 ㉠~㉢을 사실과 의견으로 구별하고 알맞은 것끼리 선으로 이으시오.

(1) ㉠ •   • ㉮ 한 일
          • ① 사실 •
(2) ㉡ •   • ㉯ 들은 일
          • ② 의견 •
(3) ㉢ •   • ㉰ 생각이나 느낌

07 회의 주제에 알맞은 실천 내용 생각하기

다음 회의 주제에 알맞은 실천 내용이 <u>아닌</u> 것은 무엇입니까? ( )

> 회의 주제: 깨끗한 학교를 만들자.

① 일주일에 한 번씩 대청소를 하자.
② 각자 맡은 곳을 깨끗이 청소하자.
③ 아침 독서 시간에 조용히 독서를 하자.
④ 쓰레기를 종류별로 나누어 정해진 곳에 버리자.
⑤ 학교 곳곳에 깨끗한 학교 가꾸기 팻말을 붙이자.

[08~09] 다음 글을 읽고 물음에 답하시오.

> 화성은 중세 이전에도 하늘을 관측하던 과학자들에게 매우 중요한 천체였다. 화성은 밝게 빛나는 붉은 천체이기에 많은 사람이 관심을 가졌다. 1976년 미국의 바이킹 우주선이 화성에 착륙해 표면의 모습을 지구에 알려 주었다. 화성의 표면은 삭막하지만 군데군데 강줄기가 마른 것처럼 보이는 곳도 있었고, 북극에는 두꺼운 얼음처럼 하얗게 보이는 부분도 있었다.
> 그 뒤 1997년에 미국의 화성 탐사선 마스 글로벌 서베이어는 화성의 궤도에 진입해 화성 표면의 모습을 상세하게 사진으로 찍어 지구로 보내 주었다. 이 사진에는 높이 솟은 고원 지대도 있고, 길게 뻗은 좁은 협곡도 있었다. 또 태양계 행성 가운데 가장 거대한 화산 지형도 있었다. 같은 해에 마스 패스파인더는 화성 표면에 착륙해 강줄기처럼 보이는 부분에서 화성 암석을 조사했다. 그 결과, 화성에서 강물의 침식과 퇴적 작용이 있었음을 확인했다.

08 낱말의 뜻 알기

다음과 같은 뜻을 가진 낱말을 이 글에서 찾아 쓰시오.

> 육안이나 기계로 자연 현상, 특히 천체나 기상의 상태, 추이, 변화 따위를 관찰하여 측정하는 일.

( )

09 글에서 뜻을 잘 모르는 낱말 찾기

이 글에 나오는 낱말의 뜻으로 알맞지 <u>않은</u> 것은 무엇입니까? ( )

① 표면: 땅의 생긴 모양이나 형세.
② 천체: 우주에 존재하는 모든 물체.
③ 퇴적: 자갈, 모래 따위가 물, 바람에 의해 운반되어 쌓이는 현상.
④ 협곡: 단단한 암석이 수직에 가까운 절벽으로 깎여 형성된 좁고 깊은 계곡의 하나.
⑤ 궤도: 행성, 혜성, 인공위성 따위가 중력의 영향을 받아 다른 천체의 둘레를 돌면서 그리는 곡선의 길.

10 여러 가지 낱말의 뜻 찾기

다음과 같은 낱말의 뜻을 알아보기에 알맞은 사전은 무엇입니까? ( )

> 해거름, 가랑비, 갈무리, 너나들이, 모꼬지

① 속담 사전
② 문화재 사전
③ 순우리말 사전
④ 계절별 놀이 사전
⑤ 인터넷 용어 사전

11 문제 상황에 알맞은 제안 찾기

다음 글에서 밑줄 친 부분에 들어갈 제안으로 알맞지 <u>않은</u> 것을 두 가지 고르시오. (,)

> 물은 사람이 살아가는 데 매우 중요하다. 우리는 어디에서든지 물을 쉽게 구할 수 있다. 그러나 아프리카에서는 아이들이 깨끗한 물을 구하지 못해 어려움을 겪고 있다. 많은 아이가 더러운 물을 마셔 생명이 위험할 수 있다.
> 깨끗한 물을 마시지 못하는 아이들을 위해 _____

① 정수기를 보내자.
② 깨끗한 물을 보내자.
③ 신나는 율동을 가르치자.
④ 위로하는 글을 써서 보내자.
⑤ 이웃 돕기 모금 운동에 참여하자.

[12~13] 다음 글을 읽고 물음에 답하시오.

> 한글 [㉠]의 경우 발음 기관의 모양을 본떠 'ㄱ, ㄴ, ㅁ, ㅅ, ㅇ'의 기본 문자를 만들고, 이 기본 문자에 획을 더하거나 같은 문자를 하나 더 써서 'ㅋ, ㄲ'과 같은 [㉠]를 만들었다.

12 한글의 특성 이해하기

이 글에서 ㉠에 공통으로 들어갈 말로 알맞은 것은 무엇입니까? ( )

① 낱말
② 소리
③ 언어
④ 모음자
⑤ 자음자

13 한글의 제자 원리 이해하기

다음과 같은 방법으로 만들어진 한글 문자는 무엇입니까? ( )

> 'ㄴ'에 획을 두 번 더하여 만든다.

① ㄱ
② ㄷ
③ ㄸ
④ ㅂ
⑤ ㅌ

영화의 내용 짐작하기
14 영화를 감상하기 전에 어떤 내용이 펼쳐질지 짐작하는 방법으로 알맞지 <u>않은</u> 것은 무엇입니까? ( )

① 영화 제목을 살펴본다.
② 광고지의 내용을 살펴본다.
③ 영화의 상영 시간을 알아본다.
④ 영화의 예고편을 주의 깊게 본다.
⑤ 영화 속 등장인물이 누구인지 알아본다.

[15~16] 다음 글을 읽고 물음에 답하시오.

재환이는 새로운 동네로 이사를 왔습니다. 재환이는 이웃들에게 인사를 하기로 했습니다. 그래서 재환이가 사는 아파트 승강기 안에 편지를 붙였답니다.

안녕하세요? 저는 12층에 이사 온 열한 살 이재환입니다.
새로 만난 이웃들에게 인사를 드리고 싶어 편지를 씁니다. 저희 가족은 엄마, 아빠, 귀여운 동생 그리고 저, 이렇게 넷입니다. 저희는 아직 이사 온 지 얼마 되지 않아 다니는 길도, 사람들도 낯설기만 합니다. 그래도 저는 나무도 많고 놀이터가 있는 이곳이 마음에 듭니다. 앞으로 여러분과 좋은 이웃이 되고 싶습니다.

이재환 올림

편지를 쓴 까닭 알기
15 재환이가 승강기 안에 편지를 붙인 까닭으로 거리가 <u>먼</u> 것은 무엇입니까? ( )

① 자신의 소식을 알리려고
② 새로 이사 온 사실을 알리려고
③ 자신과 자신의 가족을 소개하려고
④ 새로 만난 이웃들에게 인사를 드리려고
⑤ 어려움을 겪은 이웃에게 도움을 주려고

글쓴이의 마음 파악하기
16 이 편지에서 드러나는 재환이의 마음으로 알맞은 것을 두 가지 고르시오. (,)

① 기쁜 마음   ② 억울한 마음
③ 서운한 마음   ④ 기대하는 마음
⑤ 부끄럽고 속상한 마음

예절을 지키며 대화하기
17 다음 대화에서 민수가 지켜야 할 대화 예절로 알맞은 것은 무엇입니까? ( )

민수: 알나리깔나리.
지윤: 너 그만해!
민수: 뭐? 너 혼나 볼래?
지윤: …….

① 거친 말을 하지 않는다.
② 대화 도중에 끼어들지 않는다.
③ 친구의 얼굴을 바라보며 말한다.
④ 친구 앞에서 귓속말을 하지 않는다.
⑤ 여러 사람 앞에서는 높임말로 말한다.

[18~19] 다음 글을 읽고 물음에 답하시오.

'떨어져라, 떨어져라, 떨어져라…….'
나도 모르게 마음속으로 빌고 있는데 갑자기 윤아가 앞으로 폭 고꾸라지지 뭐예요. 장난꾸러기 창훈이가 다른 아이들이랑 장난치며 뛰다가 윤아와 부딪친 거죠. 그 바람에 윤아 손등에 있던 공기 알이 와르르 떨어져 두 개는 책상 밑으로, 한 개는 우진이 다리 밑으로, 나머지 한 개는 사물함 밑으로 굴러 들어갔어요.
"김창훈! 너 때문에 죽었잖아!"
"김창훈! 너 때문에 내 공기 알이 사물함 밑으로 들어갔잖아!"
윤아는 공기 알을 못 잡은 게 억울해서, 나는 사물함 밑으로 굴러 들어간 내 공기 알이 걱정돼서 소리쳤어요. 우리 목소리에 놀랐는지 창훈이는 온몸을 움찔하더라고요. 그것도 잠시 뿐, 창훈이는 미안하다는 소리 대신 혀만 쏙 내밀고는 휙 도망가 버리는 거 있죠.
윤아와 나는 교실 바닥에 엎드려 사물함 밑을 들여다봤지만, 사물함 밑은 너무 깜깜해서 아무것도 보이지 않았어요.

이야기의 공간적 배경 알기
18 이 이야기에서 공간적 배경을 찾아 쓰시오.

( )

인물의 성격 파악하기
19 말이나 행동으로 보아 창훈이의 성격은 어떠한지 두 가지 고르시오. (,)

① 샘이 많다.   ② 장난스럽다.
③ 배려심이 없다.   ④ 조심성이 많다.
⑤ 다정하고 친절하다.

20 다음과 같은 짜임의 문장은 어느 것입니까? ( )

문장의 짜임 알기

누가 + 어찌하다

① 빈 수레가 요란하다.
② 가을 하늘이 높고 푸르다.
③ 빨갛게 익은 사과가 맛있다.
④ 내 친구 민지는 인내심이 강하다.
⑤ 목화 장수들은 사또에게 달려갔다.

[21~22] 다음 글을 읽고 물음에 답하시오.

선생님은 헬렌의 손을 잡고 펌프가로 데리고 갔습니다. 펌프로 물을 퍼 올리자 헬렌의 손바닥으로 시원한 물이 쏟아져 내렸습니다. 선생님은 헬렌의 손바닥에 처음에는 천천히, 나중에는 빨리 'w-a-t-e-r'라고 거듭 써 주었습니다. 그러자 헬렌의 얼굴이 환히 빛났습니다. 그러더니 선생님에게 'w-a-t-e-r'라고 여러 번 써 보여 주는 것이었습니다. 그 순간 헬렌은 자기 손에 쏟아지는 물을 나타내는 낱말이 'water'이고, 세상의 모든 것은 각각 이름을 가지고 있다는 것을 비로소 깨닫게 된 것입니다. 마침내 헬렌의 앞에 빛의 세계가 열렸습니다. 헬렌은 배우고 싶다는 뜨거운 마음이 생겼습니다. 헬렌은 아침에 일찍 일어나자마자 글자를 쓰기 시작해 하루 종일 글을 쓰고는 했습니다. 결국 헬렌은 글자를 통해 다른 사람에게 자기 생각을 전할 수 있게 되었습니다.

21 헬렌이 처음으로 낱말과 사물의 관계를 알았을 때 어떤 마음이 들었습니까? ( )

인물의 마음 파악하기

① 답답하고 서러운 마음
② 당황스럽고 두려운 마음
③ 친구를 만나고 싶은 마음
④ 배우고 싶다는 뜨거운 마음
⑤ 선생님으로부터 벗어나고 싶은 마음

22 헬렌은 어떻게 해서 다른 사람에게 자기 생각을 전할 수 있었습니까? ( )

인물이 한 일 알기

① 여러 학교를 옮겨 다니며 공부했다.
② 주변 사람들에게 크게 소리를 질렀다.
③ 선생님의 입 모양을 보고 똑같이 따라 했다.
④ 장애를 치료하기 위해 병원에 꾸준히 다녔다.
⑤ 아침에 일찍 일어나자마자 글자를 쓰기 시작해 하루 종일 글을 썼다.

23 독서 감상문을 쓸 책으로 알맞지 않은 것은 무엇입니까? ( )

독서 감상문을 쓸 책 고르기

① 새롭게 안 내용이 많은 책
② 반 친구들 모두가 읽은 책
③ 읽으면서 여러 가지 생각을 한 책
④ 이야기 속 인물의 행동에 감동을 받은 책
⑤ 그림과 내용이 조화를 이루어 인상 깊은 책

[24~25] 다음 글을 읽고 물음에 답하시오.

문화재를 ⓐ 해야 합니다. 문화재를 직접 관람하면 옛 조상이 살았던 때를 생생하게 느낄 수 있습니다. 저는 가족과 함께 고인돌 유적지를 보러 갔습니다. 거대한 고인돌이 생생하게 기억에 남았습니다. 누리집에서 고인돌에 대한 정보를 찾아보았고, 학교 도서관에서 고인돌에 대한 책을 빌려 읽기도 했습니다.

또 문화재를 ⓐ 해야만 문화재 훼손을 막을 수 있습니다. 20○○년 7월 ○○일 신문 기사를 보니 고궁 가운데 한 곳인 ○○궁에 곰팡이가 번식했다는 내용이 있었습니다. 장마인데 문을 닫고만 있어서 바람이 통하지 않아 곰팡이가 궁궐 안으로 퍼진 것입니다. 사람들이 드나들면서 바람이 통하게 하면 이와 같은 문제는 해결될 것입니다.

문화재를 ⓐ 하면 자신이 체험한 문화재를 보호하려고 노력하는 사람이 늘어날 것입니다. 어디에 있는지도 모르는 유물이 아니라 우리 곁에 있는 문화재가 되어야 합니다. 우리가 함께 가꾸고 보존해 나간다고 생각한 뒤에 힘을 모으면 '살아 있는' 문화재가 될 것입니다.

24 이 글에서 ⓐ에 공통으로 들어갈 낱말로 알맞은 것은 무엇입니까? ( )

글쓴이의 의견 파악하기

① 감상　　② 개발　　③ 개방
④ 관리　　⑤ 홍보

25 이 글을 읽고 글쓴이의 의견이 적절하다고 생각하는 까닭으로 알맞지 않은 것은 무엇입니까? ( )

글쓴이의 의견이 적절한지 평가하기

① 의견을 뒷받침하는 내용이 믿을 만하다.
② 의견이 문제를 해결하는 데 도움이 된다.
③ 의견을 뒷받침하는 내용이 모두 사실이다.
④ 의견을 뒷받침하는 내용의 출처가 믿을 만하다.
⑤ 의견을 선택했을 때 또 다른 문제 상황이 나타난다.

모의 평가 3회

출제 범위: 4학년 전 범위 문항 수: 25문항

점수

정답과 해설 30쪽

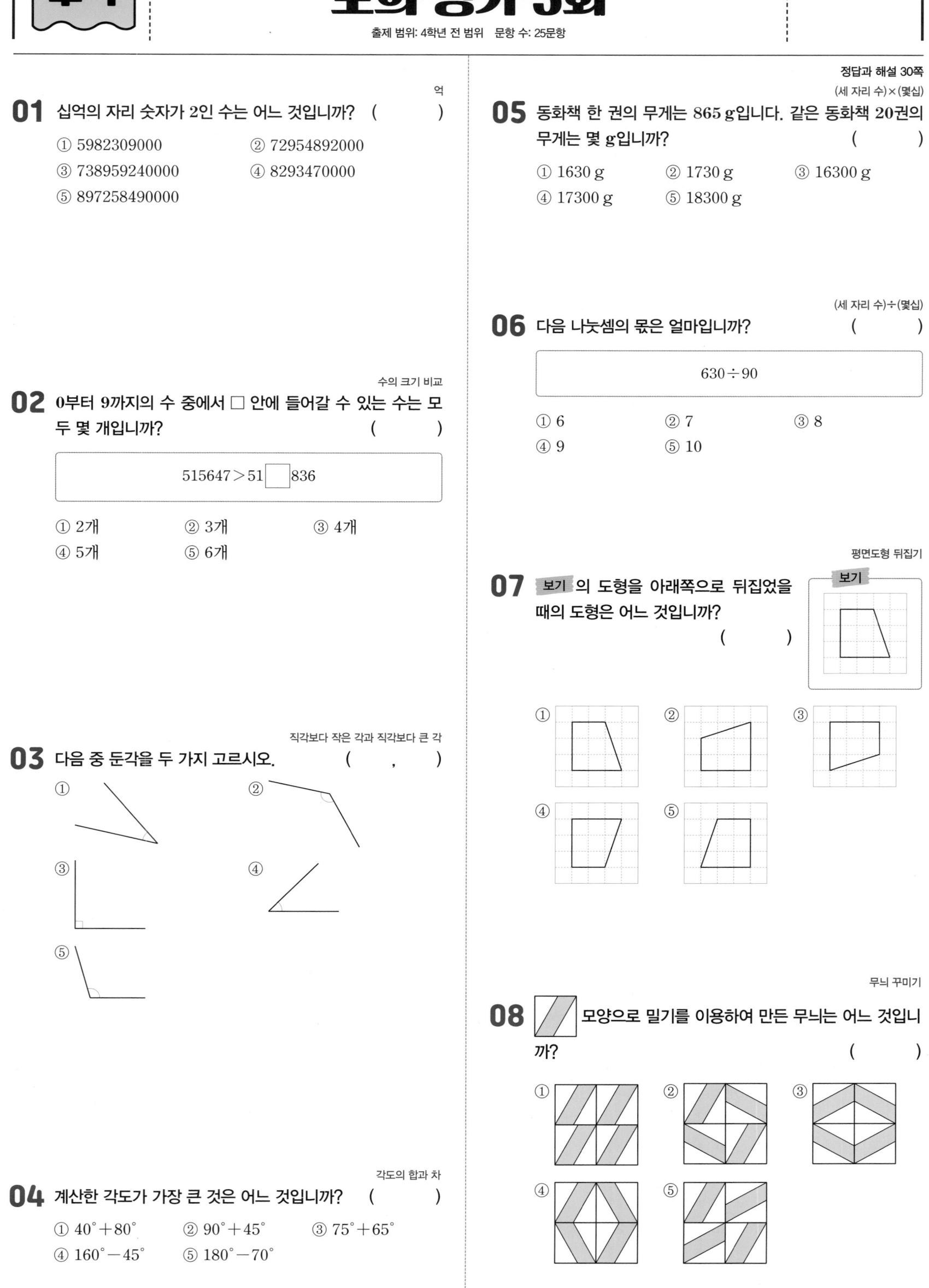

01 십억의 자리 숫자가 2인 수는 어느 것입니까? (   )

① 5982309000
② 72954892000
③ 738959240000
④ 8293470000
⑤ 897258490000

02 수의 크기 비교

0부터 9까지의 수 중에서 □ 안에 들어갈 수 있는 수는 모두 몇 개입니까? (   )

515647 > 51□836

① 2개
② 3개
③ 4개
④ 5개
⑤ 6개

03 직각보다 작은 각과 직각보다 큰 각

다음 중 둔각을 두 가지 고르시오. (,   )

① ② ③ ④ ⑤

04 각도의 합과 차

계산한 각도가 가장 큰 것은 어느 것입니까? (   )

① $40° + 80°$
② $90° + 45°$
③ $75° + 65°$
④ $160° - 45°$
⑤ $180° - 70°$

05 (세 자리 수)×(몇십)

동화책 한 권의 무게는 865 g입니다. 같은 동화책 20권의 무게는 몇 g입니까? (   )

① 1630 g
② 1730 g
③ 16300 g
④ 17300 g
⑤ 18300 g

06 (세 자리 수)÷(몇십)

다음 나눗셈의 몫은 얼마입니까? (   )

$630 ÷ 90$

① 6
② 7
③ 8
④ 9
⑤ 10

07 평면도형 뒤집기

보기 의 도형을 아래쪽으로 뒤집었을 때의 도형은 어느 것입니까?

보기

(   )

① ② ③
④ ⑤

08 무늬 꾸미기

▨ 모양으로 밀기를 이용하여 만든 무늬는 어느 것입니까?

(   )

① ② ③
④ ⑤

[09~10] 소현이네 마을의 요일별 수돗물 사용량을 조사하여 나타낸 막대그래프입니다. 물음에 답하시오.

요일별 수돗물 사용량

09 수돗물의 사용량이 14 t인 요일은 언제입니까? (   )

막대그래프

① 월요일   ② 화요일   ③ 수요일
④ 목요일   ⑤ 금요일

10 수돗물의 사용량이 같은 요일은 언제와 언제입니까?

막대그래프에서 알 수 있는 내용

(   )

① 월요일과 화요일   ② 월요일과 목요일
③ 화요일과 목요일   ④ 화요일과 금요일
⑤ 수요일과 금요일

11 수의 배열에서 규칙에 따라 빈칸에 알맞은 수를 구해 보시오.

수의 배열에서 규칙 찾기

| 4 | 8 | 16 | | 64 |

(   )

12 다음은 달력입니다. 조건을 모두 만족하는 수는 어느 것입니까? (   )

규칙적인 계산식 찾기

일	월	화	수	목	금	토
	1	2	3	4	5	6
7	8	9	10	11	12	13
14	15	16	17	18	19	20
21	22	23	24	25	26	27
28	29	30	31			

• ✛ 안에 있는 수 중의 하나이다.

• ✛ 안에 있는 5개의 수의 합을 5로 나눈 몫과 같다.

① 9   ② 15   ③ 16
④ 17   ⑤ 23

13 ☐ 안에 알맞은 수는 어느 것입니까? (   )

분모가 같은 진분수의 덧셈

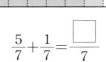

$$\frac{5}{7} + \frac{1}{7} = \frac{\square}{7}$$

① 2   ② 3   ③ 4
④ 5   ⑤ 6

14 다음이 나타내는 수는 어느 것입니까? (   )

분모가 같은 대분수의 뺄셈

$$4\frac{7}{10} \text{보다 } 2\frac{4}{10} \text{만큼 더 작은 수}$$

① $1\frac{3}{10}$ ② $1\frac{7}{10}$ ③ $2\frac{3}{10}$
④ $2\frac{7}{10}$ ⑤ $3\frac{3}{10}$

15 정삼각형을 찾아 기호를 쓰시오.

삼각형을 변의 길이에 따라 분류하기

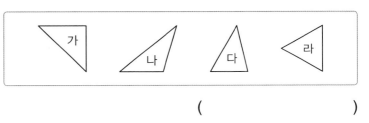

(   )

16 다음 도형은 이등변삼각형입니다. ☐ 안에 알맞은 수는 어느 것입니까? (   )

이등변삼각형의 성질

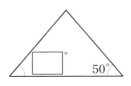

① 40   ② 50   ③ 60
④ 70   ⑤ 80

17 다음을 만족하는 소수를 쓰시오.   소수 세 자리 수

- 소수 세 자리 수이다.
- 5보다 크고 6보다 작다.
- 소수 첫째 자리 숫자는 2이다.
- 소수 둘째 자리 숫자는 0이다.
- 소수 셋째 자리 숫자는 9이다.

(   )

18 1.45＋2.25는 얼마입니까? 소수 두 자리 수의 덧셈
(   )

① 3.4   ② 3.5   ③ 3.65
④ 3.7   ⑤ 3.75

19 사과는 귤보다 몇 kg 더 무겁습니까? 소수 두 자리 수의 뺄셈
(   )

0.48 kg   0.21 kg

① 0.21 kg   ② 0.23 kg   ③ 0.25 kg
④ 0.27 kg   ⑤ 0.29 kg

20 도형에서 변 ㄴㄷ과 수직인 변을 모두 찾아 쓰시오. 수직

(   )

21 마름모를 모두 찾아 기호를 쓴 것은 어느 것입니까? 마름모
(   )

가 나 다

라 마

① 나, 라   ② 나, 마   ③ 나, 다, 마
④ 나, 라, 마   ⑤ 다, 라, 마

[22~23] 양초에 불을 붙이고 2분마다 양초의 길이를 재어 나타 낸 꺾은선그래프입니다. 물음에 답하시오.

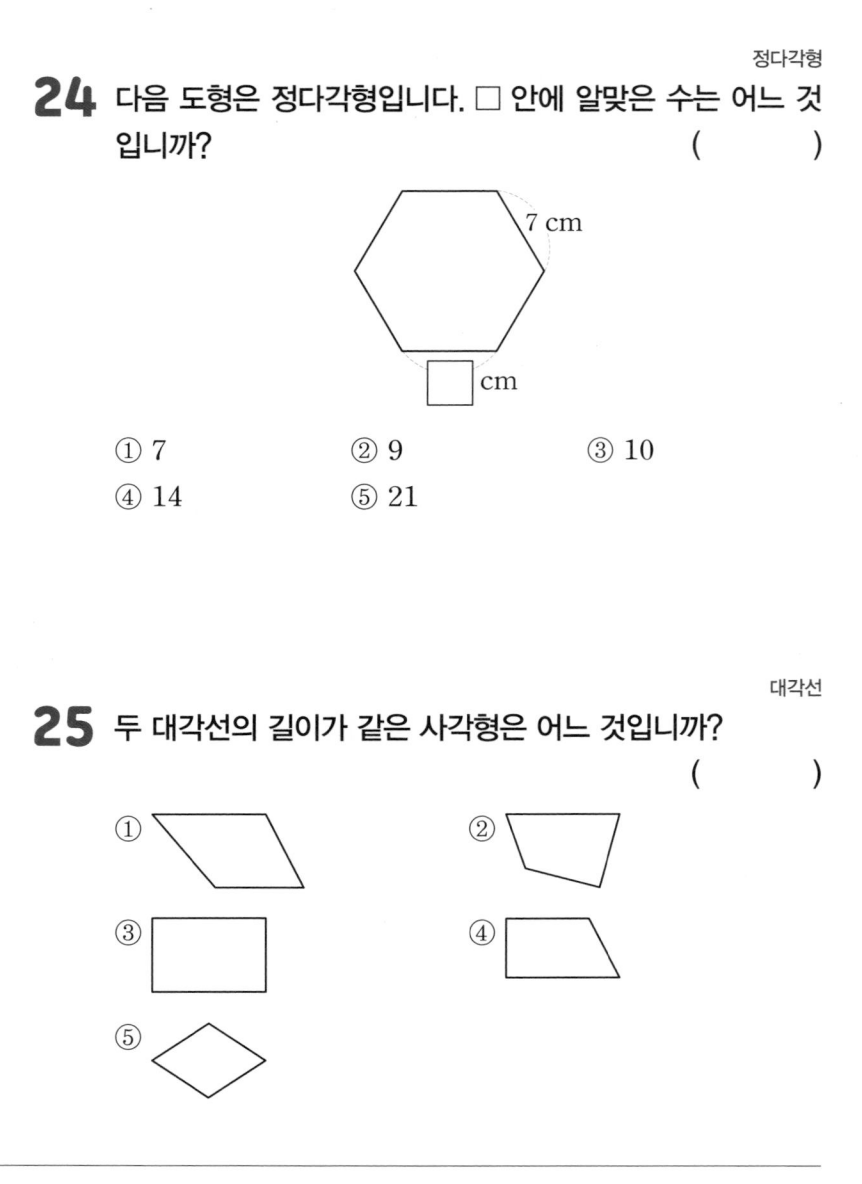

양초의 길이

22 세로 눈금 한 칸의 크기는 몇 mm입니까? 꺾은선그래프
(   )

① 1 mm   ② 2 mm   ③ 3 mm
④ 4 mm   ⑤ 5 mm

23 불을 붙이고 4분 후 양초의 길이는 몇 mm입니까? 꺾은선그래프에서 알 수 있는 내용
(   )

① 34 mm   ② 30 mm   ③ 28 mm
④ 22 mm   ⑤ 20 mm

24 다음 도형은 정다각형입니다. □ 안에 알맞은 수는 어느 것입니까? 정다각형
(   )

7 cm

□ cm

① 7   ② 9   ③ 10
④ 14   ⑤ 21

25 두 대각선의 길이가 같은 사각형은 어느 것입니까? 대각선
(   )

①   ②

③   ④

⑤

사회

모의 평가 3회

출제 범위: 4학년 전 범위   문항 수: 25문항

점수

01 항공 사진과 지도에 대한 설명으로 알맞은 것은 무엇입니까? (　　)

항공 사진과 지도 비교하기

① 항공 사진은 장소의 이름을 알아보기가 쉽다.
② 항공 사진은 일정한 약속에 따라 그려져 있다.
③ 지도는 땅 위의 실제 모습 그대로 나타나 있다.
④ 지도는 그리는 사람의 생각대로 자유롭게 그려져 있다.
⑤ 항공 사진과 지도 모두 하늘에서 내려다본 땅 위의 모습이다.

02 지도에서 ㉠~㉤에 해당하는 것이 바르게 짝 지어진 것은 무엇입니까? (　　)

지도에서 기호와 범례 읽기

① ㉠ – 학교
② ㉡ – 우체국
③ ㉢ – 논
④ ㉣ – 밭
⑤ ㉤ – 병원

03 다음 그림과 같은 조사 방법을 무엇이라고 하는지 쓰시오.

중심지를 조사하는 방법 알기

(　　)

04 다음 그림과 관계있는 문화유산 조사 방법으로 알맞은 것은 무엇입니까? (　　)

문화유산 조사 방법 파악하기

① 면담하기
② 기록물 찾아보기
③ 백과사전 찾아보기
④ 인터넷으로 조사하기
⑤ 현장 학습으로 조사하기

05 다음 중 중심지에서 볼 수 있는 모습이 아닌 것은 무엇입니까? (　　)

중심지의 모습 알기

① 　②

③ 　④

⑤

06 문화유산 답사 계획서를 작성할 때 들어갈 내용으로 알맞지 않은 것은 어느 것입니까? (　　)

우리 지역의 문화유산 조사 계획 세우기

① 준비물
② 답사 목적
③ 역할 나누기
④ 조사할 내용
⑤ 답사로 알게 된 점

07 역사적 인물에 대한 설명으로 알맞은 것을 두 가지 고르시오. (　　,　　)

우리 지역의 역사적 인물 알기

① 역사적 인물은 지역에 다양한 영향을 미쳤다.
② 역사적 인물은 옛날 사람이므로 알 필요가 없다.
③ 역사적 인물의 삶 속에서 우리 지역의 역사를 알 수 있다.
④ 인터넷이나 위인전을 활용해 역사적 인물을 조사할 수 없다.
⑤ 우리 지역에서 태어난 사람만이 우리 지역의 역사적 인물이다.

08 다음 그림과 같이 역사적 인물을 조사하기 위해 방문해야 할 장소는 어디입니까? (　　)

우리 지역의 역사적 인물 조사 방법 알기

우리 모둠은 위인전으로 조사하기로 했어.

위인전을 읽고, 우리가 알고 싶은 내용을 찾아보자.

① 시청
② 도서관
③ 박물관
④ 경찰서
⑤ 컴퓨터실

공공 기관의 역할 알기

09 다음과 같은 일을 하는 공공 기관은 어디입니까? (　　　　)

> • 주민이 요청하는 일을 처리하고, 각종 서류를 발급한다.
> • 형편이 어려운 주민을 찾아서 돈이나 물건을 지원한다.

① 교육청　　　② 보건소　　　③ 소방서
④ 우체국　　　⑤ 행정 복지 센터

공공 기관 견학할 때 주의할 점 알기

10 공공 기관을 견학할 때 주의할 점으로 알맞지 **않은** 것은 무엇입니까? (　　　　)

① 준비물을 잘 챙긴다.
② 시간 약속을 잘 지킨다.
③ 허락을 구하고 사진을 찍는다.
④ 설명을 들을 때는 떠들지 않는다.
⑤ 공공 기관 시설과 물건을 만져본다.

우리 지역의 문제 알기

11 다음 그림에 나타난 지역 문제는 무엇인지 쓰시오.

(　　　　　　)

지역 문제와 주민 참여 이해하기

12 지역 문제와 주민 참여에 대한 설명으로 알맞은 것은 무엇입니까? (　　　　)

① 지역 일은 공공 기관에 믿고 맡겨 두어야 한다.
② 시민 단체는 일부 사람의 이익을 위해 활동한다.
③ 지역 문제는 어린이와는 상관없는 어른의 문제이다.
④ 지역 문제를 해결하려면 일시적인 관심이 필요하다.
⑤ 지역 주민이 지역 문제 해결에 참여하는 것을 주민 참여라고 한다.

촌락의 종류와 특징 알기

13 다음과 같은 촌락에서 볼 수 있는 모습을 바르게 말한 친구는 누구입니까? (　　　　)

① 가영: 갯벌에서 조개를 잡아요.
② 나영: 과수원에서 과일을 길러요.
③ 다영: 바다에서 잡은 물고기를 판매해요.
④ 라영: 기계를 이용하여 벼농사를 지어요.
⑤ 마영: 넓은 초원에서 소나 양을 풀어놓고 길러요.

도시의 특징 알기

14 보기 에서 도시의 특징으로 바른 것을 두 가지 골라 기호를 쓰시오.

> **보기**
> ㉠ 논과 밭이 많다.
> ㉡ 사람들이 모여 사는 아파트가 많다.
> ㉢ 박물관, 미술관 등 문화 시설이 적다.
> ㉣ 버스, 지하철 등 교통수단이 발달했다.

(　　　,　　　)

우리나라의 도시 알기

15 행정의 중심지로 새롭게 계획하여 만든 도시는 어디입니까? (　　　　)

① 서울특별시　　　② 대전광역시
③ 부산광역시　　　④ 세종특별자치시
⑤ 전라남도 여수시

도시의 문제 알기

16 다음 그림을 통해 알 수 있는 도시 문제는 무엇입니까? (　　　　)

① 교통 문제　　　② 주택 문제
③ 환경 문제　　　④ 일손 부족 문제
⑤ 소득 감소 문제

촌락과 도시가 도움을 주고받는 모습 알기

17 다음과 같은 장터가 촌락 사람들에게 좋은 점으로 알맞은 것은 무엇입니까? (　　　　)

① 값싸고 질 좋은 농산물을 살 수 있다.
② 다양한 시설과 공공 기관을 이용할 수 있다.
③ 지역의 특산물을 판매하여 소득을 얻을 수 있다.
④ 깨끗한 자연환경에서 여가 생활을 누릴 수 있다.
⑤ 상점, 숙박 시설을 이용하여 촌락의 경제에 도움을 줄 수 있다.

도시 사람들이 촌락에 가는 까닭 알기

18 다음 중 도시 사람들이 촌락에 가는 까닭이 <u>아닌</u> 것을 두 가지 고르시오. (,)

①
▲ 농사 체험

②
▲ 문화 시설 이용

③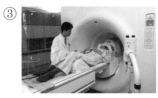
▲ 의료 시설 이용

④
▲ 지역 축제 참여

⑤
▲ 깨끗한 자연환경 체험

다양한 생산 활동 알기

19 다음 중 생활을 편리하고 즐겁게 해 주는 생산 활동은 무엇입니까? ( )

① 건물 짓기　　　　② 소 기르기
③ 빵 만들기　　　　④ 물고기 잡기
⑤ 물건 배달하기

여러 종류의 생산 활동 과정 알기

20 과일 주스가 우리 손에 오기까지를 차례대로 기호를 늘어놓으시오.

⑦ 공장에서 재료와 기계를 이용해 과일 주스를 만든다.
⑭ 자연을 이용해 주스를 만들 때 필요한 과일을 기른다.
⑮ 시장에서 과일 주스가 필요한 사람에게 과일 주스를 판다.
⑯ 운송 수단을 이용해 공장에서 만든 과일 주스를 옮겨 나른다.

( ) → ( ) → ( ) → ( )

경제 교류가 필요한 까닭 알기

21 다음 중 경제 교류를 하면 좋은 점으로 볼 수 <u>없는</u> 것은 무엇입니까? ( )

① 지역끼리 교류해서 더 많은 이익을 얻을 수 있다.
② 우리 지역에 없는 것을 이용할 수 있어 편리하다.
③ 지역을 찾는 사람들이 많아져서 지역이 발전한다.
④ 모든 지역의 자연환경, 기술, 자원 등이 같아진다.
⑤ 지역끼리 교류하며 서로 돕고 좋은 관계를 맺는다.

저출산의 대처 방안 알기

22 저출산에 대비하기 위한 방안으로 알맞은 것은 무엇입니까? ( )

① 보육 시설을 늘린다.
② 노인 돌봄 서비스를 제공한다.
③ 노인들에게 일자리를 제공한다.
④ 노인들에게 기초 연금을 지원한다.
⑤ 자신의 노후 생활을 미리 준비한다.

정보화 사회의 문제에 대한 대처 방안 알기

23 다음과 같은 정보화 사회의 문제점을 해결할 수 있는 대처 방안으로 알맞은 것은 무엇입니까? ( )

① 악성 댓글을 달지 않는다.
② 온라인 비밀번호를 자주 바꾼다.
③ 스마트폰의 사용 시간을 정한다.
④ 내 정보가 유출되지 않도록 관리한다.
⑤ 올바른 저작권 문화를 만들기 위해 교육을 한다.

사회 변화로 나타난 일상생활의 모습 알기

24 다음 모습과 관계있는 사회 변화는 무엇인지 쓰시오.

• 외국 물건을 쉽게 살 수 있다.
• 외국인이 모여 사는 마을이 많아졌다.
• 다른 나라에서 온 학생들과 공부할 기회가 늘어났다.

( )

다른 문화를 존중하는 방법 알기

25 다른 문화를 존중하는 방법을 바르게 말한 친구를 보기 에서 모두 골라 기호를 쓰시오.

보기
㉠ 민아: 다른 문화를 함부로 평가하지 말아야 해.
㉡ 현우: 우리 입장에서 다른 문화를 이해하려고 노력해야 해.
㉢ 경민: 우리와 다른 문화도 우리 문화처럼 소중하게 생각해야 해.
㉣ 지수: 다른 문화를 존중하려면 우리가 가지고 있는 편견과 차별부터 없애야 해.

(, ,)

모의 평가 3회

출제 범위: 4학년 전 범위   문항 수: 25문항

점수

정답과 해설 32쪽

과학적인 측정 방법 알아보기

01 눈금실린더의 사용 방법에 대한 설명으로 옳은 것은 무엇입니까?   (   )

① 눈금실린더를 편평한 곳에 놓는다.
② 눈금실린더를 똑바로 세우고 물을 붓는다.
③ 측정하고자 하는 고체 물질을 눈금실린더에 넣는다.
④ 측정하려는 양보다 약간 작은 눈금실린더를 사용한다.
⑤ 눈금을 읽을 때에는 물의 높이가 가장 높은 부분의 숫자를 읽는다.

여러 가지 지층의 공통점 알아보기

02 다음 지층의 공통점을 보기 에서 골라 기호를 쓰시오.

보기
㉠ 줄무늬가 보인다.
㉡ 두꺼운 층만 있다.
㉢ 지층이 구부러져 있다.
㉣ 한 개의 층으로 되어 있다.

(   )

화석의 특징 알아보기

03 화석에 대한 설명으로 옳은 것은 무엇입니까?   (   )

① 동물의 알은 화석이 될 수 없다.
② 동물이 죽으면 모두 화석이 된다.
③ 옛날에 살았던 생물은 모두 화석으로 남아 있다.
④ 화석으로 볼 수 있는 식물은 현재에 모두 살고 있다.
⑤ 현재 살고 있는 생물의 모습과 비교하여 동물 화석과 식물 화석으로 구분할 수 있다.

화석 모형과 실제 화석 비교하기

04 다음 화석 모형과 실제 화석의 공통점으로 옳은 것은 무엇입니까?   (   )

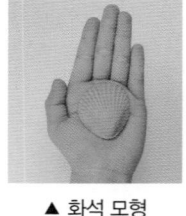

▲ 화석 모형   ▲ 실제 화석

① 모양과 무늬   ② 단단한 정도
③ 만들어지는 장소   ④ 만들어지는 데 걸린 시간
⑤ 만들어지는 데 필요한 재료

여러 가지 씨 관찰하기

05 다음은 어떤 씨에 대한 설명입니까?   (   )

• 갈색이다.
• 강낭콩보다 작다.
• 둥글고 길쭉하며 한쪽은 모가 나 있다.

① 호두   ② 참외씨
③ 사과씨   ④ 채송화씨
⑤ 봉숭아씨

식물이 자라는 데 필요한 조건 알아보기

06 식물이 자라는 데 물이 미치는 영향을 알아보는 실험을 할 때 실험 조건으로 옳은 것은 무엇입니까?   (   )

① 모든 조건을 같게 한다.
② 물 조건만 다르게 한다.
③ 물, 빛 조건을 같게 한다.
④ 모든 조건을 다르게 한다.
⑤ 물, 온도 조건만 다르게 한다.

한해살이 식물과 여러해살이 식물의 공통점 알아보기

07 한해살이 식물과 여러해살이 식물의 공통점을 두 가지 고르시오.   (,   )

① 씨가 싹 터서 자란다.
② 열매를 맺어 번식한다.
③ 한살이 기간이 일 년이다.
④ 꽃을 피우지 않고 열매를 맺는다.
⑤ 여러 해를 살면서 열매 맺는 것을 반복한다.

물체의 무게와 늘어난 용수철 사이의 관계 알아보기

08 다음은 용수철에 20 g중 추의 개수를 다르게 하면서 걸었을 때 늘어난 용수철의 길이를 나타낸 것입니다. 이 실험 결과를 통해 알 수 있는 사실로 옳은 것은 무엇입니까?

(   )

추의 무게(g중)	0	20	40	60	80
늘어난 용수철의 길이(cm)	0	3	6	9	12

① 추를 한 개 매달았을 때에는 용수철이 늘어나지 않았다.
② 추의 무게가 20 g중씩 늘어날 때마다 용수철의 길이는 3 cm씩 늘어난다.
③ 용수철에 걸어 놓은 추의 무게가 가벼울수록 용수철의 길이가 많이 늘어난다.
④ 용수철에 걸어 놓은 추의 무게가 100 g중일 때 늘어난 용수철의 길이를 예상할 수 없다.
⑤ 용수철에 걸어 놓은 추의 무게가 일정하게 늘어나면 용수철의 길이는 일정하게 줄어든다.

수평 잡기로 물체의 무게 비교하기

09 다음은 진우와 민지가 시소에 앉은 모습입니다. 시소의 수평을 잡는 방법으로 옳은 것을 보기 에서 골라 기호를 쓰시오.

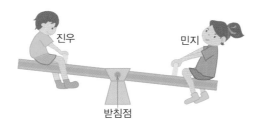

보기
㉠ 진우가 받침점에서 먼 쪽에 앉는다.
㉡ 민지가 받침점에서 먼 쪽에 앉는다.
㉢ 진우와 민지가 자리를 바꾸어서 앉는다.

( )

양팔저울로 물체의 무게 비교하기

10 다음과 같이 양팔저울을 이용해서 가위, 지우개, 풀의 무게를 비교해 보았습니다. 무거운 순서대로 옳게 나열한 것은 무엇입니까? ( )

① 풀 > 가위 > 지우개
② 풀 > 지우개 > 가위
③ 가위 > 풀 > 지우개
④ 가위 > 지우개 > 풀
⑤ 지우개 > 풀 > 가위

혼합물의 특징 알아보기

11 다양한 종류의 구슬로 팔찌를 만들 때, 팔찌를 만들기 전과 비교하여 만든 후의 구슬에 대한 설명으로 옳은 것은 무엇입니까? ( )

① 구슬의 모양이 변한다.
② 구슬의 크기가 작아진다.
③ 구슬의 모양과 색깔이 변하지 않는다.
④ 구슬의 모양은 변하지 않지만 색깔은 변한다.
⑤ 구슬의 색깔은 변하지 않지만 모양은 변한다.

자석을 이용하여 혼합물 분리하기

12 철 캔과 알루미늄 캔이 섞여 있는 혼합물을 분리할 때 이용하는 성질로 옳은 것은 무엇입니까? ( )

① 철이 자석에 붙는 성질
② 알루미늄이 자석에 붙는 성질
③ 캔의 바닥이 움푹 들어간 성질
④ 알루미늄이 물에 가라앉는 성질
⑤ 철은 무겁고 알루미늄은 가벼운 성질

소금과 모래의 혼합물 분리하기

13 소금과 모래의 혼합물을 다음과 같이 거름 장치로 거를 때 거름종이에 남아 있는 물질은 무엇인지 쓰시오.

( )

식물의 잎 분류하기

14 식물의 잎을 분류하는 기준으로 알맞지 <u>않은</u> 것은 무엇입니까? ( )

① 잎이 화려한가?
② 잎맥이 나란한가?
③ 잎의 끝이 뾰족한가?
④ 잎의 개수가 한 개인가?
⑤ 잎의 전체적인 모양이 좁은가?

강이나 연못에서 사는 식물의 특징 알아보기

15 강이나 연못에서 사는 식물 중 물속에 잠겨서 사는 식물에 대한 설명으로 옳지 <u>않은</u> 것을 두 가지 고르시오.
(,)

① 공기주머니가 있다.
② 뿌리는 땅속에 있다.
③ 키가 크고 줄기가 튼튼하다.
④ 대부분 잎이 가늘고 긴 모양이다.
⑤ 줄기가 물의 흐름에 따라 잘 휘어진다.

우리 생활에서 식물의 특징을 활용한 예 알아보기

16 우리 생활에서 식물의 특징을 활용한 예에 대한 설명으로 옳은 것은 무엇입니까? ( )

① 허브를 활용해 옷을 염색하였다.
② 식물은 음식과 약으로만 활용된다.
③ 민들레 열매의 특징을 활용해 헬리콥터를 만들었다.
④ 도꼬마리 잎의 생김새를 활용해 가시철조망을 만들었다.
⑤ 연꽃잎의 특징을 활용해 물이 스며들지 않는 옷을 만들었다.

17 우리 생활에서 물이 얼 때 나타나는 부피 변화의 예가 <u>아닌</u> 것은 무엇입니까? （　　　）

① 한겨울에 수도관에 설치된 계량기가 터진다.
② 냉동실에 넣어 둔 요구르트병이 팽팽해진다.
③ 겨울에 장독에 넣어 둔 물이 얼어 장독이 깨진다.
④ 페트병에 물을 가득 넣어 얼리면 페트병이 커진다.
⑤ 얼음 틀 위로 튀어나와 있던 얼음이 녹으면 물의 높이가 낮아진다.

물이 얼 때의 무게와 부피 변화 알아보기

18 물의 증발과 끓음을 옳게 설명한 친구의 이름을 쓰시오.

증발과 끓음 알아보기

- 경일: 끓음은 물 표면에서만 물의 상태가 변해.
- 인경: 증발할 때보다 끓을 때 물의 양이 천천히 줄어들어.
- 석주: 증발할 때와 끓을 때 둘 다 물이 수증기로 상태가 변해.

（　　　　　　）

19 오른쪽과 같이 음식을 찌는 것은 물의 어떤 상태 변화를 이용한 것입니까? （　　　）

물의 상태 변화의 이용 알아보기

① 얼음 → 물
② 물 → 얼음
③ 물 → 수증기
④ 수증기 → 물
⑤ 수증기 → 얼음

20 그림자의 크기를 작게 만드는 방법을 다음 보기 에서 두 가지 골라 기호를 쓰시오.

그림자의 크기를 변화시키는 방법 알아보기

보기
ㄱ 물체와 스크린은 그대로 두고 손전등을 물체에서 멀게 한다.
ㄴ 물체와 스크린은 그대로 두고 손전등을 물체에 가깝게 한다.
ㄷ 손전등과 스크린은 그대로 두고 물체를 손전등에서 멀게 한다.
ㄹ 손전등과 스크린은 그대로 두고 물체를 손전등에 가깝게 한다.

（　　　，　　　）

21 거울의 쓰임새로 옳지 <u>않은</u> 것은 무엇입니까? （　　　）

거울을 이용한 예 알아보기

① 세면대 거울은 세수할 때 얼굴을 본다.
② 미용실 거울로 자신의 머리 모양을 본다.
③ 승강기 안 거울로 자신의 옷과 얼굴을 본다.
④ 무용실 거울로 무용하는 자신의 모습을 본다.
⑤ 현관 앞 전신 거울은 현관이 좁아 보이게 한다.

22 다음 현무암과 화강암의 공통점으로 옳은 것은 무엇입니까? （　　　）

현무암과 화강암의 특징 알아보기

▲ 현무암　　　▲ 화강암

① 밝은색이다.
② 표면이 매끈하다.
③ 땅속 깊은 곳에서 만들어진다.
④ 마그마의 활동으로 만들어진 화성암이다.
⑤ 알갱이의 크기가 작고, 반짝이는 알갱이가 보인다.

23 지진이 발생했을 때 대처하는 방법으로 옳은 것을 두 가지 고르시오. （　　　，　　　）

지진이 발생했을 때의 대처 방법 알아보기

① 가스 불을 켜 두고 집 밖으로 대피한다.
② 건물 안에 있을 때에는 무거운 물건 가까이 있는다.
③ 공공 장소에서는 흔들릴 때 빨리 건물 밖으로 나온다.
④ 교실 안에서는 책상 아래로 들어가 책상 다리를 꼭 잡는다.
⑤ 건물 밖에서는 떨어지는 간판이나 유리창으로부터 머리를 보호한다.

24 다음과 같이 얼음 여러 개를 투명한 플라스틱 컵에 넣고 지퍼 백에 담아 지퍼를 닫은 뒤 햇볕이 잘 드는 창문에 매달아 놓았습니다. 지퍼 백을 창문에 매달기 전 무게가 94.0 g일 때, 3일 후 지퍼 백의 무게로 옳은 것은 무엇입니까? （　　　）

물의 순환 알아보기

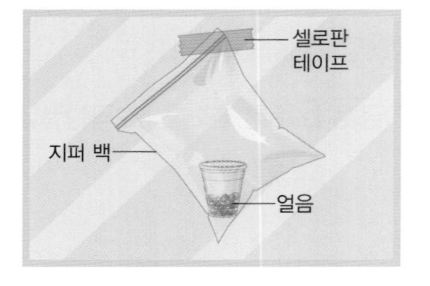
셀로판 테이프
지퍼 백
얼음

① 93.5 g　　② 94.0 g　　③ 94.5 g
④ 95.0 g　　⑤ 95.5 g

25 오른쪽은 관광 자원으로 이용되는 지형의 모습입니다. 이와 관련된 물이 하는 일은 무엇입니까? （　　　）

물의 이용 알아보기

① 전기를 만든다.
② 주위의 온도를 낮춰 준다.
③ 지표면의 모양을 변화시킨다.
④ 공장에서 물건을 만들게 한다.
⑤ 동물의 몸에서 노폐물을 내보낸다.

모의 평가 3회

출제 범위: 4학년 전 범위 문항 수: 25문항

점수

정답과 해설 33쪽

1번부터 17번까지는 듣고 답하는 문제입니다. 녹음 내용을 잘 듣고, 물음에 답하기 바랍니다. 내용은 한 번만 들려줍니다.

인사하는 표현 이해하기

01 다음을 듣고, 그림에 가장 어울리는 대화를 고르시오. (   )

① ∩ ② ∩ ③ ∩ ④ ∩ ⑤ ∩

안부를 묻고 답하는 표현 이해하기

02 다음을 듣고, 대답의 의미가 나머지 넷과 <u>다른</u> 것을 고르시오. (   )

① ∩ ② ∩ ③ ∩ ④ ∩ ⑤ ∩

시각을 묻고 답하는 표현 이해하기

03 다음을 듣고, 이어질 대답으로 알맞은 것을 고르시오. (   )

① It's nine forty.
② It's Wednesday.
③ It's not my watch.
④ It's sunny and windy.
⑤ It's ten thousand won.

요일을 묻고 답하는 표현 이해하기

04 대화를 듣고, 오늘이 무슨 요일인지 고르시오. (   )
① 화요일   ② 수요일   ③ 목요일
④ 금요일   ⑤ 토요일

감정을 묻고 답하는 표현 이해하기

05 다음을 듣고, 그림에 알맞은 대답을 고르시오. (   )

① Yes, I am. I'm hungry.
② Yes, I am. I'm tired.
③ No, I'm not. I'm tired.
④ No, I'm not. I'm angry.
⑤ No, I'm not. I'm hungry.

가격을 묻고 답하는 표현 이해하기

06 다음을 듣고, 그림의 내용과 일치하지 <u>않는</u> 대화를 고르시오. (   )

① [$5] ② [$10]   [$5]

④  [$10] ⑤ [$5]

지금 하고 있는 것을 묻고 답하는 표현 이해하기

07 대화를 듣고, 남자가 하고 있는 것을 고르시오. (   )
① 아침을 먹고 있다.   ② 농구를 하고 있다.
③ 설거지를 하고 있다.   ④ 자전거를 타고 있다.
⑤ 책상을 정리하고 있다.

도움을 요청하고 답하는 표현 이해하기

08 대화를 듣고, 남자아이가 여자아이를 도와줄 수 <u>없는</u> 이유를 고르시오. (   )
① 아파서   ② 피곤해서
③ 집에 가야 해서   ④ 다른 약속이 있어서
⑤ 다른 친구를 도와줘야 해서

물건의 주인인지 묻고 답하는 표현 이해하기

09 대화를 듣고, 진희의 물건을 고르시오. (   )
① 자   ② 공책   ③ 안경   ④ 지우개   ⑤ 손목 시계

할 수 있는 것을 묻고 답하는 표현 이해하기

10 대화를 듣고, 민준이가 할 수 있는 것을 고르시오. (   )

① 수영   ② 축구   ③ 농구   ④ 야구   ⑤ 테니스

사물의 위치를 묻고 답하는 표현 이해하기

11 대화를 듣고, 두 사람이 말하고 있는 것을 고르시오. (   )

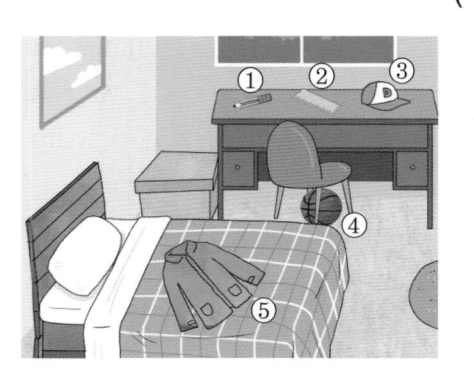

금지하는 표현 이해하기

12 대화를 듣고, 대화의 내용에 알맞은 표지판을 고르시오. (   )

음식을 권하고 답하는 표현 이해하기

13 그림을 보고, 아빠가 할 말로 알맞은 것을 고르시오. (   )

① 🎧   ② 🎧   ③ 🎧   ④ 🎧   ⑤ 🎧

지시하는 표현 이해하기

14 대화를 듣고, 남자아이가 할 일로 알맞은 것을 고르시오. (   )

① 책을 펼친다.
② 손을 씻는다.
③ 문을 닫는다.
④ 자리에 앉는다.
⑤ 책상을 청소한다.

직업을 묻고 답하는 표현 이해하기

15 대화를 듣고, 수민이 아빠의 직업을 고르시오. (   )

① 의사   ② 선생님   ③ 요리사
④ 디자이너   ⑤ 비행기 조종사

다른 사람을 소개하는 표현 이해하기

16 대화를 듣고, 대화의 내용과 일치하는 것을 고르시오. (   )

① 여자아이는 진수와 처음 만났다.
② 진수는 아빠에게 여자아이를 소개하고 있다.
③ 여자아이가 아빠에게 진수를 소개하고 있다.
④ 진수와 여자아이의 아빠는 잘 아는 사이이다.
⑤ 진수, 여자아이, 진수의 아빠는 모두 처음 만났다.

물건의 주인인지 묻고 답하는 표현 이해하기

17 다음을 듣고, 자연스럽지 않은 대화를 고르시오. (   )

① 🎧   ② 🎧   ③ 🎧   ④ 🎧   ⑤ 🎧

이제 듣기 문제가 모두 끝났습니다. 18번부터는 문제지의 지시에 따라 답하기 바랍니다.

<blockquote>
감정을 나타내는 낱말 읽고 의미 이해하기
</blockquote>

18 그림을 보고, 알맞은 낱말을 고르시오. (   )

① sad
② tired
③ angry
④ happy
⑤ hungry

<blockquote>
요일을 나타내는 낱말 읽고 의미 이해하기
</blockquote>

19 다음 빈칸에 알맞은 낱말을 고르시오. (   )

| Monday | → | | → | Wednesday |

① Saturday
② Thursday
③ Friday
④ Tuesday
⑤ Sunday

<blockquote>
직업을 나타내는 낱말 읽고 의미 이해하기
</blockquote>

20 그림과 낱말이 바르게 짝 지어진 것을 고르시오. (   )

① cook
② pilot
③ doctor
④ singer
⑤ teacher

<blockquote>
금지하는 표현 읽고 의미 이해하기
</blockquote>

21 다음을 읽고, 문장의 내용에 알맞은 것을 고르시오.
(   )

Don't touch.

① ② ③ ④ ⑤

<blockquote>
선물을 주고받는 표현 읽고 의미 이해하기
</blockquote>

22 그림을 보고, 여자아이가 할 말로 알맞은 것을 고르시오.
(   )

① This is mine.
② It's Saturday.
③ It's delicious.
④ This is for you.
⑤ It's time for school.

<blockquote>
때를 나타내는 낱말 완성하여 쓰기
</blockquote>

23 그림을 보고, 빈칸에 알맞은 알파벳을 고르시오. (   )

mornin_

① b
② n
③ m
④ g
⑤ t

<blockquote>
요일을 나타내는 낱말 완성하여 쓰기
</blockquote>

24 그림을 보고, 보기 의 알파벳을 사용하여 바르게 쓴 낱말을
고르시오. (   )

보기
s, u, d, n, y, a

① Snuday
② Sunday
③ Sanduy
④ Nusday
⑤ Nasduy

<blockquote>
행동을 나타내는 어구 완성하여 쓰기
</blockquote>

25 그림을 보고, 그림을 설명하는 표현이 되도록 빈칸에 알맞은
낱말을 고르시오. (   )

listen _____ music

① in
② on
③ to
④ down
⑤ under

시험 종료 공지방송이 나가면 뒤에
실제 시험등급 처리들이 OMR 답안지를
사용할 수 있게 하였습니다.

←

횟수 **제 14회**

실전 모의고사

실전 문제

출제 범위: 4학년 전 범위   문항 수: 25문항

- 문제지의 문항 수(25문항)와 면수(4면)를 확인하시오.
- OMR 답안지에 학교, 반, 이름을 정확히 쓰시오.

[01~03] 다음 글을 읽고 물음에 답하시오.

아저씨는 비 오는 창밖을 물끄러미 내다보다가
"그렇지, 참, 그렇고말고."
하더니 책상 서랍에서 빨간색 끈을 찾아내었습니다.
아저씨는 초록이를 창턱에 놓고 잎이 창밖으로 나가게 하였
습니다. 그러더니 초록이가 담겨 있는 바구니 손잡이에 끈 한
쪽을 매고는 한쪽 끝을 동그랗게 매듭지었습니다. 그러고는
그 매듭을 내 머리에 거는 것이었습니다. 초록이는 나에게 걸
려서 창밖에 매달려 그날 하루 종일 비를 맞았습니다.
뻐꾸기도 다른 못들도 나를 보았습니다. 기뻐하는 초록이의
가슴이 울리는 소리가 끈을 따라 내게 전해졌습니다.
나는 행복으로 가슴이 크게 뛰었습니다.
"가끔씩 비 오는 날 초록이를 여기 걸어 바깥 구경도 시키
고 비도 맞게 해야겠구나. 이 못이 여기 있어 얼마나 좋은
지 모르겠다. 정말 쓸모 있는 못이야."
아저씨가 말하였습니다.
가끔씩 비 오는 날 쓸모가 있는 못이 되어 나는 아주 행복합
니다.

01 가끔씩 비 오는 날에 '내'가 아주 행복하다고 한 까닭은 무엇입니까? (   )

① 하루 종일 비를 맞아서
② 쓸모가 있는 못이 되어서
③ 바깥 구경을 할 수 있어서
④ 다른 못들과 친구가 될 수 있어서
⑤ 아저씨와 초록이를 만날 수 있어서

02 이 글에서 일어난 일에 대한 의견을 바르게 말하지 못한 친구는 누구인지 쓰시오.

민수: 세상에 쓸모없는 것은 없다는 생각이 들어.
지윤: 쓸모가 없는 것은 빨리 치워 버리는 게 좋아.
서진: 쓸모없던 '나'에게 할 일이 생기니 활기차 보여.

(   )

03 이와 같은 글의 내용을 간추릴 때 살펴볼 점으로 거리가 먼 것은 무엇입니까? (   )

① 낱말의 뜻
② 중요한 사건
③ 일이 일어난 차례
④ 일이 일어난 때와 장소
⑤ 이야기에 등장하는 인물

04 다음은 「가방 들어 주는 아이」의 한 장면입니다. 대화 내용에 어울리는 표정과 몸짓이 아닌 것은 무엇입니까? (   )

석우: 자, 멀리 찼지? 자, 네 차례야.
영택: 잘 못할 것 같은데…….
석우: 에이, 해 봐. 오, 민영택! 센데!

① 석우는 밝게 웃는 표정을 짓는다.
② 영택이는 엄지손가락을 위로 올린다.
③ 석우는 밝고 장난스러운 말투로 말한다.
④ 영택이는 말끝을 흐리는 말투로 말한다.
⑤ 석우는 손으로 영택이의 등을 두드린다.

[05~06] 다음 글을 읽고 물음에 답하시오.

㉠「초충도」는 여덟 폭으로 이루어진 병풍 작품입니다. 이
그림들은 섬세한 필체와 부드럽고 세련된 색감이 돋보이지요.
전체적으로 구도가 비슷합니다. ㉡화면의 중앙에 핵심이 되는
식물을 두고, 그 주변에 각종 벌레와 곤충을 배치했어요. 그림
의 화면은 정사각형에 가깝고 식물과 곤충이 화면을 비교적
꽉 채우고 있습니다. 이 중 '수박과 들쥐' 그림을 자세히 살펴
볼까요?
㉢화면 가운데 아래쪽에 큼지막한 수박 두 개가 있습니다.
㉣참으로 당당해 보이는 수박 덩어리이지요. 수박 덩굴줄기가
왼쪽에서 오른쪽으로 휘어져 뻗어 있고, ㉤뻗어 나간 줄기 위
에 나비 두 마리가 예쁘고 우아하게 날갯짓을 하고 있네요. 큰
수박 오른쪽에는 패랭이꽃 한 그루가 조용히 피어 있습니다.

05 「초충도」에 대한 설명으로 바르지 않은 것은 무엇입니까? (   )

① 전체적으로 구도가 비슷하다.
② 부드럽고 세련된 색감이 돋보인다.
③ 그림의 화면은 정사각형에 가깝다.
④ 여덟 폭으로 이루어진 병풍 작품이다.
⑤ 벌레와 곤충을 화면 중앙에 두고, 그 주변에 풀과 나무를 배치했다.

06 ㉠~㉤ 가운데에서 '의견'에 속하는 것을 두 가지 고르시오. (,   )

① ㉠   ② ㉡   ③ ㉢
④ ㉣   ⑤ ㉤

[07~08] 다음 글을 읽고 물음에 답하시오.

> 사회자: "친구들과 사이좋게 지냅시다."라는 ⓐⓙ 에 맞게 의견을 발표해 주시기 바랍니다.
> 회의 참여자 1: (갑자기 벌떡 일어나며) 친구들끼리 고운 말을 썼으면 좋겠습니다.
> 사회자: (당황하며) ⓒⓜ 말씀해 주시기 바랍니다.

07 ⓐ에 들어갈 말로 알맞은 것은 무엇입니까? ( )
① 규칙 ② 근거 ③ 절차
④ 주제 ⑤ 문제점

08 회의 참여자 1의 태도로 보아 ⓒ에 들어갈 내용으로 알맞은 것은 무엇입니까? ( )
① 사회자 허락을 얻고
② 중요한 내용을 요약하여
③ 다른 사람의 의견을 존중하여
④ 의견을 말하는 중간에 끼어들어
⑤ 친구들이 관심을 보일 만한 내용을

[09~10] 다음 글을 읽고 물음에 답하시오.

> 인간은 엄연히 동물에 속하지요. 그것도 새끼를 일정 기간 몸속에서 ⓐ키워 내보낸 뒤 젖을 먹여 키우는 포유동물이에요. 새끼를 갖고 키우는 방식에서 인간은 돼지나 개, 고양이와 다를 바 없어요. 그뿐인가요? 인간의 조상이 지구에 처음으로 나타난 때가 지금으로부터 20~25만 년 전이에요. 지구의 나이가 46억 년, 생명이 처음 생겨나 오늘에 이르기까지 40억 년쯤 되었으니 인간은 지구에서 아주 짧은 시간을 살아온 셈이에요.

09 다음 빈칸에 들어갈 낱말로 알맞지 <u>않은</u> 것은 무엇입니까? ( )

포유동물
┌──────┬──────┬──────┐
│   │   │   │
└──────┴──────┴──────┘

① 개 ② 까치 ③ 돼지
④ 인간 ⑤ 고양이

10 ⓐ'키워'의 기본형은 무엇입니까? ( )
① 키다 ② 크다 ③ 키우다
④ 키워다 ⑤ 키워지다

11 다음과 같은 짜임으로 이루어진 문장이 <u>아닌</u> 것은 무엇입니까? ( )

> 누가 + 어찌하다

① 검은 개가 아주 크다.
② 할머니가 아이를 쳐다본다.
③ 젊은 여자가 빠르게 걷는다.
④ 남자아이가 햄버거를 맛있게 먹는다.
⑤ 양복을 입은 남자가 플루트를 연주한다.

[12~13] 다음 글을 읽고 물음에 답하시오.

> (가) 한글 자음자의 경우 발음 기관의 모양을 본떠 'ㄱ, ㄴ, ㅁ, ㅅ, ㅇ'의 기본 문자를 만들고, 이 기본 문자에 획을 더하거나 같은 문자를 하나 더 써서 'ㅋ, ㄲ'과 같은 자음자를 만들었다.
> (나) 1906년 주시경은 『대한 국어 문법』이라는 책을 펴냈어요. 이 책에는 한글과 우리말을 바르게 사용하기 위한 규칙인 문법이 실려 있었어요. 그 후로 주시경은 사람들에게 한글을 연구하는 학자로 널리 알려졌어요. 여기저기에서 한글을 가르쳐 달라고 주시경에게 부탁을 해 왔어요. 이 무렵은 다른 나라들이 서로 우리나라를 차지하려고 다투던 시기였어요. 우리나라는 힘이 없었지요. 주시경은 이런 어려운 때일수록 우리글이 힘이 될 거라고 생각하며 한글을 가르쳐 달라는 곳이 있으면 어디든지 달려갔어요. 주시경은 한글을 가르치며 늘 우리글을 아끼고 사랑하는 것이 나라를 사랑하는 길이라는 것을 강조했어요.

12 한글 자음자와 발음 기관의 모양이 바르게 짝 지어지지 <u>않은</u> 것은 무엇입니까? ( )
① ㄱ - 혀가 입술을 막는 모양
② ㄴ - 혀가 윗잇몸에 닿는 모양
③ ㅁ - 입 모양
④ ㅅ - 이 모양
⑤ ㅇ - 목구멍의 모양

13 글 (나)에서 주시경이 한 일과 거리가 <u>먼</u> 것은 무엇입니까? ( )
① 한글을 연구하였다.
② 사람들에게 한글을 가르쳤다.
③ 『대한 국어 문법』이라는 책을 펴냈다.
④ 우리나라를 차지하려는 다른 나라에 맞서 싸웠다.
⑤ 우리글을 아끼고 사랑하는 것이 나라를 사랑하는 길이라는 것을 강조하였다.

14 만화 영화를 감상하고 이어질 내용을 쓸 때 생각할 점과 거리가 먼 것은 무엇입니까? ( )

① 사건의 흐름
② 인물의 성격
③ 이야기의 주제
④ 인물이 처한 상황
⑤ 중심인물의 옷차림

15 다음과 같은 경우에는 어떤 마음을 전하는 것이 알맞겠습니까? ( )

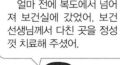

얼마 전에 복도에서 넘어져 보건실에 갔었어. 보건 선생님께서 다친 곳을 정성껏 치료해 주셨어.

지난 주말에 국립 박물관에 다녀왔어. 전시 해설사 선생님 덕분에 문화재에 대하여 많은 것을 알게 되었어.

① 고마운 마음
② 미안한 마음
③ 쑥스러운 마음
④ 안타까운 마음
⑤ 위로하는 마음

[16~17] 다음 온라인 대화를 보고 물음에 답하시오.

현영
지혜야, 내일 발표 자료 준비 잘해! ^^

@.@
발표 잘할 거야.

지혜
넌 누구야?

@.@
나 영철이야.

지혜
영철이구나. 나 원래 발표 잘하잖아. ㅇㅈ?

@.@
ㅇㅈ? 이게 뭐야? 연주?

지혜
그것도 모르니? ㅋㅋㅋ

@.@
😨😨😨😨😨😨😨 ㅇㅈ?

현영
어휴, 정신없네. 너희 지금 장난하니? 😑😑😑😑

16 지혜가 영철이를 못 알아본 것은 무엇 때문입니까? ( )

① 말투
② 목소리
③ 대화명
④ 그림말
⑤ 줄임 말

17 'ㅇㅈ', 'ㅋㅋㅋ'과 같은 말을 지나치게 쓸 때의 문제점으로 볼 수 없는 것은 무엇입니까? ( )

① 오해가 생기기 쉽다.
② 대화가 잘 이루어지지 않는다.
③ 대화하는 데 어려움을 겪는다.
④ 장난스러운 대화가 되기 쉽다.
⑤ 상대의 얼굴을 직접 확인할 수 없다.

[18~19] 다음 글을 읽고 물음에 답하시오.

> 사물함 밑에서 자가 빠져나올 때마다 먼지 뭉치가 잔뜩 붙은 10원짜리 동전, 연필, 지우개 들이 따라 나왔어요. 자가 다섯 번째쯤 사물함 밑을 더듬거리다가 나왔을 때에야 윤아와 내가 손뼉 치며 소리쳤어요.
> "어! 나왔다!"
> 자 끝에는 분홍색 꽃 모양의 작은 공기 알이 살짝 걸려 있었어요. 작은 물방울무늬가 있는 빨간색 나비 핀도요. 우진이는 공기 알과 나비 핀을 손에 들고 먼지를 툴툴 털어 냈어요. 그러고는 우리에게 공기 알과 나비 핀을 쑥 내밀었어요.
> ㉠"여기 공기 알. 그리고 이 핀 가질래?"
> 나는 선뜻 손을 내밀지 못했어요. 어떻게 하면 좋을지 몰랐거든요.
> 그때 윤아가 얼굴을 찡그리며 말했어요.
> "아유, 더러워! 그 핀을 어떻게 쓰냐?"
> 그러자 우진이는 공기 알만 나에게 건네주고 나비 핀은 쓰레기통에 넣어 버렸어요.
> "그래, 더러울 거야."
> 우진이의 목소리에는 부끄러운 마음이 묻어 있었어요. ㉡마음 같아서는 윤아를 한 대 콩 쥐어박고 싶었지만 참았어요.

18 ㉠에 나타난 우진이의 성격으로 알맞은 것은 무엇입니까? ( )

① 깔끔하다.
② 장난스럽다.
③ 욕심이 많다.
④ 배려심이 없다.
⑤ 다정하고 친절하다.

19 '나'는 왜 윤아에게 ㉡과 같은 마음이 들었습니까? ( )

① '나'에게 심술을 부려서
② '나'에게 심한 장난을 해서
③ 우진이를 밀치고 지나가서
④ 우진이 앞에서 눈웃음을 지어서
⑤ 우진이의 성의를 무시하고 부끄럽게 만들어서

[20~21] 다음 글을 읽고 물음에 답하시오.

다섯 살의 토미는 헬렌처럼 보지도 듣지도 말하지도 못하는 아이였습니다. 토미는 부모님도 안 계시고 가난한 아이여서 학교에 갈 수 없었습니다. 헬렌은 토미가 퍼킨스 학교에 다닐 수 있도록 도와 달라는 글을 여러 사람과 신문사에 보냈습니다. 헬렌도 이 모금에 [㉠]하기 위해 사치스러운 물건을 사지 않고 돈을 보냈습니다. 다행히 많은 [㉡]이 모여 토미는 아무 걱정 없이 학교에 다닐 수 있게 되었습니다. 헬렌은 매우 기뻤습니다.

20 이 글에서 알 수 있는 헬렌 켈러의 가치관으로 알맞은 것은 무엇입니까? (   )

① 남의 잘못을 용서하는 삶
② 밤낮없이 부지런히 일하는 삶
③ 어려운 이웃을 도우며 사는 삶
④ 몸이 아픈 사람을 치료해 주는 삶
⑤ 재물을 모으며 사치스럽게 사는 삶

21 ㉠과 ㉡에 들어갈 낱말이 바르게 짝 지어진 것은 무엇입니까? (   )

① 참석 – 저금   ② 참여 – 저금
③ 참석 – 모금   ④ 참여 – 성금
⑤ 참석 – 성금

[22~23] 다음 글을 읽고 물음에 답하시오.

(가) "학교 안 간다니까."
"안 가면?"
"그냥 이렇게 자라다가 이다음 농사지을 거라고."
"농사는 뭐 아무나 짓는다더냐?"
"그러니 내가 짓는다고."
"에미가 신작로까지 데려다줄 테니까 얼른 교복 갈아입어."

(나) 걸음을 옮길 때마다 물에 빠졌다가 나온 것처럼 시커먼 뻘 국물이 찔꺽찔꺽 발목으로 올라왔다. 그렇게 아버지와 아들이 무릎에서 발끝까지 옷을 흠뻑 적신 다음에야 신작로에 닿았다.
"자, 이제 이걸 신어라."
거기서 어머니는 품속에 넣어 온 새 양말과 새 신발을 내게 갈아 신겼다. 학교 가기 싫어하는 아들을 위해 아주 마음 먹고 준비해 온 것 같았다.

22 이 글에서 '나'에 대한 어머니의 사랑을 느끼게 하는 것을 두 가지 고르시오. (,   )

① 교복   ② 농사   ③ 신작로
④ 새 양말   ⑤ 새 신발

23 이와 같은 글을 읽고 나서 감동받은 부분으로 볼 수 없는 것은 무엇입니까? (   )

① 교훈을 얻을 수 있는 부분
② 자신의 경험과 비슷한 부분
③ 질문이나 생각이 많이 생기는 부분
④ 이야기의 내용을 이미 알고 있는 부분
⑤ 슬픔이나 즐거움 등을 강하게 느낀 부분

[24~25] 다음은 「김밥」의 중요한 내용을 간추린 것입니다. 글을 읽고 물음에 답하시오.

1 동숙이는 소풍에 달걀이 들어간 김밥을 가져갈 수 있는 순자가 부러워서 엄마께 달걀이 들어간 김밥을 싸 달라고 말씀드렸다가 꾸중을 들음.
2 동숙이는 장에 가서 쑥을 팔아 달걀을 사고 싶었지만, 아무도 쑥을 사 주지 않아 울고 말았음.
3 동숙이는 선생님 김밥을 싸야 한다고 엄마께 말씀드려서 아버지 병원비로 달걀 한 줄을 샀지만, 돌부리에 발이 걸려 넘어지는 바람에 달걀이 깨짐.
4 동숙이는 남은 달걀로 선생님께 드릴 김밥만 싸고 쑥개떡을 싸 왔고, 선생님은 배탈이 나서 못 먹겠다고 말씀하시며 자신의 김밥을 동숙이에게 주심.

24 동숙이는 어떻게 달걀을 살 수 있었습니까? (   )

① 장에 가서 쑥을 팔아서
② 아버지의 병원비를 써서
③ 순자네 집에서 돈을 빌려서
④ 선생님께서 주신 돈을 써서
⑤ 엄마께 받은 용돈을 모아서

25 다음은 어떤 장면에 대한 생각을 말한 것입니까? (   )

> 엄마께서는 집안 사정을 생각하지 않고 달걀이 들어간 김밥을 싸 달라는 동숙이를 나무라지만 그 마음도 편하지는 않으셨을 것 같아.

① 장면 **1**   ② 장면 **2**   ③ 장면 **3**
④ 장면 **4**   ⑤ 장면 **2**, **4**

♣ 수고하셨습니다. ♣
답안지에 답을 정확히 표기하였는지 확인하시오.

실전 문제

출제 범위: 4학년 전 범위 문항 수: 25문항

점수

- 문제지의 문항 수(25문항)와 면수(3면)를 확인하시오.
- OMR 답안지에 학교, 반, 이름을 정확히 쓰시오.

01 □ 안에 알맞은 수는 어느 것입니까? (   )

> 10000은 9000보다 □ 만큼 더 큰 수이다.

① 10　　　　② 100　　　　③ 500
④ 1000　　　⑤ 5000

02 ㉠이 나타내는 수는 ㉡이 나타내는 수의 몇 배입니까?
(   )

> 2860654135
> 　㉠　㉡

① 10배　　　② 100배　　　③ 1000배
④ 10000배　⑤ 100000배

03 각도는 몇 도입니까? (   )

① 35°　　　② 65°　　　③ 95°
④ 115°　　⑤ 145°

04 □ 안에 알맞은 수는 어느 것입니까? (   )

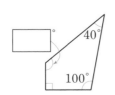

① 100　　　② 110　　　③ 120
④ 130　　　⑤ 140

05 다음을 계산하면 얼마입니까? (   )

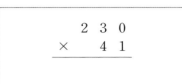

① 9130　　　② 9230　　　③ 9430
④ 9450　　　⑤ 9470

06 성호네 학교 학생 360명이 45인승 버스에 모두 타려고 합니다. 버스는 적어도 몇 대 필요합니까? (   )

① 7대　　　② 8대　　　③ 9대
④ 10대　　⑤ 11대

07 보기 의 도형을 아래쪽으로 밀었을 때의 도형은 어느 것입니까? (   )

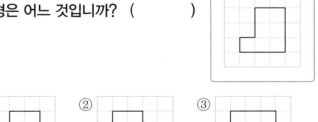

08 왼쪽 도형을 어느 방향으로 얼마만큼 돌렸더니 오른쪽 모양이 되었습니다. 어떻게 돌렸는지 ? 에 알맞은 것은 어느 것입니까? (   )

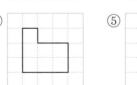

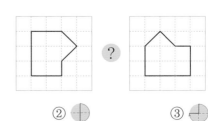

[09~10] 민수네 반 학생들이 좋아하는 요일을 조사하여 나타낸 막대그래프입니다. 물음에 답하시오.

좋아하는 요일별 학생 수

(명)					
10					
5					
0					
학생 수 요일	월	화	수	목	금

09 목요일을 좋아하는 학생은 몇 명입니까?　　（　　　）

① 1명　　　　② 2명　　　　③ 3명

④ 4명　　　　⑤ 5명

10 가장 많은 학생들이 좋아하는 요일은 무슨 요일입니까?
（　　　）

① 월요일　　　② 화요일　　　③ 수요일

④ 목요일　　　⑤ 금요일

[11~12] 수 배열표를 보고 물음에 답하시오.

31	33	35	37	39
131	133	135	137	139
231	233	235	237	■
331	333	335	337	339
431	433	435	437	439

11 수 배열표를 보고 □ 안에 들어갈 수를 차례대로 쓴 것은 어느 것입니까?　　（　　　）

규칙 1: 31부터 오른쪽으로 □ 씩 커지는 규칙이 있다.
규칙 2: 31부터 아래쪽으로 □ 씩 커지는 규칙이 있다.

① 1, 10　　　② 1, 100　　　③ 2, 10

④ 2, 100　　　⑤ 3, 100

12 수 배열표에서 규칙에 따라 ■에 들어갈 수는 어느 것입니까?　　（　　　）

① 149　　　　② 159　　　　③ 239

④ 249　　　　⑤ 259

13 □ 안에 들어갈 수 있는 자연수를 모두 구해 보시오.

$$\frac{5}{8} + \frac{\square}{8} < 1\frac{1}{8}$$

（　　　　　　　）

14 다음에서 가장 큰 수와 가장 작은 수의 차는 얼마입니까?
（　　　）

4	9	$9\frac{5}{6}$	$3\frac{4}{6}$

① 5　　　　　② $5\frac{1}{6}$　　　　③ $5\frac{5}{6}$

④ 6　　　　　⑤ $6\frac{1}{6}$

15 다음 삼각형에서 ㉠의 각도는 몇 도입니까?　（　　　）

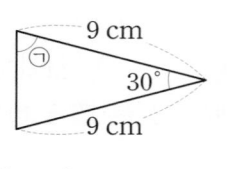

① 65°　　　　② 70°　　　　③ 75°

④ 80°　　　　⑤ 85°

16 삼각형의 세 각을 나타낸 것입니다. 둔각삼각형은 어느 것입니까?　　（　　　）

① 45°, 45°, 90°　　　　② 60°, 60°, 60°

③ 30°, 90°, 60°　　　　④ 100°, 20°, 60°

⑤ 55°, 70°, 55°

17 분수를 소수로 <u>잘못</u> 나타낸 것은 어느 것입니까?
（　　　）

① $\frac{34}{100} = 0.34$　　　　② $\frac{5}{100} = 0.5$

③ $\frac{27}{1000} = 0.027$　　　　④ $\frac{16}{1000} = 0.016$

⑤ $\frac{819}{1000} = 0.819$

18 민영이와 재성이가 생각하는 소수의 합을 구하시오.

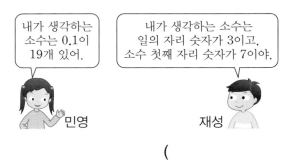

내가 생각하는 소수는 0.1이 19개 있어.

내가 생각하는 소수는 일의 자리 숫자가 3이고, 소수 첫째 자리 숫자가 7이야.

민영   재성

(　　　　　　)

19 현석이와 윤지가 종이비행기를 날리고 있습니다. 현석이의 종이비행기는 7.2 m 날아갔고, 윤지의 종이비행기는 3.5 m 날아갔습니다. 현석이의 종이비행기는 윤지의 종이비행기보다 몇 m 더 멀리 날아갔습니까? (　　)

① 2.7 m　　② 3.1 m　　③ 3.5 m
④ 3.7 m　　⑤ 3.9 m

20 그림과 같이 마주 보는 두 쌍의 변이 서로 평행한 사각형은 어느 것입니까? (　　)

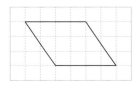

① 사다리꼴　　② 평행사변형　　③ 마름모
④ 직사각형　　⑤ 정사각형

21 다음 도형은 마름모입니다. □ 안에 알맞은 수는 어느 것입니까? (　　)

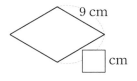

9 cm

□ cm

① 6　　　　② 9　　　　③ 12
④ 15　　　⑤ 18

[22~23] 무궁화의 키를 월별로 조사하여 나타낸 꺾은선그래프입니다. 물음에 답하시오.

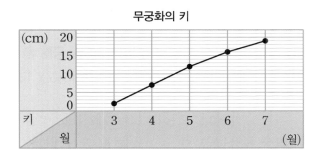

무궁화의 키

22 꺾은선그래프의 가로와 세로는 각각 무엇을 나타내는지 쓰시오.

가로 (　　　　　　)
세로 (　　　　　　)

23 4월의 무궁화의 키는 3월의 무궁화의 키보다 몇 cm 더 자랐습니까? (　　)

① 3 cm　　② 4 cm　　③ 5 cm
④ 6 cm　　⑤ 7 cm

24 점 종이에 그려진 다각형의 이름은 어느 것입니까?
(　　)

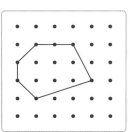

① 사각형　　② 오각형　　③ 육각형
④ 칠각형　　⑤ 팔각형

25 그림과 같이 서로 이웃하지 않는 두 꼭짓점을 이은 선분은 무엇이라고 하는지 쓰시오.

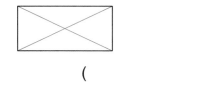

(　　　　　　)

♣ 수고하셨습니다.♣
답안지에 답을 정확히 표기하였는지 확인하시오.

실전 문제

출제 범위: 4학년 전 범위   문항 수: 25문항

점수

- 문제지의 문항 수(25문항)와 면수(3면)를 확인하시오.
- OMR 답안지에 학교, 반, 이름을 정확히 쓰시오.

01 지도에 대해 잘못 설명한 친구는 누구입니까? (　　　)

① 가영: 지도는 한 가지 색깔로만 표현해.
② 나영: 하천이 흐르는 방향을 알 수 있어.
③ 다영: 건물과 건물 사이의 실제 거리를 알 수 있어.
④ 라영: 땅의 높이가 높은 곳과 낮은 곳을 알 수 있어.
⑤ 마영: 약속에 따라 그려져 있어 필요한 정보를 쉽게 찾을 수 있어.

02 지도에서 가장 높은 곳은 어디입니까? (　　　)

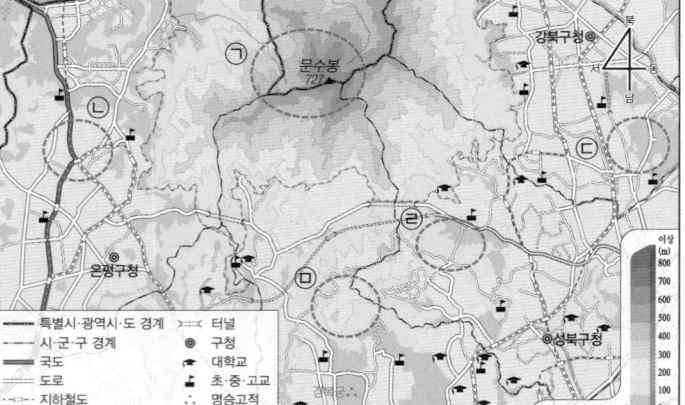

① ㉠　　② ㉡　　③ ㉢　　④ ㉣　　⑤ ㉤

03 보기 에서 중심지의 특징으로 바른 것을 두 가지 골라 기호를 쓰시오.

보기
㉠ 논과 밭이 많다.
㉡ 도로가 발달해 있다.
㉢ 다양한 가게들이 많다.
㉣ 사람이 적어서 한적하다.

(　　　,　　　)

04 다음과 같이 사람들이 모이는 지역의 중심지는 어디입니까?
(　　　)

- 역사적 사건이 있었던 장소나 자연 경관이 뛰어난 곳에 주로 위치한다.
- 사람들이 문화유산, 유명한 풍경 등을 보려고 모인다.

① 관광의 중심지　　② 교통의 중심지
③ 산업의 중심지　　④ 상업의 중심지
⑤ 행정의 중심지

05 다음 중 무형 문화유산으로 알맞은 것은 무엇입니까?
(　　　)

① ▲ 강강술래

② ▲ 수원 화성

③ ▲ 경주 첨성대

④ ▲ 남원 광한루

⑤ ▲ 상원사 동종

06 문화유산을 답사하면서 조사할 내용으로 알맞지 않은 것은 무엇입니까? (　　　)

① 누가 만들었을까?
② 언제 만들어졌을까?
③ 무엇을 하던 장소였을까?
④ 방문한 사람은 몇 명일까?
⑤ 어떤 특징을 가지고 있을까?

07 다음과 같이 문화유산을 소개하는 자료는 무엇입니까?
(　　　)

- 종이를 접어 책 모양을 만든다.
- 그림을 그리거나 사진을 붙이고 문화유산의 특징이 잘 드러나도록 소개하는 글을 작성한다.

① 문화유산 동영상　　② 문화유산 안내도
③ 문화유산 소개 책자　　④ 문화유산 홍보 포스터
⑤ 문화 관광 해설사가 되어 소개하기

08 우리 지역의 역사적 인물 조사 계획을 세울 때 가장 먼저 해야 할 일은 무엇입니까? (　　　)

① 조사 내용 정하기　　② 조사 방법 정하기
③ 조사 계획서 작성하기　　④ 조사 내용 그물 그리기
⑤ 조사할 역사적 인물 정하기

09 다음과 관계있는 우리 지역의 역사적 인물 소개 방법은 무엇입니까? ( )

> • 내용을 생생하게 전달할 수 있는 제목을 정한다.
> • 역사적 인물에 관해 알아볼 수 있는 장소를 소개한다.
> • 역사적 인물의 삶과 관련된 기사를 작성하고, 기사 내용이 잘 드러나는 사진이나 그림을 넣는다.
> • 역사적 인물이 쓴 책이나 만든 작품 등을 소개한다.

① 가상 뉴스로 소개하기
② 역사적 인물 신문 만들기
③ 역사적 인물 역할극 하기
④ 역사적 인물 소개 책자 만들기
⑤ 다른 지역 친구에게 소개하는 편지 만들기

10 공공 기관에서 하는 일을 바르게 설명한 것은 무엇입니까? ( )

① 박물관에서는 책과 관련된 다양한 행사를 한다.
② 소방서에서는 나쁜 일을 저지른 사람을 잡는다.
③ 경찰서에서는 주민들이 요청하는 각종 서류를 발급해 준다.
④ 보건소에서는 음식점에서 깨끗하게 음식을 만드는지 점검한다.
⑤ 우체국에서는 학생들이 좋은 환경에서 교육받을 수 있도록 노력한다.

11 공공 기관 견학을 다녀와서 할 일로 알맞은 것은 무엇입니까? ( )

① 조사 방법을 정한다.
② 조사 계획서를 작성한다.
③ 준비물과 주의할 점을 정리한다.
④ 조사 주제와 조사 날짜를 정한다.
⑤ 견학하고 알게 된 점이나 느낀 점을 정리한다.

12 지역 문제를 해결하는 과정을 차례대로 기호를 늘어놓으시오.

> ㉮ 지역 문제를 해결하기 위한 다양한 방안을 생각한다.
> ㉯ 선택한 해결 방안을 꾸준히 실천해 지역 문제를 해결한다.
> ㉰ 지역 문제에 대한 자료를 모아 지역 문제의 원인을 찾는다.
> ㉱ 우리 지역에서 어떤 지역 문제가 나타나고 있는지 확인한다.
> ㉲ 다양한 해결 방안의 장단점을 비교해 가장 적절한 방안을 선택한다.

( ) → ( ) → ( ) → ( ) → ( )

13 다음에서 설명하는 주민 참여 방법은 무엇입니까? ( )

> • 사회의 여러 가지 문제를 해결하기 위해 시민들이 스스로 모여 만든다.
> • 환경, 경제, 교육, 문화 등 여러 분야의 지역 문제 해결에 앞장서고 있다.

① 시민 단체
② 주민 투표
③ 서명 운동
④ 인터넷 이용
⑤ 주민 회의 참석

14 촌락에 대한 설명으로 알맞은 것은 무엇입니까? ( )

① 바닷가에 자리 잡은 촌락을 산지촌이라고 한다.
② 산지촌에 사는 사람들은 주로 어업을 하며 생활한다.
③ 산에서 나무를 가꾸어 베거나 산나물을 캐는 일을 농업이라고 한다.
④ 농촌 사람들은 주로 물고기를 잡거나 김, 미역 등을 양식하며 생활한다.
⑤ 사람들이 주로 농업을 하며 평평한 곳에 자리 잡은 촌락을 농촌이라고 한다.

15 다음 중 도시에서 주로 볼 수 있는 모습이 <u>아닌</u> 것은 무엇입니까? ( )

①
②
③
④
⑤

16 보기 에서 도시의 주택 문제 해결 방안으로 알맞은 것을 두 가지 골라 기호를 쓰시오.

> 보기
> ㉠ 친환경 전기 자동차의 보급을 늘린다.
> ㉡ 주택의 담을 허물어 주차할 곳을 만든다.
> ㉢ 낡은 주택이 모여 있는 지역을 새롭게 정비한다.
> ㉣ 주택을 지어 주변보다 낮은 가격으로 사람들에게 제공한다.

(,)

17 촌락과 도시의 교류에 대한 설명으로 알맞지 <u>않은</u> 것은 무엇입니까? ( )

① 촌락과 도시의 교류는 서로에게 도움이 된다.
② 지역마다 생산물, 문화, 기술이 다르기 때문에 교류를 한다.
③ 촌락 사람들은 도시의 다양한 시설을 이용하려고 도시에 간다.
④ 촌락 사람들이 먹는 농산물은 모두 도시에서 생산된 것이다.
⑤ 서로 필요한 생산품이나 문화, 기술을 주고받는 것을 교류라고 한다.

18 다음과 같은 교류가 주는 좋은 점으로 알맞은 것은 무엇입니까? ( )

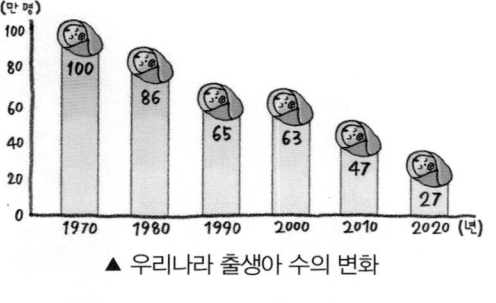

① 생활에 필요한 생산품을 주고받을 수 있다.
② 촌락과 도시가 가진 서로의 문화를 즐길 수 있다.
③ 도시 사람들은 값싸고 질 좋은 농산물을 살 수 있다.
④ 촌락과 도시가 자매결연을 하고 필요한 도움을 주고받을 수 있다.
⑤ 촌락 사람들이 도시의 시설을 이용하거나 도시 사람들이 촌락의 시설을 이용할 수 있다.

19 경제활동과 현명한 선택에 대한 설명으로 알맞지 <u>않은</u> 것은 무엇입니까? ( )

① 자원의 희소성 때문에 선택의 문제가 일어난다.
② 생산은 생활하는 데 필요한 물건을 만드는 일을 뜻한다.
③ 시장은 생활에 필요한 여러 가지 것들을 사고파는 곳이다.
④ 현명한 소비를 해야 하는 까닭은 다른 사람에게 잘 보이기 위해서이다.
⑤ 우리가 필요로 하거나 바라는 것은 많지만 쓸 수 있는 돈이나 자원은 한정되어 있다.

20 생산 활동 중 생활에 필요한 것을 만드는 활동으로 알맞은 것은 무엇입니까? ( )

① 건물 짓기   ② 과일 따기
③ 물건 팔기   ④ 고구마 캐기
⑤ 야구 경기하기

21 경제 교류에 대한 설명으로 알맞은 것은 무엇입니까? ( )

① 상품의 정보는 인터넷에서 찾을 수 없다.
② 경제 교류는 전통 시장에서만 이루어진다.
③ 지역과 지역은 공장에서 만든 물건만 교류한다.
④ 경제 교류로 각 지역은 경제적 이익을 얻을 수 있다.
⑤ 각 지역에서 사용하는 물건들은 모두 자신의 지역에서 생산한다.

22 다음 자료와 관계있는 사회 변화 현상을 무엇이라고 하는지 쓰시오.

(만 명)
100 ― 100 (1970)
80 ― 86 (1980)
65 (1990)
63 (2000)
47 (2010)
27 (2020)

▲ 우리나라 출생아 수의 변화

( )

23 보기 에서 정보화가 우리 생활에 가져온 변화로 알맞은 것을 두 가지 골라 기호를 쓰시오.

보기
㉠ 경제활동에 참여할 수 있는 인구가 줄어들고 있다.
㉡ 스마트폰의 애플리케이션을 이용해 음식값을 낸다.
㉢ 우리나라 운동 경기에서 외국인 선수가 활약을 한다.
㉣ 영화관에서 무인 기계를 이용해 영화표를 살 수 있다.

(,)

24 빈칸 ㉠, ㉡에 들어갈 알맞은 말을 쓰시오.

┌─────────────────────────────┐
│ ㉠ 은/는 공정하지 못하고 한쪽으로 치우친 │
│ 생각을 말하고, ㉡ 은/는 대상을 정당한 이유 없 │
│ 이 구별하고 다르게 대우하는 것을 말한다. │
└─────────────────────────────┘

㉠: ( ), ㉡: ( )

25 편견과 차별이 없는 사회를 만들기 위해 가져야 할 태도로 알맞지 <u>않은</u> 것은 무엇입니까? ( )

① 다른 나라의 문화를 인정한다.
② 서로 다름을 인정하고 존중한다.
③ 한쪽 편에 치우쳐 생각하지 않는다.
④ 세계 여러 나라의 문화를 이해한다.
⑤ 우리 문화가 가장 우수하다고 생각한다.

┌─────────────────────────────┐
│ ♣ 수고하셨습니다.♣ │
│ 답안지에 답을 정확히 표기하였는지 확인하시오. │
└─────────────────────────────┘

실전 문제

출제 범위: 4학년 전 범위   문항 수: 25문항

점수

01 다음에서 설명하는 과학적인 탐구 방법은 무엇입니까?
(   )

> • 타당한 근거를 제시하여 설명한다.
> • 정확한 용어를 사용하여 간단하게 설명한다.
> • 표, 그림, 그래프, 몸짓 등과 같은 다양한 방법을 사용한다.

① 과학적인 관찰 방법   ② 과학적인 추리 방법
③ 과학적인 예상 방법   ④ 과학적인 분류 방법
⑤ 과학적인 의사소통 방법

02 지층에 줄무늬가 생기는 까닭으로 옳은 것은 무엇입니까?
(   )

① 지층이 단단하기 때문이다.
② 지층이 짧은 시간에 만들어지기 때문이다.
③ 지층을 이루는 물질이 한 종류이기 때문이다.
④ 지층이 솟아오른 뒤 힘을 받아 모양이 변하기 때문이다.
⑤ 지층을 이루고 있는 알갱이의 크기와 색깔이 서로 다르기 때문이다.

03 퇴적암이 만들어지는 과정에 대한 설명으로 옳지 **않은** 것을 다음 보기 에서 골라 기호를 쓰시오.

> **보기**
> ㉠ 퇴적암이 만들어지는 데 오랜 시간이 걸린다.
> ㉡ 물에 녹아 있는 여러 가지 물질이 알갱이들을 서로 떨어뜨려 퇴적암을 단단하게 만든다.
> ㉢ 흐르는 물에 의하여 운반된 자갈, 모래, 진흙 등이 강이나 바다에 쌓여 만들어진다.

(   )

04 다음은 화석 모형을 만드는 과정의 일부입니다. 실제 화석이 만들어져 발견되는 과정 중에서 어느 과정에 해당합니까?
(   )

> 찰흙 반대기에 생긴 조개껍데기 자국이 모두 덮이도록 알지네이트 반죽을 붓는다.

① 생물이 죽는다.
② 지층이 높게 솟아오른다.
③ 지층이 많이 깎여 화석이 드러난다.
④ 죽은 생물이 바다의 바닥으로 운반된다.
⑤ 생물의 몸체 위로 퇴적물이 두껍게 쌓인다.

05 화분에 씨를 심는 방법으로 옳지 **않은** 것은 무엇입니까?
(   )

① 씨를 심고 물을 충분히 준다.
② 화분에 거름흙을 $\frac{3}{4}$ 정도 넣는다.
③ 흙 위에 씨를 놓고 흙으로 살짝 덮는다.
④ 작은 돌로 화분 바닥의 물 빠짐 구멍을 막는다.
⑤ 씨를 심은 뒤 화분에 팻말을 꽂고 햇빛이 비치는 곳에 놓아둔다.

06 오른쪽은 싹이 터서 자란 옥수수의 모습입니다. 옥수수가 싹이 틀 때 가장 먼저 나오는 것의 기호와 이름을 순서대로 쓰시오.

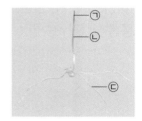

(   )

07 다음과 같은 특징을 가진 식물을 두 가지 고르시오.
(,   )

> 이듬해에 새순이 나오고 자라는 과정이 몇 년 정도 반복된 뒤에 적당한 크기의 나무로 자라면 꽃이 피고 열매를 맺는 것을 반복한다.

① 호박   ② 강낭콩   ③ 개나리
④ 무궁화   ⑤ 옥수수

08 물체의 무게를 정확하게 측정하기 위해 사용하는 도구는 무엇입니까?
(   )

① 자   ② 저울   ③ 비커
④ 깔때기   ⑤ 눈금실린더

09 다음 저울의 공통점으로 옳은 것은 무엇입니까?
(   )

▲ 용수철저울   ▲ 가정용 저울   ▲ 체중계

① 물체를 올려놓는 접시가 있다.
② 저울 안에 용수철이 들어 있다.
③ 물체를 고리에 걸어 무게를 측정한다.
④ 수평 잡기의 원리를 이용한 저울이다.
⑤ 용수철이 늘어나지 않는 성질을 이용한 저울이다.

10 다음과 같이 나무판자가 수평이 되었을 때에 대한 설명으로 옳은 것은 무엇입니까? ( )

① ㉠과 ㉡의 무게가 같다.
② 받침점에서 멀리 있는 ㉠이 더 무겁다.
③ 받침점에 가까이 있는 ㉡이 더 가볍다.
④ ㉠을 왼쪽 나무판자의 ① 위치로 옮기면 나무판자가 오른쪽으로 기울어진다.
⑤ ㉡을 오른쪽 나무판자의 ③ 위치로 옮기면 나무판자가 왼쪽으로 기울어진다.

11 사탕수수와 사탕에 대한 설명으로 옳은 것은 무엇입니까? ( )

① 사탕은 짠맛이 난다.
② 사탕수수는 혼합물이 아니다.
③ 사탕수수는 사탕을 이용해 만든다.
④ 사탕수수를 분리하여 사탕을 얻을 수 있다.
⑤ 사탕수수에서 분리한 설탕에 다른 물질을 섞어서 사탕을 만든다.

12 다음과 같이 물속에서 재첩을 골라내는 데 이용하는 도구에 대한 설명으로 옳은 것은 무엇입니까? ( )

▲ 흙과 재첩 분리하기

① 물에 뜨는 물질을 분리한다.
② 자석에 붙는 물질을 분리한다.
③ 물에 녹아 있는 물질을 분리한다.
④ 알갱이의 크기가 다른 혼합물을 분리한다.
⑤ 알갱이의 크기가 비슷한 혼합물을 분리한다.

13 다음은 물에 녹인 소금과 모래의 혼합물을 분리하는 모습입니다. ㉠과 ㉡ 과정에서 분리되는 물질은 무엇인지 쓰시오.

㉠ ▲ 거름 장치로 거르기   ㉡ ▲ 증발 장치로 가열하기

㉠: ( ), ㉡: ( )

14 풀과 나무의 특징에 대한 설명으로 옳지 <u>않은</u> 것은 무엇입니까? ( )

① 나무는 풀보다 잎이 넓고 크다.
② 풀은 대부분 한해살이 식물이다.
③ 풀의 줄기는 여름철에 볼 수 있다.
④ 나무는 모두 여러해살이 식물이다.
⑤ 나무의 줄기는 겨울철에도 볼 수 있다.

15 다음과 같이 자른 부레옥잠의 잎자루를 물이 담긴 수조에 넣고 손가락으로 누르면 어떻게 되는지 ( ) 안에 들어갈 알맞은 말을 쓰시오.

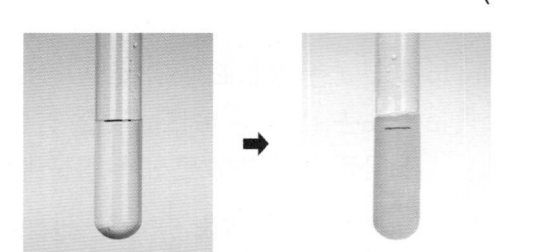

( )이/가 생겨 위로 올라간다.

( )

16 사막에서 사는 식물끼리 옳게 짝 지은 것은 무엇입니까? ( )

① 용설란, 민들레   ② 선인장, 떡갈나무
③ 민들레, 단풍나무   ④ 단풍나무, 용설란
⑤ 선인장, 바오바브나무

17 다음과 같이 시험관에 물을 담아 물의 높이를 표시한 뒤 물을 얼렸습니다. 이로부터 알 수 있는 사실로 옳은 것은 무엇입니까? ( )

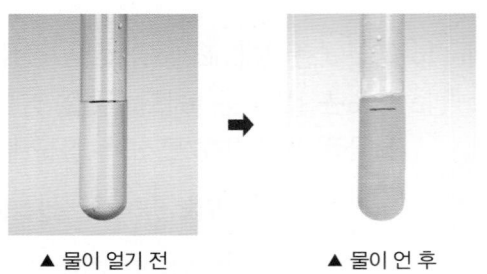

▲ 물이 얼기 전   ▲ 물이 언 후

① 물이 얼 때 색깔이 변한다.
② 물이 얼 때 부피가 증가한다.
③ 물이 얼 때 무게가 증가한다.
④ 물이 얼 때 온도가 낮아진다.
⑤ 물이 얼 때 시험관이 단단해진다.

18 물을 가열할 때 나타나는 변화에 대한 설명으로 옳지 <u>않은</u> 것은 무엇입니까? ( )

① 물이 끓기 전에는 표면이 잔잔하다.
② 물이 끓을 때에는 기포가 올라와 터진다.
③ 물이 끓을 때에는 큰 기포가 많이 생긴다.
④ 물이 끓을 때에는 물의 높이가 느리게 변한다.
⑤ 물이 끓으면서 물 표면과 물속에서 물이 수증기로 상태가 변한다.

19 다음 모습에서 이용한 물의 상태 변화는 무엇인지 ( ) 안에 들어갈 알맞은 말을 쓰시오.

▲ 가습기 이용하기   ▲ 음식 찌기

물 → ( )

( )

20 도자기 컵과 유리컵에 각각 손전등의 빛을 비출 때에 대한 설명으로 옳은 것을 다음 보기 에서 두 가지 골라 기호를 쓰시오.

보기
㉠ 빛이 유리컵을 대부분 통과해 연한 그림자가 생긴다.
㉡ 빛이 도자기 컵을 대부분 통과해 진한 그림자가 생긴다.
㉢ 도자기 컵의 그림자가 유리컵의 그림자보다 더 진하고 선명하다.
㉣ 유리컵의 그림자가 도자기 컵의 그림자보다 더 진하고 선명하다.

(,)

21 손전등의 빛을 거울에 비췄을 때에 대한 설명으로 옳은 것은 무엇입니까? ( )

① 빛이 거울 속으로 사라진다.
② 빛이 거울에 부딪쳐 더 밝아진다.
③ 빛이 거울을 통과해 계속 나아간다.
④ 빛이 거울에 부딪쳐 색깔이 변한다.
⑤ 빛이 거울에 부딪쳐 다른 방향으로 반사된다.

22 화산에 대한 설명으로 옳지 <u>않은</u> 것을 두 가지 고르시오. (,)

① 모두 크기가 같다.
② 지금도 활동 중인 화산도 있다.
③ 모두 산꼭대기에 물이 고여 있다.
④ 산꼭대기가 움푹 파인 것도 있다.
⑤ 경사가 급한 화산도 있고, 완만한 화산도 있다.

23 다음은 우드록을 이용해 지진 발생 모형실험을 하는 모습입니다. 실제 지진이 발생하는 모습을 나타낸 과정은 무엇입니까? ( )

① 우드록을 양손으로 잡는다.
② 우드록의 가운데가 휘어진다.
③ 우드록이 끊어질 때까지 계속 민다.
④ 우드록을 밀면 우드록이 수평으로 있다.
⑤ 우드록이 끊어질 때 손에 떨림이 느껴진다.

24 다음은 물의 순환 과정을 나타낸 것입니다. 식물의 잎에서 나오는 수증기는 물의 어떤 상태인지 쓰시오.

( )

25 물 부족 현상을 해결하기 위한 방법으로 옳은 것은 무엇입니까? ( )

① 목욕을 오랫동안 한다.
② 빨래는 조금씩 나누어서 한다.
③ 양치할 때 물을 틀어 놓고 한다.
④ 수돗물 대신 바닷물을 사용한다.
⑤ 빗물을 모아서 화단을 가꿀 때 이용한다.

♣ 수고하셨습니다. ♣
답안지에 답을 정확히 표기하였는지 확인하시오.

실전 문제

출제 범위: 4학년 전 범위 문항 수: 25문항

• 문제지의 문항 수(25문항)와 면수(3면)를 확인하시오.
• OMR 답안지에 학교, 반, 이름을 정확히 쓰시오.

1번부터 17번까지는 듣고 답하는 문제입니다. 녹음 내용을 잘 듣고, 물음에 답하기 바랍니다. 내용은 한 번만 들려줍니다.

01 다음을 듣고, 이어질 대답으로 알맞은 것을 고르시오.
( )
① 🎧 ② 🎧 ③ 🎧 ④ 🎧 ⑤ 🎧

02 다음을 듣고, 이어질 대답으로 알맞지 <u>않은</u> 것을 고르시오.
( )
① 🎧 ② 🎧 ③ 🎧 ④ 🎧 ⑤ 🎧

03 대화를 듣고, 오늘이 무슨 요일인지 고르시오. ( )
① 월요일 ② 화요일 ③ 수요일
④ 금요일 ⑤ 일요일

04 대화를 듣고, 지금이 몇 시인지 고르시오. ( )
① 10시 ② 11시 ③ 12시
④ 1시 ⑤ 2시

05 대화를 듣고, 진수의 모자를 고르시오. ( )

①
②
③
④
⑤

06 대화를 듣고, 수지의 기분으로 알맞은 것을 고르시오.
( )
① 즐겁다. ② 슬프다. ③ 화가 난다.
④ 피곤하다. ⑤ 행복하다.

07 다음을 듣고, 그림의 행동을 하도록 지시한 말을 고르시오.
( )

① 🎧 ② 🎧 ③ 🎧 ④ 🎧 ⑤ 🎧

08 다음을 듣고, 그림에 알맞은 대답을 고르시오. ( )

① 🎧 ② 🎧 ③ 🎧 ④ 🎧 ⑤ 🎧

09 대화를 듣고, 남자아이가 하고 있는 것을 고르시오.
( )
① 요리 ② 독서 ③ 수영
④ 농구 ⑤ 야구

10 다음을 듣고, 그림에 가장 어울리는 대화를 고르시오.
( )

① 🎧   ② 🎧   ③ 🎧   ④ 🎧   ⑤ 🎧

11 대화를 듣고, 대화의 내용과 일치하는 것을 고르시오.
( )

① 유나는 화가 났다.
② Jim은 배가 고프다.
③ 유나는 Jim을 위해 요리를 했다.
④ Jim이 유나에게 음식을 마음껏 먹으라고 권했다.
⑤ Jim은 유나에게 음식을 더 먹을 것인지 물어보았다.

12 대화를 듣고, 민수 형의 직업을 고르시오. ( )

① 의사   ② 배우   ③ 모델
④ 선생님   ⑤ 디자이너

13 대화를 듣고, 스카프의 가격을 고르시오. ( )

① 1달러   ② 5달러   ③ 10달러
④ 15달러   ⑤ 50달러

14 대화를 듣고, 대화의 내용에 알맞은 표지판을 고르시오.
( )

15 대화를 듣고, 두 사람이 할 일을 고르시오. ( )

① 책 읽기   ② 농구하기
③ 야구하기   ④ 점심 먹기
⑤ 텔레비전 보기

16 대화를 듣고, 주원이가 할 수 있는 것과 할 수 <u>없는</u> 것이 바르게 짝 지어진 것을 고르시오. ( )

	할 수 있는 것	할 수 없는 것
①	배드민턴	탁구
②	배드민턴	테니스
③	탁구	배드민턴
④	탁구	테니스
⑤	테니스	배드민턴

17 다음을 듣고, 그림에 가장 어울리는 대화를 고르시오.
( )

① 🎧   ② 🎧   ③ 🎧   ④ 🎧   ⑤ 🎧

이제 듣기 문제가 모두 끝났습니다. 18번부터는 문제지의 지시에 따라 답하기 바랍니다.

18 그림을 보고, 알맞은 낱말을 고르시오. ( )

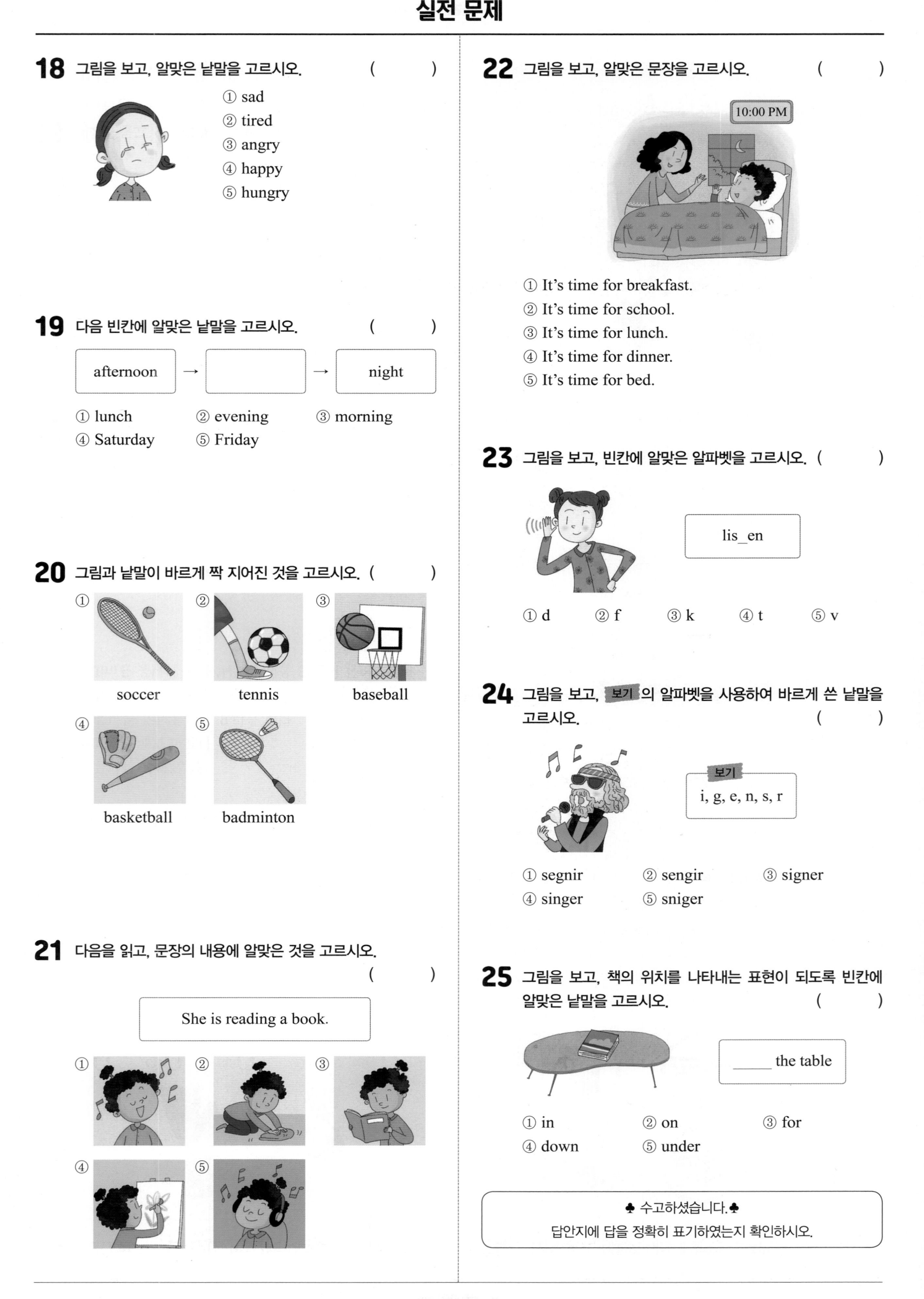

① sad
② tired
③ angry
④ happy
⑤ hungry

19 다음 빈칸에 알맞은 낱말을 고르시오. ( )

| afternoon | → | | → | night |

① lunch   ② evening   ③ morning
④ Saturday   ⑤ Friday

20 그림과 낱말이 바르게 짝 지어진 것을 고르시오. ( )

① soccer   ② tennis   ③ baseball
④ basketball   ⑤ badminton

21 다음을 읽고, 문장의 내용에 알맞은 것을 고르시오. ( )

She is reading a book.

①   ②   ③
④   ⑤

22 그림을 보고, 알맞은 문장을 고르시오. ( )

10:00 PM

① It's time for breakfast.
② It's time for school.
③ It's time for lunch.
④ It's time for dinner.
⑤ It's time for bed.

23 그림을 보고, 빈칸에 알맞은 알파벳을 고르시오. ( )

lis_en

① d   ② f   ③ k   ④ t   ⑤ v

24 그림을 보고, 보기 의 알파벳을 사용하여 바르게 쓴 낱말을 고르시오. ( )

보기
i, g, e, n, s, r

① segnir   ② sengir   ③ signer
④ singer   ⑤ sniger

25 그림을 보고, 책의 위치를 나타내는 표현이 되도록 빈칸에 알맞은 낱말을 고르시오. ( )

_____ the table

① in   ② on   ③ for
④ down   ⑤ under

♣ 수고하셨습니다.♣
답안지에 답을 정확히 표기하였는지 확인하시오.

실전 문제 OMR 답안지

답안지 작성 방법

1. 학교, 반, 이름 항목에는 한글로 학교명과 반, 이름을 기입합니다.
2. 컴퓨터용 사인펜을 사용하여 각 문제의 정답을 ㅣ보기ㅣ와 같이 바르게 표기합니다.

   ㅣ보기ㅣ   바른 표기: ❶

   잘못된 표기: ⦸, ☑, ▯

3. 한 번 표기한 것은 고칠 수 없으며, 답안지를 긁거나 구기지 않습니다.

✂ 잘라서 사용하세요.

학교	
반	
이름	
확인	

보기와 같이 객관식의 경우 해당 번호에 표기하고 주관식의 경우 해당 답란에 답을 써야 합니다.

보기	번호	답란				
	1	①	②	❸	④	⑤
	2	①	②	③	④	❺
	3	주관식 답을 씁니다.				
	4	❶	②	③	④	⑤
	5	주관식 답을 씁니다.				

국어   점수:

1	①	②	③	④	⑤	**10**	①	②	③	④	⑤	**19**	①	②	③	④	⑤
2						**11**	①	②	③	④	⑤	**20**	①	②	③	④	⑤
3	①	②	③	④	⑤	**12**	①	②	③	④	⑤	**21**	①	②	③	④	⑤
4	①	②	③	④	⑤	**13**	①	②	③	④	⑤	**22**	①	②	③	④	⑤
5	①	②	③	④	⑤	**14**	①	②	③	④	⑤	**23**	①	②	③	④	⑤
6	①	②	③	④	⑤	**15**	①	②	③	④	⑤	**24**	①	②	③	④	⑤
7	①	②	③	④	⑤	**16**	①	②	③	④	⑤	**25**	①	②	③	④	⑤
8	①	②	③	④	⑤	**17**	①	②	③	④	⑤						
9	①	②	③	④	⑤	**18**	①	②	③	④	⑤						

✂

학교	
반	
이름	
확인	

보기와 같이 객관식의 경우 해당 번호에 표기하고 주관식의 경우 해당 답란에 답을 써야 합니다.

보기	번호	답란				
	1	①	②	❸	④	⑤
	2	①	②	③	④	❺
	3	주관식 답을 씁니다.				
	4	❶	②	③	④	⑤
	5	주관식 답을 씁니다.				

수학   점수:

1	①	②	③	④	⑤	**10**	①	②	③	④	⑤	**19**	①	②	③	④	⑤
2	①	②	③	④	⑤	**11**	①	②	③	④	⑤	**20**	①	②	③	④	⑤
3	①	②	③	④	⑤	**12**	①	②	③	④	⑤	**21**	①	②	③	④	⑤
4	①	②	③	④	⑤	**13**						**22**					
5	①	②	③	④	⑤	**14**	①	②	③	④	⑤	**23**	①	②	③	④	⑤
6	①	②	③	④	⑤	**15**	①	②	③	④	⑤	**24**	①	②	③	④	⑤
7	①	②	③	④	⑤	**16**	①	②	③	④	⑤	**25**					
8	①	②	③	④	⑤	**17**	①	②	③	④	⑤						
9	①	②	③	④	⑤	**18**											

✂

실전 문제 OMR 답안지

사회

학교	
반	
이름	
확인	

보기와 같이 객관식의 경우 해당 번호에 표기하고 주관식의 경우 해당 답란에 답을 써야 합니다.

보기	번호	답란				
	1	①	②	●	④	⑤
	2	①	②	③	④	●
	3	주관식 답을 씁니다.				
	4	●	②	③	④	⑤
	5	주관식 답을 씁니다.				

점수:

1	① ② ③ ④ ⑤	10	① ② ③ ④ ⑤	19	① ② ③ ④ ⑤
2	① ② ③ ④ ⑤	11	① ② ③ ④ ⑤	20	① ② ③ ④ ⑤
3		12		21	① ② ③ ④ ⑤
4	① ② ③ ④ ⑤	13	① ② ③ ④ ⑤	22	
5	① ② ③ ④ ⑤	14	① ② ③ ④ ⑤	23	
6	① ② ③ ④ ⑤	15	① ② ③ ④ ⑤	24	
7	① ② ③ ④ ⑤	16		25	① ② ③ ④ ⑤
8	① ② ③ ④ ⑤	17	① ② ③ ④ ⑤		
9	① ② ③ ④ ⑤	18	① ② ③ ④ ⑤		

과학

학교	
반	
이름	
확인	

보기와 같이 객관식의 경우 해당 번호에 표기하고 주관식의 경우 해당 답란에 답을 써야 합니다.

보기	번호	답란				
	1	①	②	●	④	⑤
	2	①	②	③	④	●
	3	주관식 답을 씁니다.				
	4	●	②	③	④	⑤
	5	주관식 답을 씁니다.				

점수:

1	① ② ③ ④ ⑤	10	① ② ③ ④ ⑤	19	
2	① ② ③ ④ ⑤	11	① ② ③ ④ ⑤	20	
3		12	① ② ③ ④ ⑤	21	① ② ③ ④ ⑤
4	① ② ③ ④ ⑤	13		22	① ② ③ ④ ⑤
5	① ② ③ ④ ⑤	14	① ② ③ ④ ⑤	23	① ② ③ ④ ⑤
6		15		24	
7	① ② ③ ④ ⑤	16	① ② ③ ④ ⑤	25	① ② ③ ④ ⑤
8	① ② ③ ④ ⑤	17	① ② ③ ④ ⑤		
9	① ② ③ ④ ⑤	18	① ② ③ ④ ⑤		

영어

학교	
반	
이름	
확인	

보기와 같이 객관식의 경우 해당 번호에 표기하고 주관식의 경우 해당 답란에 답을 써야 합니다.

보기	번호	답란				
	1	①	②	●	④	⑤
	2	①	②	③	④	●
	3	주관식 답을 씁니다.				
	4	●	②	③	④	⑤
	5	주관식 답을 씁니다.				

점수:

1	① ② ③ ④ ⑤	10	① ② ③ ④ ⑤	19	① ② ③ ④ ⑤
2	① ② ③ ④ ⑤	11	① ② ③ ④ ⑤	20	① ② ③ ④ ⑤
3	① ② ③ ④ ⑤	12	① ② ③ ④ ⑤	21	① ② ③ ④ ⑤
4	① ② ③ ④ ⑤	13	① ② ③ ④ ⑤	22	① ② ③ ④ ⑤
5	① ② ③ ④ ⑤	14	① ② ③ ④ ⑤	23	① ② ③ ④ ⑤
6	① ② ③ ④ ⑤	15	① ② ③ ④ ⑤	24	① ② ③ ④ ⑤
7	① ② ③ ④ ⑤	16	① ② ③ ④ ⑤	25	① ② ③ ④ ⑤
8	① ② ③ ④ ⑤	17	① ② ③ ④ ⑤		
9	① ② ③ ④ ⑤	18	① ② ③ ④ ⑤		

정답과 해설

지학사

정답과 해설

확인문제

01 ② 　 02 ④ 　 03 ①, ④, ⑤ 　 04 ㉯, ㉮, ㉰
05 ⑤ 　 06 ①, ⑤ 　 07 ⑤ 　 08 ①, ②, ③
09 ⑤ 　 10 (1) ㉠, ㉡ (2) ㉢ 　 11 ④ 　 12 ⑤
13 ③, ④ 　 14 ㉣, ㉤, ㉯, ㉲, ㉮, ㉰ 　 15 ⑤

01 겨울을 녹이면서 봄비가 내리면 겨우내 땅속에 있던 꽃씨가 눈을 뜬다고 했습니다.

02 1연에서 봄비가 몰래 겨울을 녹이면서 내려와 앉는다고 마치 사람처럼 표현했습니다.

03 시에서 일어나는 일을 다르게 생각했거나 사람 마다 경험, 알고 있는 지식, 재미를 느낀 부분 이 서로 다르기 때문에 같은 시를 읽고도 사람 마다 생각이나 느낌이 다를 수 있습니다.

04 각 문단의 중심 문장을 찾아 이어 주는 말을 알 맞게 사용하여 연결한 뒤, 글 전체의 내용을 간 추립니다.

05 나들이를 갈 춘천의 일요일 날씨를 간추려 써 야 합니다.

06 들은 내용을 간추려 정리하면 중요한 내용을 빠짐없이 기억할 수 있을 뿐만 아니라 나중에 기억하기도 쉽습니다.

07 말하는 상황에 어울리는 표정을 짓고 알맞은 몸짓을 하며 공손하고 예의 바른 말투로 말해 야 합니다.

08 상황에 알맞은 표정, 몸짓, 말투를 사용해 말해 야 합니다.

09 오답풀이 동생에게는 이해하기 쉬운 말로 말해 야 합니다. 웃어른이나 여러 사람 앞에서는 높 임말을 사용하여 말해야 합니다.

10 ㉠과 ㉡은 실제로 있었던 일이고, ㉢은 그 일에 대한 생각입니다.

11 오답풀이 같은 사실에 대해서도 사람마다 의견

이 다를 수 있습니다.

12 학급 신문 기사에는 우리 반에서 있었던 일이 나 우리 반 친구들에게 전하는 새로운 소식이 들어가야 합니다.

13 시간의 흐름과 장소의 변화에 따라 어떤 일이 일어났는지 사건의 흐름을 파악하여 봅니다.

14 이야기의 흐름에 따라 일어난 일을 차례대로 정리하여 봅니다.

15 이야기의 흐름이 자연스러운지, 이야기 앞부분 에 나온 내용과 새롭게 쓴 내용이 어울리는지, 전체 이야기가 처음, 가운데, 끝의 흐름에 잘 맞는지 등을 살펴보아야 합니다.

01 ③ 　 02 ② 　 03 ② 　 04 ㉢, ㉡, ㉮, ㉣ 　 05 ②
06 ⑤ 　 07 ③ 　 08 ② 　 09 (1) 우리 반 친구들이
(2) 도서관에서 책을 읽습니다. 　 10 ②, ③ 　 11 ③
12 ①, ⑤ 　 13 ④ 　 14 ③ 　 15 ③

01 공통의 문제를 해결하기 위해 회의를 하면 여 러 사람의 의견을 듣게 되어 보다 나은 해결 방 법을 찾을 수 있습니다.

02 찬성과 반대 의견을 헤아려 다수결로 결정하고 있으므로 회의 절차에서 '표결'에 속합니다.

03 회의를 할 때 사회자는 회의 절차를 안내하고 회의 참여자들에게 말할 기회를 골고루 주는 역할을 합니다.

04 각 낱말의 첫 자음자가 국어사전에 실린 차례 대로 늘어놓아 봅니다. 낱말이 상황에 따라 형 태가 바뀔 때에는 형태가 바뀌지 않는 부분에 '-다'를 붙여 기본형을 만들어야 합니다. 국어 사전에는 '묶다, 접다, 찢다, 창호지'의 차례대 로 실려 있습니다.

05 오답풀이 '높다'는 길이나 거리가 길거나 값, 신 분, 지위 등이 위에 있다는 것을 뜻하는 낱말 로, 행동이나 동작을 나타내는 말이 아닙니다.

06 국어사전, 백과사전, 인터넷 사전, 과학 용어 사전 등에서 '협곡'의 뜻을 찾을 수 있습니다.

오답 풀이 '우리말 속담 사전'은 우리말로 이루어진 속담의 뜻을 찾아보기에 알맞습니다.

07 글쓴이는 "꽃밭에 쓰레기를 버리지 않으면 좋겠습니다."라는 의견을 제안하였습니다.

08 제안하는 글을 쓸 때에는 자신의 의견을 분명하게 드러내고 그 의견에 알맞은 까닭을 들어야 설득력을 가질 수 있습니다. 제안하는 글에서는 글쓴이의 마음 상태를 드러내지 않습니다.

09 대상(무엇 또는 누구)이 어떤 동작이나 어떤 상태인지 생각해 보고 문장을 크게 두 부분으로 나누어 봅니다.

10 문자가 없으면 정보를 정확하게 기록할 수 없고 생각을 자세하게 나타낼 수 없어 매우 불편할 것입니다.

11 세종은 누구나 쉽게 배워서 널리 쓸 수 있도록 쉽고 단순한 문자를 만들어야 한다고 생각하였습니다.

12 훈민정음을 배운 덕분에 더 이상 글을 읽지 못해 억울한 일을 당하는 사람이 줄었고, 여자들도 책을 읽거나 편지를 쓸 수 있었습니다.

13 만화에 나오는 인물의 마음을 짐작하려면 글뿐만 아니라 배경, 인물의 표정과 행동, 말풍선 테두리 모양, 글자 크기 따위를 함께 살펴봐야 합니다.

오답 풀이 인물의 나이와 성별만으로 인물의 마음을 짐작하기는 어렵습니다.

14 만화에 나오는 소민이의 말풍선 내용, 얼굴 표정이나 동작 등을 통해 소민이가 부끄러움을 많이 타고 자신감이 부족한 성격이라는 것을 짐작할 수 있습니다.

15 만화 속 인물의 마음을 실감 나게 표현하기 위해서는 무조건 큰 목소리로 과장하여 말하는 게 아니라, 인물이 처한 상황에 어울리는 말투와 목소리로 실감 나게 말해야 합니다.

국어 | 10~11쪽

01 ④　02 ④　03 중심인물　04 (1)-ⓒ (2)-ⓐ
(3)-ⓑ　05 ⑤　06 ①　07 ⑫　08 (1) 바우
(2) 박 서방　09 ④　10 ④,⑤　11 ⑤　12 (1)-ⓑ
(2)-ⓒ (3)-ⓐ　13 버스 안　14 ④　15 뒷자리

01 만화 영화를 본 경험을 떠올려 봅니다. 가장 기억에 남는 만화 영화는 무엇이고 어떤 친구에게 소개해 주고 싶은지 생각해 봅니다.

02 영화를 감상하기 전에 제목, 광고지, 예고편 따위를 보고 내용을 미리 상상하거나, 영화를 보고 나서 기억에 남는 대사나 인상 깊은 장면을 떠올리며 느낀 점을 글로 써 봅니다.

03 어떤 사건의 중심이 되는 인물을 '중심인물'이라고 합니다. 만화 영화를 감상할 때에는 중심인물의 고민이 어떻게 해결되는지 살펴보면서 이어질 이야기를 상상해 봅니다.

04 문장에 쓰인 낱말이나 표현을 통해 인물의 마음 상태를 짐작할 수 있습니다.

05 오답 풀이 글쓴이의 의견이 분명하게 드러나 있는 글은 주장하는 글의 특징입니다.

06 지우는 지난 체험학습 때 마음에 드는 도자기를 만들도록 도와주신 김하영 선생님께 고마운 마음을 전하려고 편지를 썼습니다.

07 ⓒ에는 당황스러운 마음, ⓒ에는 속상한 마음, ⓐ에는 신기한 마음, ⓗ에는 고마운 마음이 잘 드러나 있습니다.

08 윗마을 양반은 박 노인에게 "바우야, 쇠고기 한 근만 줘라."라고 함부로 말했고, 아랫마을 양반은 박 노인에게 "박 서방, 쇠고기 한 근만 주게."라고 존중하여 말했습니다.

09 젊은 윗마을 양반이 "바우야, 쇠고기 한 근만 줘라."라고 함부로 말했을 때 박 노인은 짜증이 나고 기분이 매우 나빴을 것입니다. 그래서 박 노인도 윗마을 양반에게 건성으로 대답했던 것입니다.

10 깍듯이 부탁하는 말투로 말한 아랫마을 양반의 말을 듣고 박 노인도 웃으면서 부드러운 말투로 대답했을 것입니다.

11 박 노인은 자신을 '박 서방'이라고 부르며 공손하게 말한 아랫마을 양반이 자신을 존중해 주는 느낌이 들어서 고기를 더 많이 준 것입니다.

12 이야기의 재료가 되는 인물, 사건, 배경을 이야기의 구성 요소라고 합니다. 이 세 가지가 어울려야 한 편의 이야기가 만들어집니다.

13 이야기에서 사건이 펼쳐지는 장소를 '공간적 배경'이라고 합니다. 사라는 버스 뒷자리에 있다가 앞쪽 끝까지 가서 운전사 옆자리에 앉았습니다.

14 사라는 호기심이 많고, 당차고 용감하며 자신의 생각을 굽히지 않는 성격입니다.
오답 풀이 사라가 만약 규칙에 잘 따르는 성격이었다면 사람들과 운전사의 말에 따라 뒷자리로 돌아가 앉았을 것입니다.

15 버스 앞쪽에서 두리번거리는 사라에게 아주머니께서는 사라에게 버스 뒷자리로 돌아가라고 말씀하셨습니다.

국어 13~14쪽

01 (1) 늙은 농부의 세 아들은 (2) 게을렀다. **02** ①, ⑤
03 ⑤ **04** ④ **05** ③ **06** ⑤ **07** ②
08 (1)-④ (2)-㉮ (3)-㉰ **09** ④, ㉱, ㉣, ㉯ **10** ⑤
11 ㉠ **12** ③ **13** ③ **14** ③ **15** ④

01 주어진 문장을 '누가 + 어떠하다'의 짜임에 알맞게 두 부분으로 나누어 봅니다.

02 우리 생활 속에서 고쳐야 할 점이나 좀 더 나은 방향으로 바꾸고 싶은 일이나 상황을 찾아야 합니다.

03 의견을 제시하는 글을 쓸 때에는 문제 상황에 대한 자신의 의견을 한 가지로 분명하게 제시해야 설득력을 높일 수 있습니다.

04 인물이 살았던 시대 상황, 인물이 한 일을 바탕으로 하여 본받고 싶은 인물이 누구인지 생각해 봅니다.

05 김만덕이 굶주린 제주도 사람들에게 자신의 곡식을 기꺼이 내준 것으로 보아, 이웃과의 나눔을 가치 있게 생각했음을 알 수 있습니다. '가치관'은 사람이 어떤 행동이나 일을 선택하고 실천하는 데 바탕이 되는 생각을 말합니다.

06 인물의 생각, 인물이 한 일에서 그 인물에게 본받고 싶은 점을 찾을 수 있습니다.
오답 풀이 인물의 삶을 본받고 싶은 까닭은 전기문에 나타나 있지 않고 읽는 사람에 따라 다릅니다.

07 오답 풀이 책 제목은 정해져 있기 때문에 내 생각이나 느낌에 따라 바꿀 수 없습니다. 책을 읽고 나서 독서 감상문을 쓸 때에는 자신의 생각이나 느낌이 잘 드러나게 제목을 붙입니다.

08 독서 감상문에는 책 내용, 책을 읽은 동기, 책을 읽고 생각하거나 느낀 점이 들어갑니다.

09 독서 감상문은 '독서 감상문을 쓸 책 고르기 → 책 내용 떠올리기 → 인상 깊은 장면이나 내용 정하기 → 인상 깊은 까닭 생각하기 → 책에 대한 생각이나 느낌 정리하기 → 독서 감상문에 알맞은 제목 정하기'의 과정에 따라 씁니다.

10 글쓴이는 여러 분야의 책을 읽는 것이 바람직하다는 의견을 가지고 있습니다.

11 오답 풀이 ㉡의 내용은 글쓴이의 개인적인 경험일 뿐, 그렇지 않다고 생각하는 사람도 많기 때문에 믿을 만하지 못합니다.

12 자료를 찾아 뒷받침 내용으로 쓸 때에는 출처를 반드시 확인하고, 그 출처가 믿을 만한지도 점검해야 합니다.

13 글쓴이의 의견이 문제 상황을 해결할 수 있는지를 평가하여 가장 적절한 의견을 찾아야 합니다.

14 이 시에서 말하는 이의 관심은 온통 비행기와 관련된 것입니다.

15 말하는 이는 비행기 조종석에 앉아 있는 모습을 상상하고 있습니다.

수학 16~17쪽

01 10000, 일만 **02** 사만 팔천이백칠십구 **03** ㄹ
04 9개 **05** 1000만 (또는 10000000) **06** < **07** ㉠
08 (○) ( ) **09** 80°
10 ㉠, ㉢, ㉣, ㉡, ㉢ **11** ㉡ **12** 100 **13** 80
14 90 **15** 42000 **16** (왼쪽부터) 3, 2, 1
17 9, 6 / 7, 57 **18** 67…12 **19** 76, 23, 3, 7
20 15225 m

02 48279 → 4만 8279 → 사만 팔천이백칠십구

03 ㉠ 3<u>2</u>148942 → 2 ㉡ 7<u>2</u>919014 → 2
㉢ 9<u>2</u>789123 → 2 ㉣ 5<u>3</u>289091 → 3
따라서 백만의 자리 숫자가 다른 수는 ㉣입니다.

04 사천칠조 삼천구백억 오백팔십육만
→ 4007조 3900억 586만
→ 4007│3900│0586│0000
따라서 0은 모두 9개입니다.

06 십만의 자리 숫자가 7 < 9이므로
3789584 < 3901234입니다.

07 ㉠ 62억 957만 ㉡ 63억 100만 ㉢ 64억
따라서 가장 작은 수는 ㉠ 6209570000입니다.

11

따라서 시계의 긴바늘과 짧은바늘이 이루는 작은 쪽의 각이 둔각인 것은 ㉡입니다.

13 40° + 60° + □° = 180°이므로
□° = 180° − 40° − 60° = 80°

14 직선을 이루는 각도가
180°이므로
㉠ = 180° − 60° = 120°
사각형의 네 각의 크기의
합은 360°이므로
□ + 80° + 70° + 120° = 360°,
□ + 270° = 360°, □ = 90°

16 310 × 50 = 15500, 530 × 30 = 15900,
320 × 60 = 19200이므로 곱이 큰 것부터 차례

대로 나열하면 320 × 60, 530 × 30, 310 × 50
입니다.

17 186 ÷ 20 = 9…6
617 ÷ 80 = 7…57

18
```
        6 7  ← 몫
  14) 9 5 0
      8 4
      1 1 0
        9 8
        1 2  ← 나머지
```

19 몫이 가장 크게 되려면 가장 큰 두 자리 수를 가장 작은 두 자리 수로 나누면 됩니다.
가장 큰 두 자리 수는 76이고, 가장 작은 두 자리 수는 23이므로 76 ÷ 23 = 3…7입니다.

20 (성현이가 35일 동안 달린 거리)
= 435 × 35 = 15225 (m)

수학 19~20쪽

01 해설 참조 **02** 해설 참조 **03** 해설 참조
04 해설 참조 **05** 해설 참조 **06** 해설 참조
07 해설 참조 **08** 계절, 학생 수 **09** 8명
10 겨울 **11** 9칸 **12** 해설 참조 **13** 2명 **14** 1
15 10 **16** 1, 5, 9, 13 **17** 해설 참조 **18** 17
19 11111 × 11111 = 123454321
20 111111 × 111111 = 12345654321

01

02

03 **04**

05

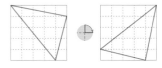

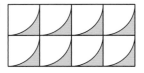

06

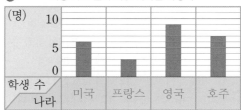

07 예 <small>◻</small> 모양을 시계 방향으로 90°만큼 돌리는 것을 반복해서 모양을 만들고 그 모양을 옆으로 밀어서 무늬를 만들었습니다.

09 세로 눈금 한 칸의 크기가 1명이므로 가을을 좋아하는 학생은 8명입니다.

11 영국으로 여행 가고 싶은 학생은 9명이므로 9칸으로 나타냅니다.

12 예

여행 가고 싶어 하는 나라별 학생 수

(명)

학생 수 \ 나라	미국	프랑스	영국	호주
10			⬛	
5	⬛		⬛	⬛
0	⬛	⬛	⬛	⬛

13 영국으로 여행 가고 싶어 하는 학생은 9명, 호주로 여행 가고 싶어 하는 학생은 7명이므로 영국으로 여행 가고 싶어 하는 학생은 호주로 여행 가고 싶어 하는 학생보다 $9-7=2$(명)더 많습니다.

14 ➡ 방향은 501에서 시작하여 오른쪽으로 1씩 커집니다.

15 ⬇ 방향은 501에서 시작하여 아래쪽으로 10씩 커집니다.

17 예 도형의 배열에서 ▨의 수는 4씩 늘어나는 규칙이 있습니다.

18 다섯째에 알맞은 도형에서 ▨의 수는

$13+4=17$입니다.

19 1이 한 개씩 늘어나는 수를 두 번 곱한 결과는 가운데를 중심으로 같은 수가 나옵니다.

수학   22~23쪽

01 3, 2, 5, 3, 2, 5   **02** $\frac{6}{11}$ **03** 형진, $\frac{3}{13}$ m

04 $9\frac{1}{9}$ kg   **05** $3\frac{1}{10}$ **06** ㉢   **07** $1\frac{3}{5}$

08 나, 라, 마   **09** 나   **10** 12   **11** 60, 60

12 예각삼각형, 둔각삼각형   **13** ㉠   **14** 3.052, 삼 점 영오이   **15** <   **16** 0.01, 1   **17** (1) 1.2 (2) 0.8

18 해설 참조   **19** 0.69 m   **20** 4.95

03 (형진이의 색 테이프의 길이)−(선영이의 색 테이프의 길이)$=\frac{8}{13}-\frac{5}{13}=\frac{3}{13}$(m)

04 (사과 2상자의 무게)
$=4\frac{5}{9}+4\frac{5}{9}=8+\frac{10}{9}=8+1\frac{1}{9}=9\frac{1}{9}$(kg)

05 $6\frac{8}{10}-3\frac{7}{10}=(6-3)+\left(\frac{8}{10}-\frac{7}{10}\right)$
$=3+\frac{1}{10}=3\frac{1}{10}$

06 각각의 뺄셈식의 결과를 구하면
㉠ $2\frac{1}{2}$ ㉡ $\frac{2}{5}$ ㉢ $1\frac{1}{3}$ ㉣ $2\frac{2}{4}$
이므로 계산 결과가 1과 2 사이인 뺄셈식은 ㉢입니다.

07 $3\frac{1}{5}-1\frac{3}{5}=2\frac{6}{5}-1\frac{3}{5}=1\frac{3}{5}$

10 이등변삼각형은 두 변의 길이가 같습니다.

11 정삼각형은 세 각의 크기가 60°로 모두 같습니다.

12 세 각이 모두 예각인 삼각형을 예각삼각형이라 하고, 한 각이 둔각인 삼각형을 둔각삼각형이라고 합니다.

13 삼각형의 나머지 한 각의 크기는
$180°-50°-60°=70°$입니다. 세 각이 모두 예각이므로 예각삼각형입니다.

14 $3\frac{52}{1000}=3.052$이고 3.052는 삼 점 영오이라고

읽습니다.

15 소수 첫째 자리 숫자가 3<4이므로 0.34<0.4 입니다.

18

$$\begin{array}{r} 4.26 \\ +1.5 \\ \hline 5.76 \end{array}$$

소수점끼리 맞추어 세로로 쓴 다음 같은 자리끼리 계산합니다.

19 (책상의 긴 쪽의 길이)
＝(책상의 짧은 쪽의 길이)＋0.12
＝0.57＋0.12＝0.69(m)

20 만들 수 있는 가장 큰 수는 6.41, 만들 수 있는 가장 작은 수는 1.46이므로 두 수의 차는 6.41－1.46＝4.95입니다.

수학 | 25~26쪽

01 수직, 수선 **02** 해설 참조 **03** 직선 바
04 4 cm **05** 가, 다 **06** (위에서부터) 7, 80, 10
07 6 cm **08** 시각, 기온 **09** 1 ℃ **10** 17 ℃
11 해설 참조 **12** 25일과 30일 사이 **13** 5일과 10
일 사이 **14** (   ) (   ) (○)
15 해설 참조 **16** 다 **17** 12 cm **18** 해설 참조
19 나 **20** 해설 참조

02 예

 가

03 한 직선에 수직인 두 직선은 서로 평행하므로 직선 가에 수직인 직선 라와 직선 바는 서로 평행합니다.

04 평행선의 한 직선에서 다른 직선에 수선을 긋고 수선의 길이를 재어 보면 4 cm입니다.

05 평행한 변이 한 쌍이라도 있는 사각형을 찾으면 가, 다입니다.

06 평행사변형은 마주 보는 변의 길이가 같고 마주 보는 각의 크기가 같습니다.

07 (선분 ㄴㅇ)＝(선분 ㅇㄹ)＝3 cm이므로
(선분 ㄴㄹ)＝3＋3＝6(cm)

08 그래프의 가로는 시각, 세로는 기온을 나타냅니다.

10 오후 3시에 찍힌 점의 세로 눈금을 읽으면 17 ℃입니다.

11

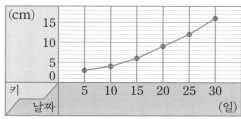

12 토마토 싹의 키가 가장 많이 자란 때는 선이 오른쪽 위로 가장 많이 기울어진 25일과 30일 사이입니다.

13 토마토 싹의 키가 가장 적게 자란 때는 선이 오른쪽 위로 가장 적게 기울어진 5일과 10일 사이입니다.

15 예

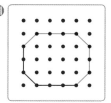

16 변이 5개이면서 길이가 모두 같고 각의 크기가 모두 같은 다각형을 찾으면 다입니다.

17 정사각형은 네 변의 길이가 모두 같으므로 정사각형의 모든 변의 길이의 합은
18×4＝72(cm)입니다.
정육각형의 6개의 변의 길이는 모두 같으므로 한 변의 길이는 72÷6＝12(cm)입니다.

18

19 대각선의 수를 각각 구하면 가는 9개, 나는 2개, 다는 5개이므로 대각선의 수가 가장 적은 것은 나입니다.

20 예

사회 | 28~29쪽

01 지도 **02** ① **03** ④ **04** (1) – ㉠ (2) – ㉣ (3) – ㉤ **05** ⑤ **06** 축척 **07** ⑤ **08** ④ **09** 중심지
10 ⑤ **11** ③ **12** ① **13** ② **14** ①, ④ **15** ②

02 지도가 갖추고 있는 요소로 지형지물의 위치와 종류, 지형지물 사이의 실제 거리, 땅의 높낮이 등을 알 수 있습니다.

03 지도에 방위표가 없으면 지도의 위쪽이 북쪽, 아래쪽이 남쪽, 오른쪽이 동쪽, 왼쪽이 서쪽입니다.

05 등고선은 높이가 같은 곳을 연결한 선으로, 지도에 땅의 높낮이를 나타낼 때 이용합니다.
오답 풀이 ① 색이 진해질수록 높은 곳, ② 바깥으로 갈수록 낮은 곳, ④ 등고선의 숫자가 클수록 높은 곳입니다.

06 지도는 땅의 실제 모습을 적절하게 줄여서 나타내는데, 실제 거리를 줄여서 지도에 나타낸 정도를 축척이라고 합니다.

07 제시된 지도에서 1 cm는 실제 거리 1 km입니다. 지도상 두 지점 사이의 거리가 5 cm이므로, 실제 거리는 5 km입니다.

08 대략적인 역의 위치와 노선을 표시한 지하철 노선도를 보면 어느 역에서 내려야 하는지, 어느 역에서 갈아타야 하는지 알 수 있습니다.

09 중심지는 사람들이 일이나 활동을 하기 위해 많이 모이는 곳으로, 군청, 시장, 버스 터미널 등이 모여 있습니다.

10 행정 업무를 처리할 때 이용하는 시청, 도청, 교육청 등의 시설이 모여 있는 곳은 행정 중심지입니다.

11 중심지 답사 계획하기 단계에서는 답사 날짜와 장소, 내용, 방법, 준비물, 역할 등을 정하고 답사 계획서를 씁니다. ③ 답사 자료를 정리하는 것은 답사를 다녀온 후 마지막 단계에서 할 일입니다.

12 ⑤ 답사를 할 때 사람이나 건물의 사진을 찍을 때는 허락을 먼저 받습니다.

13 문화유산에 대한 자료를 찾을 수 있는 누리집에서 검색하거나 문화유산을 답사하여 우리 지역의 문화유산을 조사할 수 있습니다.

14 문화유산 가운데 석탑, 건축물, 책 등과 같이 일정한 형태가 있는 것을 유형 문화유산이라고 합니다.
오답 풀이 ②, ③, ⑤ 일정한 형태가 없이 그 기능을 지닌 사람이 전해 줘야 하는 문화유산을 무형 문화유산이라고 합니다.

15 문화유산 안내도를 만들어 지역에 있는 다양한 문화유산의 위치와 특징, 관련된 이야기 등을 함께 소개할 수 있습니다.

사회 | 31~32쪽

01 역사적 인물 **02** ⑤ **03** 조사 내용 **04** ②
05 ② **06** ④ **07** ㉡, ㉢, ㉣ **08** ⑤ **09** ② **10** ①
11 ③ **12** 지역 문제 **13** ④ **14** ① **15** ③

01 뛰어난 업적을 쌓거나 훌륭한 일을 하여 오랜 세월에 걸쳐 알려진 사람을 역사적 인물이라고 합니다.

02 제시된 자료는 박물관에 가서 직접 자료를 보는 장면입니다. 역사적 인물과 관련된 장소에 현장 체험 학습을 가서 자료를 직접 수집할 수 있습니다.

03 우리 지역의 역사적 인물을 조사하기 전에 조사 주제, 조사 내용, 조사 방법, 역할 나누기 등이 담겨 있는 조사 계획서를 작성합니다.

04 조사를 통해 알게 된 점을 정리하는 것은 조사한 뒤에 조사 결과 보고서를 작성할 때 들어갈 항목입니다.

05 제시된 자료는 역할극으로 우리 지역의 역사적 인물의 삶을 소개하는 장면입니다. 역사적 인물의 일생이나 업적이 잘 드러나는 사건을 정

해 역할극 대본을 작성하고, 각자 역할을 맡아 역할극을 통해 우리 지역의 역사적 인물을 소개할 수 있습니다.

06 공공 기관은 주민 전체의 이익을 위한 장소 가운데 생활의 편의를 위해 국가나 지방 자치 단체가 세우거나 관리하는 곳입니다.

07 공공 기관은 개인의 이익이 아닌 주민 전체의 이익을 위해 국가나 지방 자치 단체가 세워 관리하는 곳입니다.

오답 풀이 ㉠ 백화점, ㉢ 시장, ㉣ 서점은 개인이나 회사가 만든 곳으로 국가나 지방 자치 단체가 세워 관리하는 공공 기관으로 볼 수 없습니다.

08 행정 복지 센터는 주민 등록증 발급, 출생 신고 등 주민 생활과 관련된 일을 도와줍니다.

오답 풀이 ① 경찰서는 주민들의 생명과 재산을 보호하고 질서를 유지합니다. ② 도서관은 주민들이 책을 읽고 공부할 수 있는 공간을 제공합니다. ③ 보건소는 질병을 예방하고 주민들의 건강을 지킵니다. ④ 박물관은 역사, 미술 등 여러 분야의 자료를 모아 전시합니다.

09 경찰서에서는 교통사고를 조사하고, 신호를 지키지 않는 차를 단속합니다.

10 인터넷으로 찾아보기, 책에서 찾아보기, 공공 기관 방문하기, 면담하기 등의 방법으로 공공 기관에서 하는 일을 조사할 수 있습니다.

11 견학할 공공 기관이 정해지면 기관에 미리 연락해 방문 허락을 받습니다.

오답 풀이 ①, ②, ④, ⑤는 공공 기관을 견학하면서 해야 할 일입니다.

13 제시된 그림은 분리배출이 제대로 되지 않고, 공기와 물이 오염된 환경 문제를 나타내고 있습니다.

14 제시된 자료는 인터넷으로 지역 사회단체 누리집에 들어가 검색하여 지역 문제를 찾아보고 있습니다. 즉 사회단체 누리집을 이용해 지역 문제의 상황을 확인하는 단계입니다.

15 제시된 참여 방법은 주민들이 공청회에 참석하여 직접 의견을 내거나 듣는 공청회 참석입니다.

사회 34~35쪽

01 ①	02 산지촌	03 ⑤	04 ②	05 ③	06 ⑤
07 ③	08 ⑤	09 교류	10 ⑤	11 ②	12 ⑤
13 희소성	14 ①	15 ④			

01 제시된 사진은 농촌입니다. 농촌에서는 논과 밭에서 곡식이나 채소를 기르는 일을 주로 합니다.

오답 풀이 ②, ③은 어촌, ④, ⑤는 산지촌에서 사람들이 주로 하는 일입니다.

02 목재 생산, 약초 재배, 목장, 휴양림 등은 산지촌에서 볼 수 있습니다.

03 어촌은 바닷가에 자리 잡은 촌락으로, 사람들은 주로 바다를 이용해 어업을 합니다.

오답 풀이 ①, ②는 농촌, ③, ④는 산지촌에 대한 설명입니다.

04 도시에는 많은 사람이 모여 살고 높은 건물이 많습니다. 다양한 교통 시설이 발달했으며, 여러 시설과 공공 기관 등이 모여 있습니다. ② 비닐하우스는 농촌에서 많이 볼 수 있는 모습입니다.

05 왼쪽은 촌락, 오른쪽은 도시입니다. 두 지역은 모두 집, 일터, 도로 등을 갖춘 삶터입니다.

오답 풀이 ①은 도시 지역의 특징, ②, ④, ⑤는 촌락 지역의 특징입니다.

06 도시에 사는 사람들은 대부분 회사나 공장에 다니거나 사람들이 편리하게 생활하도록 도와주는 일을 합니다.

오답 풀이 ①, ②는 어촌, ③은 농촌, ④는 산지촌에 사는 사람들의 생활 모습입니다.

07 1970년 촌락의 인구와 비교하여 2019년 촌락의 인구는 줄어들었습니다. 이로 인해 촌락에서는 일할 수 있는 사람들이 줄어들어 일손 부족 문제를 겪고 있습니다.

08 ⑤ 시설 부족 문제는 촌락의 문제에 해당합니다. 촌락은 대중교통이나 문화 시설 등 생활에 필요한 시설이 도시보다 부족합니다.

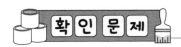

09 물건, 기술, 문화 등을 서로 주고받는 것을 교류라고 합니다.

10 촌락 사람들은 다양한 시설과 공공 기관을 이용하려고 도시를 찾습니다. ⑤ 도시 사람들이 촌락을 찾는 까닭입니다.

11 제시된 자료는 고장 누리집에 방문하여 자료를 찾는 방법을 나타낸 것입니다.

12 제시된 내용은 직거래 장터에 대한 설명입니다. 직거래 장터는 촌락에 사는 사람과 도시에 사는 사람 모두에게 경제적으로 도움이 되며 서로 소통하고 이해할 수 있는 기회가 됩니다.

14 ②, ⑤ 생활에 필요한 것을 만드는 활동, ③, ④ 생활을 편리하고 즐겁게 해 주는 활동입니다.

15 ④ 자신에게 알맞은 것을 골라야 돈과 자원의 낭비를 막을 수 있습니다.

사회   37~38쪽

01 ①　　**02** 경제 교류　　**03** ③　　**04** ①　　**05** ③
06 ㉠ 저출산 ㉡ 고령화　　**07** ②, ⑤　　**08** ①　　**09** ⑤
10 ②　　**11** ㉡, ㉢　　**12** ④, ⑤　　**13** 문화　　**14** ①
15 ⑤

01 물건을 만든 재료를 확인해서는 그 물건이 어디에서 왔는지 알아볼 수 없습니다.

02 경제적 이익을 얻기 위해 상품, 기술, 정보 등을 서로 주고받는 것을 경제 교류라고 합니다.

03 경제 교류가 이루어지는 까닭은 지역마다 자연환경, 생산 기술, 자원 등이 다르기 때문입니다.

04 다양한 경제 교류로 각 지역은 경제적 이익을 얻을 수 있습니다.

05 사회 변화로 다른 나라의 음식점이 많이 생겨나서 외국에 가지 않아도 다른 나라의 음식을 먹기가 쉬워졌습니다.

06 태어나는 아이의 수가 줄어드는 현상을 저출산, 전체 인구에서 노인 인구가 차지하는 비율이 늘어나는 현상을 고령화라고 합니다.

07 태어나는 아이의 수가 줄어들어 출산을 도와주는 산부인과 병원의 수가 줄어들고 있고, 초등학교에 입학하는 학생 수도 줄어들고 있습니다.

08 고령화 현상에 대응하기 위해 노인에게 적절한 일자리를 제공하거나 경제적인 도움을 주고, 복지 제도를 마련합니다.
　오답 풀이　②, ③, ④, ⑤는 저출산에 대비하기 위한 방법에 해당합니다.

09 다양한 분야에서 정보와 정보 통신 기술이 널리 활용되는 현상을 정보화라고 합니다. 이 외에도 정보화로 인해 어디서나 은행 일을 쉽게 처리할 수 있게 되었고, 세계에서 일어나는 다양한 소식을 빠르게 접할 수 있습니다.

10 인터넷에 지나치게 빠져 일상생활을 제대로 할 수 없는 문제입니다. 이를 해결하려면 인터넷의 올바른 사용 습관을 길러야 합니다.
　오답 풀이　①은 전화번호, 주소 등의 정보를 몰래 가져다 사용하는 문제에 대한 대처 방안, ③은 다른 사람이 만든 창작물을 허락 없이 사용하는 문제에 대한 대처 방안, ⑤는 거짓 정보가 사실인 것처럼 널리 퍼지는 문제에 대한 대처 방안입니다.

11 세계 여러 나라가 활발하게 교류하면서 서로 영향을 주고받는 것을 세계화라고 합니다.
　오답 풀이　㉠은 정보화, ㉢은 저출산에 따른 생활 모습의 변화에 해당합니다.

12 세계화의 영향으로 나라 간의 불평등 문제가 발생하고, 문화의 다양성이 약화되는 문제가 나타나고 있습니다.

13 한 사회 안에서 살아가는 사람들이 지닌 공통의 생활 방식을 문화라고 합니다.

14 문화는 한 사회의 사람들이 만들어 낸 공통된 생활 양식을 말합니다. ① 졸려서 하품을 하는 것은 문화가 아닙니다.

15 차별이란 대상을 정당한 이유 없이 구별하고 다르게 대우하는 것을 말합니다. ⑤ 제시된 그림은 출신 지역이 다른 사람에 대한 편견으로 그 지역 사람들을 나쁘게 평가하고 있습니다.

과학

01 ②	02 ④	03 ⑤	04 ③	05 역암, 사암, 이암
06 ②	07 ①	08 (1) ⓒ (2) ⓐ (3) ⓑ		09 ②, ⑤
10 ②	11 ④	12 ⓐ 떡잎싸개 ⓑ 본잎		13 ②
14 ④	15 ⑤	16 ④		

01 오답 풀이 가루 물질을 올리기 전에 영점 단추를 눌러야 합니다.

02 오답 풀이 추리한 것이 관찰 결과를 모두 설명할 수 있어야 합니다.

03 여러 층이 수평으로 쌓여 있으며 줄무늬를 볼 수 있습니다. 층마다 색깔과 두께가 다릅니다.

04 오답 풀이 지층 모형을 만드는 데 짧은 시간이 걸립니다.

05 퇴적암은 알갱이의 크기에 따라 역암, 사암, 이암으로 분류할 수 있습니다. 이암은 알갱이의 크기가 작은 진흙이 굳어져 만들어진 것입니다.

06 물 풀은 모래 알갱이를 서로 붙여 줍니다. 실제 자연에서는 오랜 시간 동안 여러 가지 물질이 알갱이 사이의 공간을 채우고 서로 붙여 줍니다.

07 얼음 속에서 나온 매머드도 화석이며, 화석은 크기가 다양합니다. 동물이 기어간 흔적도 화석이 될 수 있으며, 삼엽충은 동물 화석입니다.

08 화석 모형 만들기 실험에서 조개껍데기는 옛날에 살았던 생물, 찰흙 반대기는 지층, 찰흙 반대기에 찍힌 조개껍데기 자국은 화석에 해당합니다.

09 고사리 화석을 통해 옛날에 살았던 고사리의 생김새와 고사리 화석이 발견된 지역이 옛날에는 따뜻하고 습기가 많았던 곳이었음을 알 수 있습니다.

10 오답 풀이 사과씨는 둥글고 길쭉하며 한쪽은 모가 나 있습니다.

11 씨가 싹 트려면 적당한 양의 물과 적당한 온도가 필요합니다.

12 옥수수는 싹 틀 때 떡잎싸개가 본잎을 둘러싸고 보호하면서 나옵니다.

13 식물 하나는 빛을 받게 하고, 다른 하나는 빛을 차단하는 장치를 씌워 빛을 받지 않게 하였으므로 식물이 자라는 데 빛이 미치는 영향을 알아보는 실험입니다.

14 잎이 자란 정도를 알아보기 위해서 잎에 모눈 종이나 모눈 투명 종이(OHP)를 대고 그려서 칸을 세어 보거나, 종이에 잎의 본을 떠서 크기를 비교할 수 있습니다.

오답 풀이 잎을 떼지 않고 자란 정도를 측정해야 합니다.

15 열매가 다 자라면 꼬투리 속에 들어 있는 씨의 개수를 세어 봅니다.

16 옥수수는 한해살이 식물이고, 나머지는 여러해살이 식물입니다.

과학

01 ④	02 ②	03 ⓒ	04 ③, ④	05 ⓑ	06 ①
07 지우개	08 ④	09 ③	10 ③, ④	11 ②	
12 ④	13 ②	14 철 캔	15 ②	16 ⑤	

01 저울을 사용하면 물체의 무게를 정확하게 측정할 수 있기 때문에 여러 가지 물체를 무거운 순서대로 정확하게 나열할 수 있습니다.

02 용수철에 걸어 놓은 물체가 무거울수록 지구가 물체를 끌어당기는 힘의 크기가 커지기 때문에 용수철의 길이도 많이 늘어납니다.

03 크기가 조금 더 큰 스타이로폼은 크기가 조금 더 작은 나무토막보다 가볍습니다. 즉, 물체의 크기가 클수록 항상 무게가 무거운 것은 아닙니다.

04 용수철에 걸어 놓은 추의 무게가 일정하게 늘어나면 용수철의 길이도 일정하게 늘어납니다.

05 표시 자와 눈높이를 맞추어 눈금의 숫자를 단위와 같이 읽습니다.

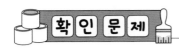

06 받침점이 나무판자의 가운데에 있는 경우, 무게가 다른 물체로 나무판자의 수평을 잡으려면 무거운 물체를 가벼운 물체보다 받침점에 더 가까이 놓거나, 가벼운 물체를 무거운 물체보다 받침점으로부터 더 멀리 놓아야 합니다.

07 양팔저울의 기울어진 쪽이 더 무거우므로, 풀이 가장 무겁고, 지우개가 가장 가볍습니다.

08 전자저울은 전기적 성질을 이용해 화면에 숫자로 물체의 무게를 표시하는 저울입니다.

09 오답 풀이 혼합물을 이루는 물질은 여러 가지 물질이 섞여도 각 물질의 성질이 변하지 않습니다. 즉, 섞이기 전과 섞인 후 물질의 성질이 같습니다.

10 팥빙수와 미숫가루 물 만들기, 여러 가지 채소를 이용해 샌드위치 만들기는 혼합물을 만드는 경우입니다.

11 콩, 팥, 좁쌀의 혼합물은 알갱이의 크기 차이를 이용해 체로 분리합니다.

12 고춧가루에 섞인 철 가루를 분리할 때에는 철이 자석에 붙는 성질을 이용하고, 나머지는 알갱이의 크기 차이를 이용해 혼합물을 분리한 경우입니다.

13 플라스틱 구슬과 철 구슬의 혼합물은 플라스틱 구슬은 자석에 붙지 않고, 철 구슬은 자석에 붙는 성질을 이용하여 분리합니다.

14 캔 자동 분리기의 이동판에는 자석이 들어 있어서 철 캔이 붙어서 이동하다가 ㉠ 상자로 떨어집니다.

15 소금과 모래 혼합물을 분리할 때에는 소금은 물에 녹고, 모래는 물에 녹지 않는 성질을 이용합니다. 소금과 모래의 혼합물을 물에 녹여 거름장치로 거른 다음 거름장치를 빠져나간 소금물을 증발 접시에 붓고 가열하여 물을 증발시켜 분리합니다.

16 찻잎을 따뜻한 물에 넣으면 물에 우러나는 성분이 있는데 이것을 망으로 거르면 찻잎의 물에 녹는 성분을 차로 마십니다.

과학

46~47쪽

01 ①, ④   02 (개) ㉠, ㉡ (나) ㉢   03 ⑤   04 ②
05 ①, ④   06 공기   07 ⑤   08 ⑤   09 ⑤   10 ㉠
11 ③   12 ④   13 ①   14 ⑤   15 ②, ③   16 ④

01 토끼풀 잎은 한곳에 세 개씩 나고, 잎의 끝은 둥글며, 잎의 가장자리는 톱니 모양입니다.

02 강아지풀과 소나무의 잎은 전체적인 모양이 길쭉하고, 단풍나무의 잎은 손바닥 모양입니다.

03 민들레는 잎이 한곳에서 뭉쳐나고 하나의 잎은 톱니 모양으로 갈라져 있습니다. 민들레는 잎의 가장자리에 털이 없습니다.

04 나무는 풀보다 크고, 모두 여러해살이 식물입니다. 풀은 대부분 겨울에 줄기를 볼 수 없고, 소나무는 겨울에도 잎이 초록색으로 줄기에 붙어 있습니다.

05 대부분 키가 크고, 줄기가 단단한 식물은 잎이 물 위로 높이 자라는 식물입니다. 수련은 잎이 물에 떠 있는 식물이고, 개구리밥과 생이가래는 물에 떠서 사는 식물입니다.

06 부레옥잠은 잎자루에 있는 공기주머니의 공기 때문에 물에 떠서 살 수 있습니다.

07 바오바브나무는 키가 크고 줄기가 굵어서 물을 많이 저장할 수 있기 때문에 사막에서 잘 살아갈 수 있습니다.

08 날개가 하나인 선풍기는 떨어지면서 회전하는 단풍나무 열매의 생김새를 활용해 만들었습니다.

09 수증기는 물의 기체 상태로, 일정한 모양이 없고 눈에 보이지 않습니다.

10 고드름은 얼음으로 고체 상태이며, 고드름이 햇볕을 받아 녹은 물은 액체 상태입니다.

11 수도관을 지나가던 물이 중간에 설치된 수도 계량기 안으로 들어가면 지나가는 물의 힘으로 계량기 안의 프로펠러가 돌아가고, 이 프로펠러와 연결된 톱니바퀴가 돌아가면서 물 사용량이 표시됩니다. 그런데 겨울철에 기온이 내려가면

수도관을 지나던 물이 얼면서 부피가 늘어나 수도관이나 수도 계량기가 터지게 됩니다.

12 식품 건조기에 넣어 말린 사과 조각 안의 물은 수증기로 변해 공기 중으로 흩어집니다.

13 오답 풀이 물이 끓기 전에는 물 표면이 잔잔하고 변화가 거의 없다가 물이 끓을 때에는 물속에서 생긴 기포가 위로 올라가 물 표면이 울퉁불퉁해집니다.

14 물이 증발하거나 끓을 때에는 물이 수증기가 되는 상태 변화가 일어납니다.

15 플라스틱 컵 표면에 물방울이 맺히고, 물방울이 점점 커져 은박 접시 위로 흘러 물이 고입니다.

16 오답 풀이 ④ 스팀다리미로 옷의 주름을 펼 때에는 물이 수증기로 변하는 상태 변화를 이용합니다.
①, ②, ③ 이글루를 만들 때, 인공 눈을 만들 때, 얼음과자를 만들 때에는 물이 얼음으로 변하는 상태 변화를 이용합니다.
⑤ 열이 날 때에는 얼음주머니의 얼음이 물로 변하는 상태 변화를 이용해 몸을 차갑게 식힙니다.

과학
49〜50쪽

01 ㉡, ㉢   02 (1) ㉠ (2) ㉡   03 ㉠ 커 ㉡ 작아
04 ③   05 ④   06 ③   07 마그마   08 ④   09 ⑤
10 ④   11 ③   12 ①   13 ⑤   14 ③   15 ④
16 ㉣

01 그림자가 생기려면 빛과 물체가 있어야 하며, 그림자는 물체의 뒤쪽에 생깁니다.

02 도자기 컵 같이 불투명한 물체에 빛을 비추면 진하고 선명한 그림자가 생기고, 유리컵 같이 투명한 물체에 빛을 비추면 연하고 흐릿한 그림자가 생깁니다.

03 물체와 스크린을 그대로 두었을 때 물체와 손전등 사이의 거리에 따라 그림자 크기가 달라집니다. 손전등을 물체에 가깝게 하면 그림자의 크기는 커지고, 손전등을 물체에서 멀게 하면 그림자의 크기는 작아집니다.

04 거울에 비친 물체의 색깔은 실제 물체의 색깔과 같고, 물체의 상하는 바뀌어 보이지 않지만 좌우는 바뀌어 보입니다.

05 빛이 나아가다가 거울에 부딪치면 거울에서 빛의 방향이 바뀝니다. 이러한 성질을 빛의 반사라고 합니다.

06 오답 풀이 농구 경기를 할 때에는 거울을 이용하지 않습니다.

07 마그마는 땅속 깊은 곳에서 암석이 녹은 것으로 온도가 매우 높습니다.

08 화산 암석 조각의 크기는 다양하며, 화산재의 크기는 매우 작습니다. 화산 가스의 대부분은 수증기입니다.

09 화산 분출물에는 식물의 생장에 필요한 성분이 들어 있어 화산재가 쌓인 땅은 오랜 시간이 지나면 기름진 땅이 됩니다.

10 지진은 지표의 약한 부분이나 지하 동굴이 무너질 때, 화산 활동에 의해 발생하기도 합니다.

11 오답 풀이 우드록이 끊어질 때의 떨림은 실제 자연에서 땅이 끊어지면서 흔들리는 지진을 나타냅니다.

12 오답 풀이 지진 발생 후 흔들림이 멈추면 운동장과 같은 넓은 장소로 대피해야 합니다.

13 식물의 잎에서 물은 기체 상태의 수증기가 되어 공기 중으로 나옵니다. 나머지는 액체 상태의 물입니다.

14 물은 밤낮없이 여러 곳을 끊임없이 순환하면서 상태가 달라지고, 물의 순환으로 지구 전체 물의 양은 변하지 않습니다.

15 물은 끊임없이 이동하면서 순환하며, 높은 곳으로 이동한 물이 떨어지는 것을 이용해 전기를 만들기도 합니다.

16 샴푸나 세제를 많이 사용하지 않고, 빨래는 모아서 한꺼번에 합니다. 세수나 양치를 할 때 물을 받아서 합니다.

영어 52~53쪽

01 ①	02 ④	03 ①	04 ①	05 This
06 ⑤	07 ⑤	08 ④	09 ⑤	10 ②
11 How are you			12 ④	13 tired
14 ③	15 Yes	16 doctor		

01 오후에 만났을 때 하는 인사는 Good afternoon. 입니다.

02 '잘 자.'라는 의미로 밤에 하는 인사는 Good night.입니다.

03 What do you do?는 상대방의 직업을 묻는 표현이고 그림 속 사람은 요리사이므로 빈칸에는 '요리사'라는 뜻의 cook이 알맞습니다.

04 '너 행복하니?'라는 질문에 그렇지 않다고 대답했고, 그림 속 남자아이가 울고 있으므로 빈칸에는 '슬픈'이라는 뜻의 sad가 알맞습니다.

05 다른 사람을 소개할 때는 「This is + 이름 / 관계를 나타내는 말.」로 표현합니다.

06 '그녀는 가수야.'라고 대답하고 있으므로 빈칸에는 다른 여자의 직업을 묻는 표현인 What does she do?가 알맞습니다.

07 How are you?는 '어떻게 지내니?'라고 상대방의 안부를 묻는 말로, '잘 지내.'라고 할 때는 I'm great. / I'm good. / I'm okay.로 대답하고, '그저 그래.'라고 할 때는 Not so good.으로 대답합니다. ⑤ Good evening.은 저녁에 만났을 때 하는 인사입니다.

08 Bill이 미라에게 미라 엄마의 직업을 묻자 미라는 자신의 엄마가 선생님이라고 했습니다.

09 상대방에게 다른 사람을 소개할 때는 「This is + 이름 / 관계를 나타내는 말.」로 표현합니다.

10 배가 고픈지 묻는 말에 진희는 그렇지 않고 화가 난다고 대답했습니다.

11 I'm so good.은 '잘 지내.'라는 뜻으로 안부를 묻는 말에 대한 대답입니다. 안부를 물을 때는 How are you?라고 합니다.

12 Julie가 친구 Jenny와 자신의 엄마를 서로에게 소개하고 있습니다.

13 지나가 Ben에게 배가 고픈지 묻자 Ben은 그렇지 않고 피곤하다(tired)고 답했습니다.

14 What does he do?는 '그의 직업은 무엇이니?'라는 뜻으로 다른 사람의 직업을 묻는 표현인데, '그는 나의 아빠야.'라고 관계를 나타내는 말로 대답하는 것은 어색합니다.

15 그림 속 남자아이가 화가 난 표정을 하고 있으므로 '너 화났니?'라는 질문에 Yes, I am.으로 대답해야 합니다. 그러므로 빈칸에 Yes가 알맞습니다.

16 '그녀의 직업은 무엇이니?'라고 묻고 있고, 그림 속 여자는 의사이므로 '그녀는 의사야.'라는 뜻의 She is a doctor.라고 대답해야 합니다. 그러므로 빈칸에 doctor가 알맞습니다.

영어 55~56쪽

01 ④	02 ④	03 ⑤	04 ④	05 ①
06 ④	07 ③	08 It's[It is]		09 ②
10 ④	11 badminton	12 five	13 ①	
14 ③	15 ④	16 What	17 ③	

01 그림이 토요일을 나타내고 있으므로 '토요일이야.'라는 뜻의 It's Saturday.가 알맞습니다.

02 몇 시인지 묻는 말에 '7시 30분이야.'라고 대답했습니다.

03 펜의 가격을 묻고 있으므로 가격이 얼마인지 답해야 합니다. 가격을 말할 때는 「It's[It is] + 가격을 나타내는 숫자 + 화폐 단위.」라고 합니다.

04 제안하는 표현에 '좋아.'라고 제안을 받아들이는 대답을 할 때는 Sounds good.이라고 합니다.

05 '수요일이야.'라고 요일을 말하고 있으므로 요일을 묻는 표현인 What day is it?이 알맞습니다.

06 '5시 정각이야.'라고 시각을 말하고 있으므로 시각을 묻는 표현인 What time is it?이 알맞습

니다.

07 농구를 하자고 제안했지만 다른 친구가 '미안하지만 안 되겠어.'라고 거절하는 대화인 ③이 그림의 상황에 알맞습니다.

08 요일을 말할 때는 「It's[It is] + 요일을 나타내는 말.」로 표현합니다.

09 가격을 묻는 표현에 '10시 20분이야.'라고 시각을 말하는 것은 알맞지 않습니다.

10 오늘이 무슨 요일인지 묻는 말에 목요일이라고 대답했습니다.

11 그림 속 여자아이가 배드민턴을 치자고 제안하고 있으므로 빈칸에는 badminton이 알맞습니다.

12 야구 모자의 가격이 얼마인지 묻고 있고 야구 모자는 5달러이므로 빈칸에는 five가 알맞습니다. 가격을 말할 때는 「It's[It is] + 가격을 나타내는 숫자 + 화폐 단위.」라고 합니다.

13 시각을 묻는 말에 지금은 9시이며 잘 시간이라고 대답했습니다.

14 몇 시인지 묻자 12시 정각이라고 대답했습니다.

15 함께 점심을 먹자고 제안하는 말에 그러자고 대답했으므로 두 사람은 점심 식사를 할 것입니다.

16 요일을 묻는 표현은 What day is it today?이고, 시각을 묻는 표현은 What time is it?입니다. 그러므로 빈칸에 공통으로 들어갈 말은 What입니다.

17 가격을 묻는 말에 '날씨가 맑아.'라고 날씨에 대해 답하는 것은 어색합니다.

영어

58~59쪽

01 ③	02 ③	03 ③	04 ④	05 ①	06 ①
07 ⑤	08 ③	09 ⑤	10 What is she doing		
11 ④	12 Don't		13 방 청소		14 ⑤
15 ③	16 ①				

01 어떤 행동을 금지할 때는 「Don't + 행동을 나

타내는 말.」이라고 말합니다. 만지지 말라는 내용의 표지판이므로 '만지지 마세요.'라는 뜻의 Don't touch.가 알맞습니다.

02 야구를 할 수 있는지 묻는 말에 야구를 할 수 있다고 대답하고 있으므로 빈칸에는 Yes, I can.이 알맞습니다.

03 지금 무엇을 하고 있는지 묻는 말에 지수는 '나는 그림을 그리고 있어.'라고 대답했습니다.

04 방이 지저분한 상황이므로 '방을 청소해.'라는 뜻의 Clean your room.이 엄마가 할 말로 알맞습니다.

05 농구를 할 수 있는지 묻는 말에 Jim은 할 수 있다고 대답했습니다. Tim에게 농구를 할 수 있는지 되묻자 Tim은 농구를 할 수 없으며 축구를 할 수 있다고 대답했습니다.

06 그림 속 남자아이가 요리를 하고 있으므로 그가 무엇을 하고 있는지 묻는 말에 '그는 요리를 하고 있어.'라고 대답해야 합니다. 따라서 빈칸에는 '요리하다'라는 행동을 나타내는 말 cook에 -ing를 붙인 cooking이 알맞습니다.

07 도서관은 책을 읽는 곳이므로 '책을 읽지 마세요.'라는 뜻의 Don't read a book.은 도서관 안내문의 내용으로 어색합니다.

08 비가 오니 창문을 닫으라는 엄마의 말씀에 Jack이 '네.'라고 대답했으므로 Jack은 창문을 닫을 것입니다.

09 Tom이 수영을 할 수 없고 배드민턴을 칠 수 있다고 했고, 배드민턴을 치자는 미나의 제안에 '좋은 생각이야.'라고 답했으므로 두 사람이 할 운동은 배드민턴입니다.

10 '그녀는 무엇을 하고 있니?'라고 물을 때는 What is she doing?이라고 합니다.

11 수지는 수진이의 언니이며 케이크를 만들고 있습니다.

12 음식을 먹지 말라는 내용의 표지판이므로 '먹지 마세요.'라는 뜻이 되도록 빈칸에는 Don't가 알맞습니다. 어떤 행동을 금지할 때는 「Don't +

행동을 나타내는 말.」로 표현합니다.

13 무엇을 하고 있는지 묻는 말에 진수는 방을 청소하고 있다고 대답했습니다.

14 글에서 남동생은 그림을 그리고 있다고 했지만, 남동생은 꽃 사진을 찍고 있습니다. 남동생이 하고 있는 일을 표현하는 말은 My brother is taking a picture.입니다.

15 '그녀는 무엇을 하고 있니?'라고 묻는 말에 '나는 노래하고 있어.'라고 내가 하고 있는 것을 대답하는 것은 어색합니다.

16 '나는 ~을 하고 있어.'라고 말할 때는 「I'm[I am] + 행동을 나타내는 말-ing.」로 표현합니다. 따라서 ①은 I'm[I am] reading a book.이 되어야 합니다.

영어
61~62쪽

01 ⑤	02 ①	03 ②	04 ②	05 ②
06 ④	07 ④	08 ④	09 Help	10 ③
11 mine[my eraser]	12 ②	13 ⑤	14 ③
15 under		16 Do you want some more	

01 그림에서 공이 탁자 아래에 있으므로 It's under the table.이 알맞습니다.

02 남자아이가 생일을 축하하며 선물을 주고 있습니다. 생일 선물을 줄 때 할 수 있는 말은 This is for you.입니다.

03 넘어진 아이가 도움을 요청하고 있습니다. 도움을 요청할 때는 Can you help me?라고 합니다.

04 '이것이 너의 공책이니?'라는 말에 그렇다고 했으므로 이어지는 빈칸에는 '그것은 나의 것이야.'라는 뜻의 It's mine.이 알맞습니다.

05 음식을 더 권하는 말에 배가 부르다고 했으므로 빈칸에는 '감사하지만 괜찮아요.'라는 뜻의 No, thanks.가 알맞습니다.

06 글러브가 어디 있는지 위치를 묻고 있으므로 위치를 나타내는 말로 답해야 합니다. '그것은 나

의 글러브가 아니야.'라고 대답하는 것은 어색합니다.

07 mine은 '나의 것'이라는 뜻으로 「my + 사물 이름」으로 바꾸어 쓸 수 있습니다. 따라서 mine을 my umbrella로 바꾸어 It's not my umbrella.로 쓸 수 있습니다.

08 도움을 요청하는 말에 '미안하지만 안 되겠어.'라고 거절할 때는 Sorry, I can't.라고 합니다.

09 그림 속 여자가 남자아이에게 음식을 권하고 있습니다. 음식을 권하면서 '마음껏 먹어.'라고 할 때는 Help yourself.라고 합니다.

10 고양이가 어디에 있는지 묻는 말에 소파 위에 있다고 대답했습니다.

11 '이것은 너의 지우개이니?'라고 묻는 말에 그렇다고 대답하고 있으므로 '그것은 나의 것이야.' 또는 '그것은 나의 지우개야.'라고 이어서 말해야 합니다. 따라서 빈칸에는 '나의 것'이라는 뜻의 mine 또는 '내 지우개'라는 뜻의 my eraser가 알맞습니다.

12 진희가 지후에게 도움을 요청했지만 지후는 바빠서 도와줄 수 없다고 했습니다.

13 좀 더 먹고 싶은지 묻는 말에 배가 부르다고 대답했으므로 더 달라는 뜻의 Yes, please.는 어색합니다. 거절의 표현인 No, thanks.로 대답해야 합니다.

14 '이것은 너에게 주는 것이야.'라고 선물을 주면서 하는 말에 감사 표현에 대한 대답인 '천만에.'로 대답하는 것은 어색합니다. 감사 표현인 Thank you.로 대답해야 합니다.

15 그림에서 스카프는 침대 아래에 있으므로 빈칸에는 '아래에'라는 뜻의 under가 알맞습니다.

16 '좀 더 먹을래?'라고 음식을 더 권하는 말은 Do you want some more?입니다.

모의 평가

국어 1회
64~67쪽

01 ②, ④ 02 ③ 03 (1) ㉠, ㉡, ㉣ (2) ㉢, ㉤
04 ⑤ 05 (1)-㉮ (2)-㉮ (3)-㉯ 06 ㉣, ㉢, ㉮,
㉯ 07 ② 08 묶다 09 일요일 10 ②, ③, ④
11 ㉮, ㉢ 12 ③ 13 ③ 14 ④ 15 ③, ④
16 ④ 17 ④ 18 ㉠ 시장 골목 채소 가게 앞
19 ③, ④, ⑤ 20 ④ 21 ② 22 『목민심서』
23 ④ 24 (1) ○ 25 ④

01 이 밖에도 사람마다 처한 환경이나 지식 수준 등에 따라 이야기 속 사건에 대한 의견이 달라지기도 합니다.

02 설명하는 글은 각 문단의 중심 문장을 연결해 글 전체의 내용을 간추려야 합니다.

03 중심 문장은 문단에서 가장 중요한 문장으로, 문단의 앞이나 뒤에 나오는 경우가 많습니다.

04 다른 사람을 설득하는 목적에 맞게 말하는 표정, 몸짓, 말투가 서로 어울려야 합니다.

05 실제로 있었던 일은 '사실'이고, 그 일에 대한 생각은 '의견'입니다.

06 각 장면에 나타난 인물, 장소, 일어난 일을 바탕으로 하여 일이 일어난 차례대로 정리해 봅니다.

08 낱말이 상황에 따라 형태가 바뀔 때에는 형태가 바뀌지 않는 부분에 '-다'를 붙여 기본형을 만듭니다.

09 '요일'은 '일요일'을 포함하는 낱말이고, '일요일'은 '요일'에 포함되는 낱말입니다.

10 '침침하다'는 '눈이 어두워 물건이 똑똑히 보이지 아니하고 흐릿하다.'라는 뜻입니다.

11 오답 풀이 ㉯는 '무엇이+무엇이다'라는 짜임의 문장, ㉣는 '무엇이+어떠하다'라는 짜임의 문장, ㉢는 '누가+어떠하다'라는 짜임의 문장입니다.

12 제안하는 글은 불편하거나 고치고 싶은 점이 있을 때 문제 상황을 해결하기 위해서 쓰는 글입니다.

13 한글은 일정한 원리에 따라 만들어졌기 때문에 기본이 되는 자음자 다섯 개, 모음자 세 개만 익히면 다른 문자도 쉽고 빨리 배울 수 있습니다.

14 만화 영화 속 등장인물의 행동을 통해서도 성격을 짐작할 수 있습니다.

15 글쓴이는 팔을 다친 아들을 걱정하는 마음, 한 학년이 올라간 것을 축하하는 마음, 좋은 사람이 되기 위해 힘쓰기를 당부하는 마음을 전했습니다.

17 오답 풀이 온라인 대화를 할 때 줄임 말을 지나치게 쓰면 무슨 말인지 몰라 오해가 생기거나 대화가 어려울 수 있습니다.

18 이야기가 펼쳐지는 시간과 장소를 '배경'이라고 합니다. 주어진 글에서는 공간적 배경이 어디인지 알 수 있지만, 시간적 배경은 언제인지 드러나 있지 않습니다.

19 '가게'는 '작은 규모로 물건을 파는 집.'을 뜻하며, '상점, 점방, 점포'와 뜻이 비슷합니다.

20 전기문은 인물이 살아온 과정을 역사적 사실에 근거해 쓴 글이기 때문에 인물이 언제 어떤 일을 했는지 파악하며 읽습니다.

21 이 글에는 백성의 어려운 삶에 도움을 주기 위해 지방 관리가 어떤 마음을 가져야 하는지에 대하여 깊이 생각하는 정약용의 모습이 잘 나타나 있습니다.

22 정약용은 암행어사로 일하는 동안 지방 관리가 어떤 마음을 가져야 하는지에 대해 깊이 생각하여 『목민심서』라는 책을 펴냈습니다.

23 독서 감상문에 제목을 붙일 때 책을 누구와 함께 읽었는지는 중요하지 않습니다.

24 아빠는 지하 주차장에서 자동차를 어디에 세워 놓았는지 기억나지 않아 걱정되고 다급한 마음이 들었을 것입니다.

25 이 밖에도 시를 읽고 떠올린 느낌을 그림으로 그리거나 만화 등으로 표현할 수도 있습니다.

모의 평가

수학 1회   68~70쪽

---

01 ③   **02** ④   **03** ⑤   **04** ④   **05** ①

06 25봉지   **07** ⑤   **08** ③   **09** ②   **10** ③

11 $12345+54321=66666$

12 $123456+654321=777777$ **13** ③   **14** ④

15 ⑤   **16** ②   **17** ①   **18** ④   **19** ③   **20** ②

21 ①   **22** ②   **23** ③   **24** 40 m   **25** ③, ⑤

---

01 오만 이천칠백삼 → 5만 2703 → 52703

02 10억의 자리 숫자가 1씩 커지는 규칙이므로 10억씩 뛰어 센 것입니다.

03 두 변이 벌어진 정도가 클수록 큰 각입니다. 따라서 각의 크기가 큰 것부터 차례대로 쓰면 다, 가, 나입니다.

04 삼각형의 세 각의 크기의 합은 180°이므로 ㉠+㉡+20°=180°, ㉠+㉡=180°−20°=160° 입니다.

05 가장 큰 수는 245, 가장 작은 수는 36입니다. 따라서 가장 큰 수와 가장 작은 수의 곱은 $245 \times 36 = 8820$입니다.

06 (귤 300개를 담을 수 있는 봉지의 수) $=300 \div 12=25$(봉지)

07 보기 의 도형을 오른쪽으로 뒤집으면 도형의 오른쪽과 왼쪽이 바뀝니다.

08 왼쪽 도형을 시계 방향으로 180°만큼 돌리면 오른쪽 도형이 됩니다.

09 가로 눈금 5칸이 10마리를 나타내므로 가로 눈금 한 칸은 $10 \div 5=2$(마리)를 나타냅니다.

10 돼지는 14마리, 염소는 8마리이므로 돼지는 염소보다 $14-8=6$(마리) 더 많습니다.

11 더해지는 수와 더하는 수가 한 자리씩 늘어나는 규칙입니다.

12 계산 결과가 777777이 되려면 123456과 654321을 더합니다.

13 $\dfrac{\blacktriangle}{\blacksquare}+\dfrac{\bullet}{\blacksquare}$ 은 $\dfrac{1}{\blacksquare}$ 이 $(\blacktriangle+\bullet)$개입니다.

⇨ $\dfrac{\blacktriangle}{\blacksquare}+\dfrac{\bullet}{\blacksquare}=\dfrac{\blacktriangle+\bullet}{\blacksquare}$

14 (지석이가 마신 우유의 양) $=\dfrac{2}{11}+\dfrac{3}{11}=\dfrac{5}{11}$(L)

(남은 우유의 양)

$=2-\dfrac{5}{11}=1\dfrac{11}{11}-\dfrac{5}{11}=1\dfrac{6}{11}$(L)

15 정삼각형은 세 변의 길이가 같습니다. (세 변의 길이의 합)$=13+13+13=39$(cm)

16 ① 둔각삼각형 ② 예각삼각형 ③ 둔각삼각형 ④ 직각삼각형 ⑤ 둔각삼각형

17 0.6의 $\dfrac{1}{10}$인 수: 0.06

0.6을 10배한 수: 6

18 $0.4+0.8=1.2$

19 (직선 가와 직선 다 사이의 거리) $=$(직선 가와 직선 나 사이의 거리) $-+$(직선 나와 직선 다 사이의 거리) $=3+6=9$(cm)

20 평행사변형에서 마주 보는 두 쌍의 변의 길이는 서로 같습니다. (변 ㄱㄹ)+(변 ㄱㄴ)$=30 \div 2=15$(cm) (변 ㄱㄴ)$=15-$(변 ㄱㄹ)$=15-9=6$(cm)

21 세로 눈금 5칸의 크기가 5 ℃이므로 (세로 눈금 한 칸의 크기)$=5 \div 5=1$(℃)입니다.

22 세로 눈금 한 칸의 크기는 1 ℃이고, 낮 12시의 온도는 20 ℃이므로 찍어야 하는 점의 위치는 ㉡입니다.

23 변이 5개이므로 오각형입니다.

24 정팔각형은 8개의 변의 길이가 모두 같습니다. 따라서 울타리의 길이는 $5 \times 8=40$(m)입니다.

25 두 대각선이 서로 수직으로 만나는 사각형은 마름모와 정사각형입니다.

01 ③	02 방위표	03 ⑤	04 ④	05 ⑤	06 ②
07 ④	08 ①	09 ②	10 ④	11 견학	12 ④
13 ④	14 ②	15 ④	16 ⑤	17 ①	18 ⑤
19 생산	20 ⑤	21 ②	22 ㉠, ㉣	23 ④	
24 ②	25 ②				

01 지도를 보면 산, 하천, 건물 등의 위치와 이름을 쉽고 정확하게 알 수 있습니다.

02 지도에서는 방향의 위치를 알려 주려고 방위를 사용하며, 방위에는 동서남북이 있습니다. 방위표는 방위를 알려 주는 표시입니다.

03 ⑤ 중앙동 행정 복지 센터는 울산 시민 공원 위쪽에 있으므로 북쪽에 있는 시설입니다.

04 중심지에는 시청, 군청, 시장, 버스 터미널 등 사람들의 생활과 관련된 여러 시설들이 모여 있습니다.

05 기차역, 버스 터미널은 교통의 중심지에서 볼 수 있는 시설입니다. 교통 중심지에는 사람들이 교통 시설을 이용하여 다른 지역으로 이동하기 위해 모입니다.

06 강강술래는 여러 사람이 함께 손을 잡고 원을 그리며 빙빙 돌면서 춤을 추고 노래를 부르는 민속놀이로 무형 문화유산입니다.

07 지역의 문화유산의 가치를 오래도록 지키려면 지역의 아직 알려지지 않은 문화유산을 발굴하여 보전해야 합니다.

08 ① 준비물은 우리 지역의 역사적 인물 조사 계획서에 들어갈 항목입니다.

09 제시된 모습은 조사 내용을 정하는 단계입니다.

10 보건소에서는 감염병과 질병을 예방합니다.

오답 풀이 ① 우체국, ② 경찰서, ③ 학교, ⑤ 행정 복지 센터에서 하는 일입니다.

11 제시된 내용은 공공 기관을 직접 방문하여 그곳에서 하는 일을 조사하는 모습인데, 어떤 장소를 직접 찾아가서 필요한 정보를 얻는 방법을 견학이라고 합니다.

12 제시된 자료는 인터넷 검색을 통해 통계 자료를 수집하는 모습입니다.

13 지역 주민들은 지역 문제를 해결하기 위해 지역의 일을 결정하는 주민 투표에 참여하여 자신의 의견을 나타냅니다.

14 제시된 촌락은 어촌입니다. 어촌 사람들은 주로 물고기를 잡거나 양식을 하는 등 바다를 이용해 여러 생산 활동을 합니다.

15 도시에는 높은 건물이 많으며, 여러 시설과 공공 기관 등이 모여 있습니다. ④ 양식장은 어촌에서 주로 볼 수 있습니다.

16 제시된 자료에는 촌락에 교통 시설, 학교, 병원 등의 시설이 부족한 문제가 나타나 있습니다.

17 제시된 사진은 도시 사람들이 촌락에 있는 체험 마을에 와서 고구마 캐기 등 다양한 경험을 하는 모습입니다.

18 촌락 사람들과 도시 사람들이 지역 축제를 통해 교류하는 모습입니다.

19 생활하는 데 필요한 물건을 만들거나 생활을 편리하고 즐겁게 해 주는 일을 생산이라고 하고, 생산한 것을 사거나 사용하는 일을 소비라고 합니다.

20 제시된 자료는 물건을 써 본 주변 사람에게 물건의 특징이나 장단점 등을 물어보는 방법입니다.

21 ② 각 지역은 물자, 기술, 문화 등을 여러 지역과 교류합니다.

22 노년층 인구가 많아지면서 노인 전문 요양 시설, 노인정 등과 같은 노인을 위한 시설이 늘어나고, 실버산업이 발달하고 있습니다.

23 ④ 문화의 다양성 약화는 세계화의 문제점입니다.

24 지역의 환경에 따라 사람들의 생활 모습은 다양하게 나타납니다.

25 다양한 문화를 존중하기 위해서는 ② 우리 입장에서 다른 문화를 평가해서는 안 되고, 그 문화를 가진 상대방의 입장에서 문화를 이해하려고 노력해야 합니다.

과학 1회

74~76쪽

01 ⓒ   02 ③   03 ③   04 ②   05 ⑤   06 ㉣,
㉠,ⓒ,ⓒ   07 ⑤   08 ③   09 ⑤   10 ㉠   11 ①
12 크기   13 ③   14 ②   15 ⑤   16 ㉠ 줄기 ⓒ
가시   17 ③   18 ④   19 ①,⑤   20 ③   21 경
식   22 ④   23 ①   24 ①   25 ③

01 오답 풀이 감각 기관으로 관찰하기 어려울 때에는 돋보기, 현미경 등의 관찰 도구를 사용합니다.

02 지층에서는 줄무늬를 볼 수 있고 각 층의 두께와 색깔이 다릅니다. 층이 끊어져 어긋나 있는 것도 지층입니다.

03 화석은 옛날에 살았던 생물의 몸체나 생물이 생활한 흔적이 남아 있는 것입니다.

04 조개는 강이나 바다에서 살고 있으므로 조개 화석이 발견된 곳은 옛날에 강이나 바다였음을 알 수 있습니다.

05 한살이를 관찰하기에 적합한 식물은 한살이 기간이 짧은 식물입니다.

06 강낭콩이 싹 틀 때 딱딱하던 씨가 부풀고 뿌리가 나온 뒤 껍질이 벗겨집니다. 그리고 땅 위로 떡잎 두 장이 나오고, 떡잎 사이에서 본잎이 나옵니다.

07 여러해살이 식물은 여러 해 동안 살면서 한살이의 일부를 반복합니다. 풀은 한해살이와 여러해살이가 있습니다.

08 물체의 무게는 지구가 물체를 끌어당기는 힘의 크기입니다. 무게의 단위에는 g중, kg중, N 등이 있습니다.

09 영점 조절을 한 후에 물체의 무게를 측정하며, 눈금을 읽을 때에는 표시 자와 눈높이를 맞추어 읽습니다.

10 각각의 물체를 받침점으로부터 같은 거리의 나무판자 위에 올려놓았을 때 나무판자는 무거운 물체 쪽으로 기울어집니다.

11 사탕수수는 여러 가지 물질이 섞여 있는 혼합물이고, 사탕수수에서 설탕을 분리하는 것은 혼합물의 분리에 해당합니다.

12 콩, 팥, 좁쌀의 혼합물은 알갱이의 크기가 서로 다르기 때문에 체를 이용하여 쉽게 분리할 수 있습니다.

13 소금과 모래의 혼합물은 물에 녹는 정도가 다른 성질을 이용하여 분리하기 때문에 가장 먼저 물에 녹여야 합니다.

14 들이나 산에서 사는 식물은 대부분 뿌리를 땅에 내리고, 줄기와 잎이 잘 구분됩니다.

15 부레옥잠은 잎자루의 공기주머니에 공기를 저장하고 있기 때문에 물에 떠서 살 수 있습니다.

16 선인장은 굵은 줄기에 물을 저장하여 건조한 날씨에도 잘 견딜 수 있으며, 가시가 있어 물이 필요한 다른 동물이 공격하는 것을 피할 수 있고 물의 증발을 막을 수 있습니다.

17 기체 상태의 물은 수증기로, 일정한 모양이 없고 눈에 보이지 않습니다.

18 얼음이 녹아 물이 되면 부피가 줄어들기 때문에 얼음과자가 녹은 후 용기 안에 빈 공간이 생깁니다.

19 차가운 플라스틱 컵 표면에는 공기 중의 수증기가 물로 상태가 변하여 물방울이 생깁니다.

20 그림자가 생기려면 빛과 물체가 있어야 하고, 물체에 빛을 비춰야 합니다.

21 거울에 비친 물체의 상하는 바뀌어 보이지 않지만 좌우는 바뀌어 보입니다.

22 오답 풀이 화산의 모양과 생김새는 다양합니다. 화산의 윗부분이 편평한 모양도 있습니다.

23 지진이 발생했을 때에는 책장과 같이 넘어지기 쉬운 물체가 있는 곳에서 멀리 피해야 합니다.

24 물은 상태가 변하면서 육지, 바다, 공기 중, 생명체 등 여러 곳을 끊임없이 돌고 도는 과정을 반복합니다.

25 오답 풀이 한 번 이용한 물은 순환 과정을 거쳐 다시 이용할 수 있습니다.

01 ④	02 ②	03 ③	04 ②	05 ③
06 ②	07 ④	08 ②	09 ①	10 ①
11 ⑤	12 ④	13 ③	14 ①	15 ②
16 ⑤	17 ②	18 ④	19 ③	20 ③
21 ⑤	22 ⑤	23 ②	24 ②	25 ①

듣기 대본

01
① B: Good morning.
　W: Good morning.
② B: Good afternoon.
　W: Good afternoon.
③ B: Good evening.
　W: Good evening.
④ B: Good night.
　W: Good night.
⑤ B: Goodbye.
　W: Goodbye.
풀이 밤에 '잘 자.' 혹은 '안녕히 주무세요.'라고 하는 인사는 Good night.입니다.

02
B: How are you?
G: ＿＿＿＿＿＿＿＿＿
풀이 How are you?는 '어떻게 지내니?'라는 뜻으로 상대방의 안부를 묻는 표현입니다. 이에 대해서 '잘 지내.'라고 답할 때는 I'm great.라고 합니다.

03
G1: Minho, this is my sister, Jenny.
B: Nice to meet you, Jenny.
G2: Nice to meet you, too.
풀이 상대방에게 다른 사람을 소개할 때는 「This is + 이름/관계를 나타내는 말/관계를 나타내는 말, 이름.」으로 표현합니다. sister는 언니, 누나, 여동생 등 '여자형제'라는 뜻입니다.

04
G: What does he do?
B: ① I'm a police officer.
　② He is a police officer.
　③ She is a designer.
　④ He is my father.
　⑤ She is a cook.
풀이 '그의 직업은 무엇이니?'라고 묻고 있고, 그림의 남자는 경찰관이므로 '그는 경찰관이야.'라고 대답한 ②가 알맞습니다.
오답 풀이 ① '그의 직업은 무엇이니?'라고 물었으므로 '나는 경찰관이야.'라고 나의 직업을 말하는 것은 알맞지 않습니다.

05
B: Are you angry?
G: No, I'm not. I'm tired.
풀이 화가 났는지 묻는 말에 여자아이는 그렇지 않다고 대답하며 자신은 피곤하다고 했습니다.

06
G: What day is it today?
B: It's Tuesday.
풀이 오늘이 무슨 요일인지 묻는 말에 화요일이라고 대답했습니다.

07
G: What time is it?
B: It's three twenty.
풀이 몇 시인지 시각을 묻는 말에 3시 20분이라고 대답했습니다.

08
B: I want this bag. How much is it?
W: It's ten dollars.
풀이 가방을 사고 싶다고 하면서 얼마인지 묻자 10달러라고 대답했습니다.

09
G: Let's swim.
B: Sorry, I can't. I can't swim.
G: Let's play tennis.
B: Sounds good.
풀이 여자아이가 남자아이에게 수영을 하자고 제안했지만 남자아이는 수영을 할 수 없다며 거절했습니다. 이에 여자아이가 테니스를 치자고 제안하자 남자아이가 '좋은 생각이야.'라고 대답했으므로 두 사람은 테니스를 칠 것입니다.

10
B: Can you play baseball, Jina?
G: No, I can't. I can play basketball.
풀이 야구를 할 수 있는지 묻자, 지나가 자신은 야구를 할 수 없고 농구를 할 수 있다고 했습니다.

11
G: Don't touch.

B: Okay.

> **풀이** '만지지 마.'라고 했으므로 만지는 것을 금지하는 표지판인 ⑤가 내용에 알맞습니다.

12 G: What are you doing, Junho?
B: I'm cleaning.

> **풀이** 무엇을 하고 있는지 묻자 준호는 청소를 하고 있다고 했습니다.

13 B: Is this your coat?
G: _____

> **풀이** '이것이 너의 코트니?'라고 물었으므로 '응, 맞아. 그것은 내 것이야.'라고 답한 ③이 알맞습니다.

> **오답 풀이** ④ '이것이 너의 코트니?'라는 물음에 '아니, 그렇지 않아.'라고 답한 뒤 '그것은 내 코트야.'라고 말하는 것은 자연스럽지 않습니다.

14 G: Where is the cat?
B: ① It's on the bed.
② It's under the bed.
③ It's in the box.
④ It's on the box.
⑤ It's on the sofa.

> **풀이** 고양이가 어디 있는지 물었고 고양이는 침대 위에 있으므로 '그것은 침대 위에 있어.'라고 대답한 ①이 알맞습니다.

15 G: Can you help me?
B: Sorry, I can't. I'm sick.

> **풀이** 여자아이가 '나 좀 도와줄래?'라고 도움을 요청하자 남자아이가 '미안하지만 안 되겠어. 나 아파.'라고 대답했으므로 남자아이는 지금 아픈 상황입니다.

16 B: It's delicious.
G: Do you want some more?
B: _____

> **풀이** 좀 더 먹으라고 음식을 더 권하는 말에 거절할 때는 No, thanks.라고 하고 뒤에 I'm full. 등의 이유를 덧붙여 답합니다.

17 ① M: Clean your table.
G: Okay.

② M: This is for you.
G: Thank you, Dad.
③ M: What does he do?
G: He is a teacher.
④ M: Where is the bag?
G: It's in the box.
⑤ M: Let's go camping.
G: Sounds good.

> **풀이** 아빠가 딸에게 선물을 주고 딸이 기뻐하는 상황이므로 ②가 그림에 어울리는 대화입니다.

> **풀이**

18 그림의 여자는 선생님(teacher)입니다.

19 오전(morning)과 저녁(evening) 사이에 있는 때는 오후(afternoon)입니다.

20 '피곤한'은 tired입니다.
① happy (행복한)
② angry (화난)
④ hungry (배고픈)
⑤ sad (슬픈)

21 문장이 '잠자리에 들 시간이야.'라는 뜻이므로 자려고 누운 모습이 알맞습니다.

22 남자아이가 방 청소를 하는 모습이므로 I'm cleaning my room. (나는 청소하고 있어.)이 알맞습니다.

23 '축구'를 가리키는 낱말은 soccer이므로 빈칸에 알맞은 알파벳은 e입니다.

24 '탁자'는 table입니다.

25 인형이 상자 안에 들어 있으므로 인형의 위치를 나타내는 표현은 in the box입니다.

01 ① **02** ①, ④ **03** 세진 **04** ④ **05** ④
06 ⑤ **07** 사실, 의견 **08** ④ **09** ④, ⑤ **10** ②
11 ④ **12** ① **13** ②, ④ **14** ⑤, ⑥, ④, ② **15** ③
16 ① **17** ② **18** (3) ○ **19** ③ **20** ④ **21** ③
22 ①, ②, ⑤ **23** (1) ○ **24** ④, ④, ⑩, ⑭
25 ④, ⑤

01 노마는 자신의 구슬을 못 봤다는 기동이의 말을 믿지 못하고 기동이가 자신의 구슬을 가졌다고 의심하여 구슬을 보여 달라고 한 것입니다.

02 노마는 기동이가 자신의 구슬을 가지고 간 것이라고 의심하여 기동이가 구슬을 내놓기를 바라고 있습니다.

03 은서는 노마의 행동을 말하였고 민혁이는 기동이의 기분이 어떠했을지 짐작하는 데 그쳤지만, 세진이는 노마와 기동이의 행동에 대한 자신의 의견을 분명하게 말했습니다.

05 낙면을 재료로 만든 지폐는 습기에도 강하고 정교하게 인쇄 작업을 할 수 있으며 위조를 방지할 수 있다는 장점이 있습니다.

06 동생에게 높임말을 사용하는 것은 올바르지 않습니다. 듣는 사람의 나이가 어리더라도 여러 사람 앞에서 말할 때에는 높임말을 사용해야 합니다.

08 학급 회의 주제를 무엇으로 정하면 좋을지 의견을 나누고 있으므로 회의 절차 가운데에서 '주제 선정'에 속합니다.

09 회의를 할 때 회의 참여자는 의견을 적극적으로 발표하고 다른 사람의 의견을 주의 깊게 듣는 역할을 합니다.

10 '가구'는 집안 살림에 쓰는 기구로, 주로 장롱·책장·탁자 따위와 같이 비교적 큰 제품을 이르는 말입니다. 보기 의 '장롱, 책장, 탁자'는 '가구'에 포함되는 낱말이고, '가구'는 '장롱, 책장, 탁자'를 포함하는 낱말입니다.

12 한글은 자음자와 모음자의 획을 더하는 원리로 만들어진 체계적이고 과학적인 문자로, 기계화에 적합하다는 특성을 설명한 글입니다.

13 한글은 자음자와 모음자 스물넉 자의 문자로 사람의 입에서 나오는 대부분의 소리를 효과적으로 적을 수 있고, 일정한 원리에 따라 만들어졌기 때문에 쉽게 익힐 수 있어 배우는 데 드는 시간이 놀랄 만큼 절약됩니다.

15 선은 자기 이름이 언제 불릴까 기대했다가 맨 마지막까지 선택을 받지 못하여 실망하는 마음이 들었을 것입니다.

16 태웅이는 운동회 날 달리기를 하다가 넘어진 자신을 일으켜 준 친구들에게 고마운 마음을 전하려고 이 편지를 썼습니다.

17 오답 풀이 '응원해'는 달리다가 돌아와서 넘어진 태웅이를 일으켜 주고 손을 잡아 준 친구들의 행동을 뜻하는 말로, 태웅이의 마음이 나타나 있지 않습니다.

19 회의를 할 때에는 손을 들어 말할 기회를 얻고 발표해야 하고, 다른 사람이 의견을 말할 때 끼어들지 않습니다.

20 이야기를 구성하는 데 꼭 필요한 요소는 '인물, 사건, 배경'입니다. ①은 사건, ②는 시간적 배경, ③은 공간적 배경, ⑤는 인물입니다.

21 글쓴이가 든 근거를 살펴보면 글쓴이가 만강에 댐을 건설하는 것에 반대한다는 것을 알 수 있습니다.

23 이 밖에 전기문에는 인물이 한 일과 인물이 살았던 시대 상황이 나타나 있습니다.

24 멸치 대왕은 자신의 꿈풀이가 궁금하여 매우 진지한 표정으로 귀담아듣는 상황이고, 넓적 가자미는 잔뜩 화가 나서 토라져 버린 상황입니다.

25 멸치 대왕은 용이 될 꿈이라는 망둥 할멈의 꿈풀이를 듣고 기분이 좋았고, 큰 변을 당하게 될 것이라는 넓적 가자미의 말에 크게 분노하였습니다.

수학 2회
84~86쪽

01 ②	02 ③	03 ②	04 ①	05 ②	06 ③
07 ②	08 829	09 ②	10 ④	11 ③	12 15개

13 $\frac{2}{11}$, $\frac{3}{11}$ 14 ③   15 ③   16 ②   17 ④

18 ④   19 ③   20 ③   21 ②   22 ⑤   23 ③

24 팔각형   25 ⑤

01 5690만 749 → 56900749

02 구천칠십조 팔천오백억 이백육십삼
→ 9070조 8500억 263
→ 9070│8500│0000│0263
따라서 0은 모두 9개입니다.

03 밑금이 각도기의 중심의 오른쪽에 있으므로 각도기 안쪽의 숫자에 맞춰 점을 찍습니다.

04 사각형은 모양과 크기에 관계없이 네 각의 크기의 합이 항상 360°입니다.

05 $920 \times 30 = 27600$

06 $640 \div 80 = 8$
① $350 \div 50 = 7$ ② $540 \div 90 = 6$
③ $240 \div 30 = 8$ ④ $420 \div 60 = 7$
⑤ $420 \div 70 = 6$
따라서 $640 \div 80$과 몫이 같은 것은 ③입니다.

07 ㉯ 도형은 ㉮ 도형을 오른쪽으로 6 cm, 위쪽으로 1 cm만큼 밀어서 이동한 도형입니다.

08 628이 적힌 카드를 시계 방향으로 180°만큼 돌리면 829가 됩니다.

09 세로 눈금 1칸이 1명을 나타내므로 6칸은 6명을 나타냅니다.

10 가장 많은 학생들이 좋아하는 취미는 노래로 9명이고, 가장 적은 학생들이 좋아하는 취미는 독서로 5명이므로 $9-5=4$(명)입니다.

11 ▨의 개수가 1개, 3개, 6개, 10개, ...로 2개, 3개, 4개, ... 늘어나는 규칙입니다.

12 다섯째에 알맞은 도형에서 ▨의 개수는 $10+5=15$(개)입니다.

13 $\frac{3}{11}+\frac{2}{11}=\frac{3+2}{11}=\frac{5}{11}$,
$\frac{3}{11}-\frac{2}{11}=\frac{3-2}{11}=\frac{1}{11}$이므로 두 진분수는 $\frac{2}{11}$, $\frac{3}{11}$입니다.

14 $5\frac{4}{5}+4\frac{2}{5}=9+\frac{6}{5}=9+1\frac{1}{5}=10\frac{1}{5}$ (cm)

15 이등변삼각형은 두 변의 길이가 같으므로 나머지 한 변의 길이는 11 cm입니다.
(세 변의 길이의 합)$=11+11+8=30$ (cm)

16 정삼각형은 세 각의 크기가 같으므로 한 각의 크기는 60°입니다.

17 자연수 부분의 크기를 비교한 후 자연수 부분이 같으면 소수 첫째 자리 수부터 차례대로 비교합니다.
따라서 가장 큰 수는 1.573입니다.

18 $0.9-0.3=0.6$

19 직선 가에 수직인 직선을 그으려면 점 ㅇ과 각도기에서 90°가 되는 눈금 위에 찍은 점을 이어야 합니다.

20 변 ㄱㅂ과 아무리 길게 늘여도 서로 만나지 않는 변을 찾으면 변 ㄷㄹ입니다.

21 평행사변형은 마주 보는 두 각의 크기가 같으므로 이웃한 두 각의 크기의 합이 180°입니다.
$\square° = 180° - 50° = 130°$

22 물결선은 자료의 값이 없는 부분에 넣어야 합니다.

23 세로 눈금 5칸이 10 cm를 나타내므로 세로 눈금 한 칸은 $10 \div 5 = 2$ (cm)를 나타냅니다.
4학년일 때의 키는 144 cm, 3학년일 때의 키는 134 cm이므로 4학년일 때의 키는 3학년일 때의 키보다 $144-134=10$ (cm) 자랐습니다.

24 선분으로만 둘러싸여 있으므로 다각형입니다.
변의 수가 8개이고 꼭짓점의 수가 8개인 다각형은 팔각형입니다.

25 ⇨ 6개

사회 2회

87~89쪽

01 ① 02 ② 03 ⑤ 04 ⑤ 05 ㉠ 유형 문화
유산 ㉡ 무형 문화유산 06 ④ 07 ⑤ 08 ⑤
09 소방서 10 ① 11 ⑤ 12 ㉮ → ㉰ → ㉱ →
㉯ → ㉴ 13 농촌 14 ② 15 ①, ② 16 ①
17 ⑤ 18 ㉠, ㉣ 19 ② 20 문화 교류 21 ①
22 정보화 23 ② 24 ㉡ 25 ②

01 지도에 방위표가 없으면 위쪽이 북쪽, 아래쪽이 남쪽, 오른쪽이 동쪽, 왼쪽이 서쪽입니다.

02 대전광역시는 제주도의 북쪽에 위치합니다.
오답 풀이 ① 강원도의 서쪽, ③ 전라북도의 북쪽, ④ 충청남도의 동쪽, ⑤ 서울특별시의 남쪽에 위치합니다.

03 ㉮는 중심지가 아닌 곳, ㉯는 중심지입니다. 중심지는 사람들이 많이 모이는 곳으로 사람들의 생활과 관련한 여러 시설이 모여 있으며, 고장의 가운데쯤에 있고, 교통이 편리합니다.

04 답사 경로를 생각하며 자료를 정리하는 것은 답사 후 해야 할 일입니다.

05 문화유산은 형태가 있는 유형 문화유산과 일정한 형태가 없는 무형 문화유산이 있습니다.

06 ④ 주의할 점은 답사하기 전 답사 계획서에 작성합니다.

07 제시된 그림은 인터넷으로 조사하는 방법입니다. 인터넷 백과사전이나 지역의 공공 기관 누리집 등을 활용해 조사할 수 있습니다.

08 각 지역에는 지역에 영향을 미친 역사적 인물이 있어 이들의 삶을 살펴보면 지역의 역사를 알 수 있습니다. ⑤ 우리 지역에서의 활약을 조사해야 합니다.

09 소방서는 불이 나면 불을 끄는 일뿐만 아니라 위험에 처한 사람을 구해 주는 일도 합니다.

10 행정 복지 센터, 소방서, 보건소는 공공 기관으로 주민 전체의 이익을 위한 곳입니다.

11 신문 기사에는 재활용이 필요한 까닭과 분리배출 방법을 바르게 알지 못하는 주민이 40%가 넘는다고 제시되어 있습니다.

13 비닐하우스, 농기계 등 농사일과 관련된 시설을 볼 수 있는 곳은 농촌입니다.

14 염전에서 소금을 생산하는 것은 어촌에 사는 사람들이 하는 일입니다.

15 제시된 문제는 촌락의 인구가 줄어들어 일손이 부족한 문제입니다. 이를 해결하기 위해 다양한 기계를 활용하고, 귀촌 지원 정책을 통해 젊은 인구가 촌락으로 많이 이동하도록 노력합니다.

16 제시된 그림에서는 지역마다 가진 기술이 달라서 교류가 이루어지고 있습니다.

17 ⑤ 자연환경과 특산물을 이용한 지역 축제에 참가하는 것은 도시 사람들이 촌락을 찾는 모습입니다.

18 생산 활동이란 생활하는 데 필요한 물건을 만들거나 생활을 편리하고 즐겁게 해주는 일을 말합니다.
오답 풀이 ㉡, ㉢은 소비 활동입니다.

19 가정의 소득은 한정되어 있기 때문에 소득의 일부를 저축하여 미래를 준비해야 합니다.

20 각 지역은 문화 교류를 통해 다른 지역의 다양한 문화를 경험할 수 있습니다.

21 노인 인구가 차지하는 비율이 늘어나 노인을 위한 시설이 늘어나고 있는 것은 고령화와 관련이 있습니다.

22 정보화로 오늘날에는 언제 어디서든 빠르고 편리하게 정보를 얻을 수 있습니다.

23 세계화로 인한 사회 변화에 대비하려면 다른 나라의 문화를 무조건으로 받아들이는 것이 아니라, 비판적으로 받아들이는 태도가 필요합니다.

24 제시된 그림은 다른 문화를 가진 사람들의 옷차림을 놀리는 것으로, 옷차림이 다른 사람에 대해 편견을 갖고 차별하는 모습입니다.

25 우리 사회에서는 다른 문화를 존중하기 위해 다양한 문화를 가진 사람들이 소통할 수 있는 자리를 마련하고 있습니다.

과학 2회 90∼92쪽

01 ① 02 ①, ④ 03 ⓒ, ⓒ, ⓔ, ⓖ 04 ① 05 ②
06 ①, ② 07 ③ 08 ① 09 ③ 10 ③
11 ④, ⑤ 12 자석 13 ⑤ 14 ⓖ 잎맥 ⓒ 잎자루
15 ⑤ 16 ②, ⑤ 17 ②, ⑤ 18 수증기 19 ④
20 ⑤ 21 ⓖ 좌우 ⓒ 똑바로 22 ③ 23 ②
24 ③ 25 ⑤

01 오답 풀이 한 번 분류한 것을 여러 단계로 계속 분류할 수 있습니다.

02 지층 모형과 실제 지층은 줄무늬가 보이고, 아래에 있는 층이 먼저 쌓인 것이라는 공통점이 있습니다.

03 지층은 자갈, 모래, 진흙 등의 퇴적물이 물에 의하여 운반되어 쌓인 뒤에 오랜 시간이 지나 단단하게 굳어져 만들어집니다.

04 화석은 주로 지층(퇴적암)에서 발견됩니다. 화석을 통해 생물의 생김새를 알 수 있으나, 그 맛이나 냄새는 알 수 없습니다.

05 씨가 싹 트는 데 온도가 미치는 영향을 알아보는 실험에서는 온도만 다르게 하고, 나머지 조건은 모두 같게 해야 합니다.

06 꽃과 열매가 자라면서 꼬투리의 개수가 점점 많아지고 크기도 점점 커집니다. 꽃이 진 자리에 꼬투리가 생깁니다.

07 모두 한해살이 식물로, 한 해 동안 한살이를 거치고 일생을 마칩니다.

08 우체국에서 택배를 보낼 때 요금을 정하기 위해 무게를 잽니다. 또한 운동 경기에서 공정한 시합을 위해 몸무게에 따라 체급을 나눕니다.

09 추 한 개당 늘어난 용수철의 길이는 3 cm로, 용수철에 걸어 놓은 추의 무게가 일정하게 늘어나면 용수철의 길이도 일정하게 늘어납니다.

10 양팔저울은 수평 잡기의 원리를 이용해 만든 저울입니다.

11 콩, 팥, 좁쌀의 혼합물은 눈의 크기가 다른 체 두 개를 사용하여 분리할 수 있습니다.

12 철 캔과 알루미늄 캔이 섞여 있는 혼합물은 철이 자석에 붙는 성질을 이용해 분리합니다.

13 거름종이를 빠져나간 소금물을 가열하면 물이 끓으면서 물의 양이 줄어들다가 하얀색 고체인 소금만 남게 됩니다.

14 식물의 잎은 잎몸, 잎자루, 잎맥으로 이루어져 있습니다. ⓖ은 잎맥, ⓒ은 잎자루입니다.

15 수련은 잎이 물에 떠 있는 식물, 창포는 잎이 물 위로 높이 자라는 식물, 검정말은 물속에 잠겨서 사는 식물입니다. 명아주는 땅 위에서 사는 식물입니다.

16 선인장은 가시 모양의 잎을 가지고 있어서 물이 필요한 다른 동물이 공격하는 것을 피할 수 있고, 물의 증발을 막을 수 있습니다.

17 물이 얼면 부피는 늘어나지만 무게는 변하지 않습니다.

18 식품 건조기에 넣은 사과 조각은 사과 안의 물이 수증기로 변해 공기 중으로 흩어지기 때문에 마르고 크기가 작아집니다.

19 물이 수증기로 상태가 변하는 것을 이용해 스팀 청소기로 바닥을 닦습니다.

20 직진하는 빛이 물체를 통과하지 못하면 물체 모양과 비슷한 그림자가 물체 뒤쪽에 생깁니다.

21 자동차의 뒷거울에 구급차 앞부분의 모습이 비쳐 보일 때 좌우로 바꾸어 쓴 글자의 좌우가 다시 바뀌어 똑바로 보입니다.

22 ⓖ에서 만들어진 암석은 현무암으로, 어두운색을 띠며 알갱이의 크기가 매우 작습니다.

23 오답 풀이 우리나라에서도 규모 5.0 이상의 지진이 여러 차례 발생하고 있습니다.

24 지퍼 백 안에서 물이 순환하기 때문에 지퍼 백 안 물의 전체 양은 변하지 않습니다.

25 인구 증가와 산업 발달로 물의 이용량이 늘고, 물이 심하게 오염되어 우리가 이용할 수 있는 물의 양이 줄어듭니다.

01 ③	02 ①	03 ④	04 ②	05 ②
06 ②	07 ②	08 ②	09 ③	10 ⑤
11 ②	12 ⑤	13 ②	14 ⑤	15 ①
16 ④	17 ③	18 ④	19 ①	20 ④
21 ③	22 ②	23 ①	24 ①	25 ④

듣기 대본

01 G: It's twelve ten. It's time for lunch.

풀이 '12시 10분이야. 점심 먹을 시간이야.'라는 뜻이므로 ③이 알맞습니다.

02 B: ① Good morning.
　② Good afternoon.
　③ Good evening.
　④ Good night.
　⑤ Goodbye.

풀이 Good morning.은 아침에 만났을 때 하는 인사입니다.

03 B: How are you?

G: ① I'm great.
　② I'm fine.
　③ I'm okay.
　④ No, thanks.
　⑤ Not so good.

풀이 How are you?는 '어떻게 지내니?'라고 안부를 묻는 말로, 잘 지낼 때는 I'm great. / I'm fine. / I'm okay. 등으로 답할 수 있고, 그저 그럴 때는 Not so good. 등으로 답할 수 있습니다. No, thanks.는 상대방이 나에게 무언가를 권했을 때 거절하는 표현입니다.

04 B: Hi, Jisu.

G: Hi, Mark.

B: Mom, this is my friend, Jisu.
　Jisu, this is my mom.

W: Nice to meet you, Jisu.

G: Nice to meet you, too.

풀이 Mark가 자신의 엄마와 친구 지수를 서로에게 소개하고 있습니다.

05 G: Jiho, who is she?

B: She is Jina. She's my sister.

G: What does she do?

B: She is a doctor.

풀이 누구인지 묻는 여자아이의 말에 지호가 '그녀는 지나야. 그녀는 나의 누나야.'라고 했고, 직업을 묻자 '그녀는 의사야.'라고 했습니다.

06 B: Are you angry?

G: ① Yes, I am.　② No, I'm not.
　③ Yes, I can.　④ No, I don't.
　⑤ Yes, I do.

풀이 여자아이가 활짝 웃고 있으므로 화가 났는지 묻는 말에 그렇지 않다고 대답하는 것이 알맞습니다.

07 B: What day is it today?

G: ＿＿＿＿＿＿＿

풀이 무슨 요일인지 묻고 있으므로 '목요일이야.'라고 대답하는 것이 알맞습니다.

08 W: Don't run.

B: Okay, Mom.

풀이 엄마가 남자아이에게 뛰지 말라고 주의를 주고 있으므로 남자아이가 지켜야 할 일은 '뛰지 않기'입니다.

09 B: How much is it?

G: It's one thousand won.

풀이 가격이 얼마인지 묻는 말에 '천 원이야.'라고 대답했으므로 천 원 가격표가 붙은 공책이 두 사람이 말하고 있는 것입니다.

10 B: Close your book.

G: Okay.

B: Stand up.

G: Okay.

풀이 남자아이가 여자아이에게 책을 덮으라고 하자 여자아이가 알겠다고 답했고, 남자아이가 일어나라고 하자 여자아이가 알겠다고 답했습니다.

11 B: Can you play tennis, Jina?

G: No, I can't. I can play badminton. Can you play badminton, Minsu?

B: Yes, I can. I can play badminton, too.

> 풀이 테니스를 칠 수 있는지 묻는 말에 지나는 테니스를 칠 수 없고, 배드민턴을 칠 수 있다고 대답했습니다. 지나가 민수에게 배드민턴을 칠 수 있냐고 묻자 민수도 배드민턴을 칠 수 있다고 대답했습니다.

12 G: What time is it?

B: It's seven twenty. It's time for dinner.

G: Let's have dinner.

B: Okay.

> 풀이 몇 시인지 묻는 말에 '7시 20분이야. 저녁 먹을 시간이야.'라고 대답하고 있으므로 지금은 오후 7시 20분입니다.

13 ① G: Can you help me?

B: Sure.

② G: Help yourself.

B: Thank you.

③ G: Don't swim.

B: Okay.

④ G: Open the door.

B: Okay.

⑤ G: How are you?

B: I'm great.

> 풀이 여자아이가 남자아이에게 음식을 권하는 상황이므로 '마음껏 먹어.'라고 말하고 '고마워.'라고 대답하는 ②가 그림에 어울립니다.

14 B: Where is my bag?

G: It's under the chair.

B: Thank you.

> 풀이 남자아이가 가방이 어디 있는지 묻자 여자아이가 가방이 의자 아래에 있다고 답했습니다.

15 G: Can you ride a bike?

B: Sure, I can.

G: Let's ride a bike.

B: Sounds good.

> 풀이 여자아이는 남자아이에게 자전거를 탈 수 있는지 묻고 남자아이가 탈 수 있다고 하자, 자전거를 타자고 제안했습니다. 이에 남자아이가 좋은 생각이라고 답했으므로 두 사람은 자전거를 탈 것입니다.

16 B: What are you doing, Jenny?

G: I'm cleaning my room.

> 풀이 무엇을 하고 있는지 묻는 말에 Jenny는 방 청소를 하고 있다고 대답했습니다.

17 G: Do you want some more?

B: ① No, it isn't. It's not mine.

② You're welcome.

③ Yes, please. It's delicious.

④ It's in the box.

⑤ My mom is a cook.

> 풀이 좀 더 먹으라고 음식을 권하는 말에 더 달라고 답할 때는 Yes, please.라고 하고 뒤에 It's delicious. 등의 표현을 덧붙여 말할 수 있습니다.

풀이

18 그림은 농구하는 모습이므로 basketball이 알맞습니다.

19 일요일(Sunday)과 화요일(Tuesday) 사이에 있는 요일은 월요일(Monday)입니다.

20 '책상'은 desk입니다.

① sofa (소파) ② bed (침대)

③ chair (의자) ⑤ bag (가방)

21 문장이 '이 치마는 5달러입니다.'라는 뜻이므로 5달러짜리 가격표가 붙은 치마가 알맞습니다.

22 그림의 남자는 비행기 조종사이므로 He is a pilot. (그는 비행기 조종사입니다.)이 그림에 알맞습니다.

23 '맛있다'라는 뜻의 낱말은 delicious이므로 빈칸에 알맞은 알파벳은 c입니다.

24 '화난'이라는 뜻의 낱말은 angry입니다.

25 '학교 갈 시간'이라는 뜻의 표현은 time for school입니다.

01 ②	**02** ②	**03** (1) 중심 (2) 사건 (3) 전개		
04 ①	**05** ④, ⑤	**06** (1)-①-㉮ (2)-②-㉰		
(3)-①-㉯	**07** ③	**08** 관측	**09** ①	**10** ③
11 ③, ④	**12** ⑤	**13** ⑤	**14** ③	**15** ⑤
16 ①, ④	**17** ①	**18** 교실	**19** ②, ③	**20** ④
21 ④	**22** ⑤	**23** ②	**24** ③	**25** ⑤

01 성민이는 상상 속에서 학교 앞 문방구를 지나고 네거리를 지나서 성민이네 집을 지나 구름 위를 달렸습니다.

03 글의 종류, 짜임에 따라 중요한 내용을 간추리는 방법이 다릅니다.
> **오답 풀이** (1)은 설명하는 글, (2)는 이야기 글, (3)은 의견을 내세운 글의 내용을 간추리는 방법으로 알맞습니다.

04 동생에게는 쉬운 말로 풀어서 말해야 이해하기 쉽습니다. 친구라 하더라도 여러 사람 앞에서 말할 때에는 높임말을 사용하여 말해야 합니다.

06 현재에 있는 일이나 실제로 있었던 일은 사실이고, 그 일에 대한 생각이 들어 있으면 의견입니다. 글쓴이가 한 일, 본 일, 들은 일은 '사실'에 속하고, 글쓴이가 생각하거나 느낀 점은 '의견'에 속합니다.

08 국어사전에 실린 '관측'의 낱말 뜻입니다.

09 '땅의 생긴 모양이나 형세.'를 뜻하는 낱말은 '지형'입니다. '표면'은 '사물의 가장 바깥쪽. 또는 가장 윗부분.'을 뜻하는 낱말입니다.

10 글을 읽다가 모르는 낱말이 나왔을 때에는 알맞은 사전을 골라 낱말의 뜻을 알아봅니다. 주어진 낱말들은 모두 순우리말입니다.

11 깨끗한 물을 마시지 못하는 문제 상황을 해결할 수 있는 제안이 들어가야 합니다.
> **오답 풀이** ③과 ④는 아이들이 깨끗한 물을 마시지 못한다는 문제 상황을 해결할 수 있는 내용이 아닙니다.

12 한글 자음자는 발음 기관의 모양을 본떠 만들었습니다.

13 'ㄴ'에 획을 하나 더하여 만든 자음자는 'ㄷ'이고, 'ㄷ'에 획을 하나 더하여 만든 자음자는 'ㅌ'입니다.

14 영화 제목이나 등장인물, 광고지, 예고편 따위를 보고 어떤 내용이 펼쳐질지 상상해 보면 영화를 재미있게 감상할 수 있습니다.

15 재환이는 자신과 자신의 가족이 이사 왔다는 소식을 알리고 새로 만난 이웃들에게 인사를 드리고 싶어서 승강기에 편지를 붙였습니다.

16 재환이가 쓴 편지에는 새로 이사 온 곳이 마음에 들어 기쁜 마음, 새로 만난 이웃과 잘 지내기를 기대하는 마음이 드러나 있습니다.

18 이야기가 펼쳐지는 장소를 '공간적 배경'이라고 합니다.

19 자기 때문에 공기 알이 사물함 밑으로 굴러 들어갔는데도 미안하다는 말도 없이 혀만 내밀고 도망가 버린 행동으로 보아, 창훈이는 장난스럽고 배려심이 없는 것 같습니다.

20 > **오답 풀이** ①~③은 '무엇이+어떠하다'의 짜임으로 이루어진 문장이고, ④는 '누가+어떠하다'의 짜임으로 이루어진 문장입니다.

21 세상의 모든 것은 각각 이름을 가지고 있다는 것을 깨닫게 된 헬렌은 배우고 싶다는 뜨거운 마음이 생겼습니다.

22 헬렌은 자신이 가진 장애를 극복하기 위해 아침에 일찍 일어나자마자 글자를 쓰기 시작해 하루 종일 글을 쓰면서 끊임없이 노력했습니다.

23 재미있거나 인상 깊었던 책, 새롭게 안 내용이 많은 책, 읽으면서 여러 가지 생각을 한 책 등을 골라 독서 감상문을 쓰는 것이 알맞습니다.

24 이 글의 뒷받침 내용으로 보아, 글쓴이는 문화재를 개방해야 한다는 의견을 가지고 있습니다.

25 글을 읽고 글쓴이의 의견이 적절한지 평가할 때에는 주제와의 관련성, 의견과 뒷받침 내용의 관련성, 뒷받침 내용의 사실 여부 따위를 확인해야 합니다.

수학 3회 100~102쪽

01 ② **02** ④ **03** ②, ⑤ **04** ③ **05** ④
06 ② **07** ④ **08** ① **09** ③ **10** ② **11** 32
12 ③ **13** ⑤ **14** ③ **15** 라 **16** ②
17 5.209 **18** ④ **19** ④
20 변 ㄱㄴ(또는 변 ㄴㄱ), 변 ㄹㄷ(또는 변 ㄷㄹ)
21 ④ **22** ② **23** ③ **24** ① **25** ③

---

01 ① 5 <u>9</u> 82309000   ② 7 <u>2</u> 954892000
③ 73 <u>8</u> 959240000   ④ 8 <u>2</u> 93470000
⑤ 897258490000
따라서 십억의 자리 숫자가 2인 수는 ②입니다.

02 십만의 자리 숫자와 만의 자리 숫자가 같고 백
의 자리 숫자가 6<8이므로 □ 안에 들어갈 수
있는 숫자는 5보다 작은 수입니다.
따라서 0, 1, 2, 3, 4로 5개입니다.

03 각도가 90°보다 크고 180°보다 작은 각을 모두
찾으면 ②, ⑤입니다.

04 ① 40°+80°=120° ② 90°+45°=135°
③ 75°+65°=140° ④ 160°−45°=115°
⑤ 180°−70°=110°
따라서 계산한 각도가 가장 큰 것은 ③입니다.

05 (동화책 20권의 무게)
=(동화책 한 권의 무게)×20
=865×20=17300 (g)

06 630÷90=7

07 보기 의 도형을 아래쪽으로 뒤집으면 도형의
위쪽과 아래쪽이 바뀝니다.

08 밀기를 이용하면 모양과 크기가 변하지 않습
니다.

09 세로 눈금 5칸이 10 t을 나타내므로 세로 눈금
한 칸은 10÷5=2 (t)을 나타냅니다.
따라서 수돗물의 사용량이 14 t인 요일은 수요
일입니다.

10 수돗물의 사용량이 같은 요일은 월요일과 목요
일로 18 t입니다.

11 4×2=8, 8×2=16이므로 4에서 시작하여 왼
쪽의 수에 2씩 곱한 수가 오른쪽에 있는 규칙입
니다. 따라서 빈칸에 알맞은 수는 16×2=32
입니다.

12 9+15+16+17+23=80, 80÷5=16

13 분모가 같은 진분수의 덧셈은 분모는 그대로
쓰고 분자끼리 더합니다.
$\dfrac{5}{7}+\dfrac{1}{7}=\dfrac{5+1}{7}=\dfrac{6}{7}$

14 $4\dfrac{7}{10}-2\dfrac{4}{10}=(4-2)+\left(\dfrac{7}{10}-\dfrac{4}{10}\right)$
$=2+\dfrac{3}{10}=2\dfrac{3}{10}$

15 세 변의 길이가 같은 삼각형은 라입니다.

16 이등변삼각형에서 길이가 같은 두 변에 있는
두 각의 크기는 같습니다.

17 5보다 크고 6보다 작은 소수 세 자리 수는
5.□□□입니다. 따라서 조건을 만족하는 소
수 세 자리 수는 5.209입니다.

18 소수점끼리 맞추어 세로로 쓰고 계산합니다.
```
    1
  1. 4 5
+ 2. 2 5
 ───────
  3. 7 0
```

19 0.48−0.21=0.27이므로
사과는 귤보다 0.27 kg 더 무겁습니다.

20 수직인 변은 직각으로 만나는 변입니다.

21 네 변의 길이가 모두 같은 사각형을 모두 찾습
니다.

22 세로 눈금 5칸의 크기가 10 mm이므로
(세로 눈금 한 칸의 크기)=10÷5=2 (mm)
입니다.

23 세로 눈금 한 칸의 크기는 2 mm이므로 불을
붙이고 4분 후 양초의 길이는 28 mm입니다.

24 정다각형은 모든 변의 길이가 같으므로 □ 안
에 알맞은 수는 7입니다.

25 두 대각선의 길이가 같은 사각형은 직사각형,
정사각형입니다.

사회 3회

103~105쪽

01 ⑤ 02 ⑤ 03 답사 04 ④ 05 ④ 06 ⑤
07 ①, ③ 08 ② 09 ① 10 ⑤ 11 교통 문제
12 ⑤ 13 ⑤ 14 ㉡, ㉢ 15 ④ 16 ③ 17 ③
18 ②, ③ 19 ⑤ 20 ㉣ → ㉮ → ㉣ → ㉢ 21 ④
22 ① 23 ⑤ 24 세계화 25 ㉠, ㉢, ㉣

01 항공 사진과 지도는 모두 하늘에서 내려다본 땅 위의 모습입니다.

02 지도에는 정보를 간단히 나타낸 기호를 사용합니다. ㉤은 병원을 나타냅니다.

> **오답 풀이** ㉠은 밭, ㉡은 논, ㉢은 학교, ㉣은 우체국입니다.

03 어떤 곳을 찾아가 조사하거나 보고 배우는 것을 답사라고 합니다.

04 제시된 자료는 인터넷으로 소쇄원 누리집에서 문화유산을 조사하는 것입니다.

05 중심지에는 시청, 역, 시장, 생산 시설 등 사람들의 생활과 관련한 여러 기관과 시설들이 모여 있습니다.

06 답사를 다녀온 후, 답사로 알게 된 점을 답사 보고서에 작성합니다.

07 역사적 인물의 삶을 살펴보면 지역의 역사를 알고, 지역에 자부심을 가질 수 있습니다.

08 제시된 그림은 위인전으로 조사하는 방법으로 도서관을 방문해야 합니다.

09 행정 복지 센터는 지역 주민 가까이에서 주민 생활 업무를 처리해 주는 공공 기관입니다.

10 공공 기관을 견학할 때는 공공 기관의 시설과 물건을 함부로 만지면 안 되며, 공공질서와 예절을 지켜야 합니다.

11 출퇴근 시간에 차가 많아 길이 막히는 것은 교통 문제에 해당합니다.

12 지역 주민이 자신이 사는 지역에서 일어난 문제를 해결하는 과정에 참여하는 것을 주민 참여라고 합니다.

13 산지촌에서 생활하는 사람들은 산을 이용해 목장을 만들어 가축을 기릅니다.

14 도시는 많은 사람이 모여 살고 사회·정치·경제 활동의 중심이 되는 곳으로, 사람들이 모여 사는 아파트가 많으며, 교통수단이 발달했습니다.

15 세종특별자치시는 우리나라의 대표적인 행정 도시입니다.

16 제시된 그림을 통해 알 수 있는 도시 문제는 환경 문제입니다.

17 직거래 장터에서 촌락에 사는 사람들은 지역의 특산물을 홍보하고 판매하여 소득을 얻을 수 있고, 도시에 사는 사람들은 값싸고 질 좋은 농산물을 살 수 있습니다.

18 ② 문화 시설과 ③ 의료 시설을 이용하는 것은 촌락 사람들이 도시에 가는 까닭입니다.

> **오답 풀이** ① 농사 체험, ④ 지역 축제 참여, ⑤ 깨끗한 자연환경 체험은 도시 사람들이 촌락에 가는 까닭입니다.

19 ⑤ 물건 배달하기는 생활을 편리하고 즐겁게 해 주는 생산 활동입니다.

> **오답 풀이** ①, ③은 생활에 필요한 것을 만드는 생산 활동, ②, ④는 자연을 이용해서 생활에 필요한 것을 얻는 생산 활동입니다.

21 ④ 경제 교류를 한다고 모든 지역의 자연환경, 기술, 자원 등이 같아지는 것은 아닙니다.

22 저출산 현상에 대한 대응으로 보육 시설을 늘리고, 아이를 낳고 기르는 데 드는 비용을 지원하고 있습니다.

> **오답 풀이** ②, ③, ④, ⑤는 고령화에 대비하기 위한 방안입니다.

23 제시된 그림은 불법으로 자료를 내려받아 여러 사람에게 퍼뜨리고 있는 모습입니다. 이를 해결하려면 올바른 저작권 문화를 만들기 위한 교육이 필요합니다.

25 > **오답 풀이** ㉡ 다른 문화를 존중하려면 그 문화를 가진 상대방의 입장에서 문화를 이해하려고 노력해야 합니다.

과학 3회   106~108쪽

01 ①   02 ㉠   03 ⑤   04 ①   05 ③   06 ②
07 ①, ②   08 ②   09 ㉠   10 ①   11 ③   12 ①
13 모래   14 ①   15 ①, ③   16 ⑤   17 ⑤   18 석
주   19 ③   20 ㉠, ㉢   21 ⑤   22 ④   23 ④,
⑤   24 ②   25 ③

01 눈금실린더는 액체의 부피를 측정하는 도구로, 편평한 곳에 놓고 사용해야 합니다.

02 지층은 여러 개의 층으로 이루어져 있고, 줄무늬가 보인다는 공통점이 있습니다.

03 동물의 알도 화석이 될 수 있으며, 대부분의 생물은 죽으면 다른 동물에게 먹히거나 썩어서 사라지기 때문에 일부만 화석이 됩니다.

04 조개 화석 모형과 실제 조개 화석은 모양과 무늬가 비슷합니다.

05 사과씨는 갈색으로 둥글고 길쭉하며, 한쪽은 모가 나 있습니다.

06 식물이 자라는 데 물이 미치는 영향을 알아볼 때에는 물의 양만 다르게 하고, 물 이외의 다른 조건은 모두 같게 해야 합니다.

07 식물은 씨가 싹 터서 자라며, 꽃이 피고 열매를 맺어 번식하는 한살이 과정을 거칩니다.

08 추를 한 개 매달았을 때 용수철이 3 cm 늘어났고, 용수철에 걸어 놓은 추의 무게가 무거울수록 용수철의 길이가 많이 늘어납니다.

09 몸무게가 서로 다를 때에는 가벼운 사람이 시소의 받침점에서 먼 쪽에 앉으면 시소의 수평을 잡을 수 있습니다.

10 지우개보다 가위가 더 무겁고, 가위보다 풀이 더 무거우므로, 풀>가위>지우개 순서로 무겁습니다.

11 구슬로 팔찌를 만들기 전과 후에 구슬은 모양과 색깔은 변하지 않습니다.

12 철 캔은 자석에 붙고, 알루미늄 캔은 자석에 붙지 않는 성질을 이용해 혼합물을 분리합니다.

13 물에 녹는 물질과 물에 녹지 않는 물질이 섞여 있는 혼합물을 분리할 때 거름 장치를 이용하며 거름종이에 모래가 걸러집니다.

14 '잎이 화려한가?'는 사람마다 '화려하다'의 기준이 다르기 때문에 분류 기준으로 적합하지 않습니다.

15 공기주머니는 물에 떠서 사는 식물의 특징이고, 키가 크고 줄기가 튼튼한 것은 잎이 물 위로 높이 자라는 식물의 특징입니다.

16 식물은 음식과 약 이외에 다양하게 활용됩니다. 허브는 방향제나 해충 퇴치제로, 장미 가시의 생김새를 활용해 가시철조망을 만들었습니다.

17 오답 풀이 얼음이 녹을 때 부피가 줄어들기 때문에 얼음 틀 위로 튀어나와 있던 얼음이 녹으면 물의 높이가 낮아집니다.

18 끓음은 물 표면과 물속에서 물이 수증기로 상태가 변하는 것으로, 물이 끓을 때에는 증발할 때보다 물의 양이 빠르게 줄어듭니다.

19 액체인 물을 가열하여 물을 기체인 수증기로 변화시켜 음식을 익힙니다.

20 손전등과 물체 사이의 거리가 가까울수록 그림자의 크기가 커지고, 멀수록 그림자의 크기가 작아집니다.

21 오답 풀이 현관 앞 전신 거울로 외출하기 전에 외출복이 맵시가 나는지 확인합니다.

22 현무암과 화강암은 마그마의 활동으로 만들어진 화성암으로, 색깔, 암석을 이루고 있는 알갱이의 종류, 알갱이의 크기가 다릅니다.

23 지진이 발생하면 전깃불과 가스 불을 꺼서 화재를 예방해야 하며, 흔들림이 멈추었을 때 안전한 장소로 대피합니다.

24 지퍼 백 안에서 물은 상태가 변하며 순환하기 때문에 물의 전체 양은 변하지 않습니다.

25 물이 끊임없이 흐르면서 지표면의 모양을 변화시키며, 이 과정에서 특이한 지형이 만들어지는 곳은 관광 자원으로 이용합니다.

01 ③	02 ⑤	03 ①	04 ⑤	05 ⑤
06 ⑤	07 ④	08 ②	09 ④	10 ②
11 ⑤	12 ④	13 ②	14 ⑤	15 ⑤
16 ③	17 ③	18 ②	19 ④	20 ③
21 ③	22 ④	23 ④	24 ②	25 ③

듣기 대본

01 ① G: Goodbye.
　　B: Bye.
　② G: Good morning.
　　B: Good morning.
　③ G: Good afternoon.
　　B: Good afternoon.
　④ G: Good evening.
　　B: Good evening.
　⑤ G: Good night.
　　B: Good night.
풀이 오후에 만나 인사를 나누고 있으므로 서로 Good afternoon.이라고 인사하는 ③이 그림에 어울리는 대화입니다.

02 G: How are you?
　B: ① I'm great.
　　② I'm fine.
　　③ I'm okay.
　　④ I'm good.
　　⑤ Not so good.
풀이 ①~④는 '잘 지내.'라는 뜻이고 ⑤는 '그저 그래.'라는 뜻입니다.

03 B: What time is it?
　G: _____
풀이 몇 시인지 묻고 있으므로 '9시 40분이야.'라고 시각을 말한 ①이 대답으로 알맞습니다.

04 G: What day is it today?
　B: It's Saturday.
풀이 무슨 요일인지 묻자 '토요일이야.'라고 대답했습니다.

05 B: Are you tired?
　G: _____
풀이 여자아이가 배고파하는 상황인데 피곤한지 묻고 있으므로 '아니, 그렇지 않아. 나는 배고파.'라고 대답하는 것이 알맞습니다.

06 ① G: I want this cap. How much is it?
　　M: It's five dollars.
　② G: I want this scarf. How much is it?
　　M: It's ten dollars.
　③ G: I want this shirt. How much is it?
　　M: It's five dollars.
　④ G: I want this bag. How much is it?
　　M: It's ten dollars.
　⑤ G: I want this ball. How much is it?
　　M: It's three dollars.
풀이 그림에서 공은 5달러이므로 공이 3달러라고 한 ⑤는 그림의 내용과 일치하지 않습니다.

07 B: What is he doing?
　G: He is riding a bike.
풀이 그가 무엇을 하고 있는지 묻는 말에 '그는 자전거를 타고 있어.'라고 대답했습니다.

08 G: Can you help me?
　B: Sorry, I can't. I'm tired.
풀이 여자아이가 도와줄 수 있는지 묻자 남자아이는 미안하지만 그럴 수 없다며 피곤하다고 대답했습니다.

09 B: Is this your ruler, Jinhui?
　G: No, it isn't. It's not mine.
　B: Is this your eraser?
　G: Yes, it is. It's mine.
풀이 자가 진희의 것인지 묻자 진희는 자신의 것이 아니라고 했고, 지우개가 진희의 것인지 묻자 지우개는 자신의 것이라고 대답했습니다.

10 G: Can you swim, Minjun?
　B: No, I can't. I can play soccer.
　　Can you play soccer?
　G: No, I can't. I can play basketball.
풀이 수영을 할 수 있는지 묻는 말에 민준이는

수영을 할 수 없고 축구를 할 수 있다고 대답했습니다.

11 B: Where is my coat?
　G: It's on the bed.
　풀이 코트가 어디에 있는지 묻고 침대 위에 있다고 답하고 있으므로 두 사람이 말하고 있는 것은 코트입니다.

12 W: Don't eat here.
　B: Okay.
　풀이 '이곳에서 먹지 마세요.'라고 했으므로 ④가 내용에 알맞습니다.

13 M: ① Help me, please.
　　② Help yourself.
　　③ Can you help me?
　　④ What do you do?
　　⑤ I'm good.
　풀이 음식을 권하는 모습이므로 '마음껏 먹으렴.'이라는 뜻의 ②가 알맞습니다.

14 W: Clean your desk, please.
　B: Okay.
　풀이 책상을 청소하라는 말에 남자아이가 그러겠다고 대답했으므로 남자아이가 할 일은 책상을 청소하는 것입니다.

15 B: Who is he, Sumin?
　G: He is my father.
　B: What does he do?
　G: He is a pilot.
　풀이 남자아이가 수민이에게 아빠의 직업이 무엇인지 묻자 수민이는 아빠가 비행기 조종사라고 답했습니다.

16 G: Dad, this is my friend, Jinsu.
　　Jinsu, this is my father.
　M: Nice to meet you, Jinsu.
　B: Nice to meet you, too.
　풀이 여자아이가 친구인 진수와 자신의 아빠를 서로에게 소개했습니다.
　오답 풀이 ④ 진수와 여자아이의 아빠는 여자아이에게서 서로를 소개받고 있으므로 처음 만난

사이입니다.
⑤ 대화에 나오는 사람은 진수, 여자아이, 여자아이의 아빠입니다.

17 ① G: Happy birthday. This is for you.
　　B: Thank you.
　② G: Do you want some more?
　　B: Yes, please.
　③ G: Is this your ruler?
　　B: No, it isn't. It's mine.
　④ G: Let's play baseball.
　　B: Sorry, I can't.
　⑤ G: How much is it?
　　B: It's three dollars.
　풀이 '이것이 너의 자냐?'라고 묻는 말에 '아니, 그렇지 않아.'라고 대답한 뒤에 '그것은 나의 것이야.'라고 이어 말하는 것은 어색합니다.

풀이

18 피곤한 모습이므로 tired가 알맞은 낱말입니다.

19 월요일(Monday)과 수요일(Wednesday) 사이에 있는 요일은 화요일(Tuesday)입니다.

20 ③ '의사'를 나타내는 낱말은 doctor입니다.
　① cook (요리사)　② pilot (비행기 조종사)
　④ singer (가수)　⑤ teacher (선생님)

21 '만지지 마세요.'라는 뜻이므로 만지는 것을 금지하는 표지판인 ③이 내용에 알맞습니다.

22 여자아이가 남자아이에게 선물을 건네면서 하는 말이므로 This is for you. (이것은 너를 위한 거야.)가 알맞습니다.

23 '아침'은 morning이므로 빈칸에 알맞은 알파벳은 g입니다.

24 '일요일'은 Sunday입니다.

25 '음악을 듣다'라는 뜻의 표현은 listen to music입니다.

실전 문제

국어

113~116쪽

01 ②	**02** 지윤	**03** ①	**04** ②	**05** ⑤
06 ④, ⑤	**07** ④	**08** ①	**09** ②	**10** ③
11 ①	**12** ①	**13** ④	**14** ⑤	**15** ①
16 ③	**17** ⑤	**18** ⑤	**19** ⑤	**20** ③
21 ④	**22** ④, ⑤	**23** ③	**24** ②	**25** ①

01 '나'는 가끔씩 비 오는 날에 초록이를 걸어 두는 쓸모 있는 못이 되어 아주 행복하다고 했습니다.

02 이 글에서는 '나'를 통해 쓸모없는 것도 간직해 두면 언젠가 좋은 일에 쓰일 수 있다는 것을 말하고 있습니다.

03 이야기 글의 내용을 간추릴 때에는 등장인물, 시간의 흐름과 장소의 변화에 따라 사건의 내용을 차례대로 정리해야 합니다.

04 엄지손가락을 위로 올리는 몸짓은 석우가 "오, 민영택! 센데!"를 말할 때에 어울립니다.

05 「초충도」는 화면의 중앙에 핵심이 되는 식물을 두고, 그 주변에 각종 벌레와 곤충을 배치했습니다.

07 사회자가 회의 참여자들에게 "친구들과 사이좋게 지냅시다."라는 학급 회의 주제를 말하면서 회의를 진행하고 있습니다.

08 회의 참여자 1은 사회자 허락을 얻지 않은 채 자신의 의견을 말했습니다.

09 '개, 돼지, 고양이, 인간' 등이 포유동물입니다.

10 '키워, 키우고, 키우니' 등으로 형태가 바뀌는 낱말입니다. 형태가 바뀌지 않는 부분인 '키우-'에 '-다'를 붙여 만든 기본형은 '키우다'입니다.

11 ①은 '무엇이 어떠하다'의 짜임으로 이루어진 문장이고, ②~⑤는 모두 '누가 어찌하다'의 짜임으로 이루어진 문장입니다.

12 한글 자음자 'ㄱ'은 혀뿌리가 목구멍을 막는 모양을 본떠 만든 것입니다.

13 주시경은 독립 의식을 높이는 데 힘썼지만, 우리나라를 차지하려는 다른 나라에 맞서 싸운 것은 아닙니다.

14 사건의 흐름이나 이야기의 주제, 인물의 성격이나 인물이 처한 상황에 맞게 이어질 내용을 써야 앞부분의 내용과 자연스럽게 어울릴 수 있습니다.

16 지혜는 영철이가 대화명을 이름이 아닌 다른 것(@.@)으로 썼기 때문에 대화 상대가 누구인지 알 수 없었습니다.

17 오답 풀이 온라인 대화를 하는 경우에는 상대의 얼굴을 직접 확인할 수 없습니다. 그러므로 ⑤가 줄임 말을 지나치게 사용할 때의 문제점이라고 보기 어렵습니다.

18 ㉠은 사물함 밑에서 나온 공기 알과 나비 핀을 '나'에게 전해 주며 우진이가 한 말입니다. 우진이의 다정다감한 성격을 짐작할 수 있습니다.

19 우진이가 건네 준 공기 알과 나비 핀을 더럽다고 하여 우진이를 부끄럽게 만든 윤아가 얄미웠기 때문입니다.

21 오답 풀이 '참석'은 모임이나 회의 따위의 자리에 나간다는 뜻이고, '참여'는 어떤 일에 끼어들어 함께 일한다는 뜻입니다. '저금'은 '돈을 모아 둠. 또는 그 돈.'이라는 뜻, '모금'은 '기부금이나 성금 따위를 모음.'이라는 뜻, '성금'은 '정성으로 내는 돈.'이라는 뜻입니다.

22 어머니께서는 학교 가기 싫어하는 '나'를 위해 신작로까지 데려다준 뒤에 품속에 넣어 온 새 양말과 새 신발을 갈아 신겼습니다.

23 일어난 일, 인물의 말이나 행동, 인물의 마음 따위에서 자신이 인상 깊게 느끼는 부분을 떠올려 볼 수 있습니다.

25 이 이야기에서 동숙이가 달걀이 들어간 김밥을 싸 달라고 말씀드렸다가 꾸중을 들은 내용이 담겨 있는 부분은 장면 **1**입니다.

수학

117~119쪽

01 ④	**02** ②	**03** ①	**04** ④ **05** ③ **06** ②
07 ①	**08** ③	**09** ③	**10** ① **11** ④ **12** ③
13 1, 2, 3	**14** ⑤	**15** ③	**16** ④ **17** ②
18 5.6	**19** ④	**20** ②	**21** ② **22** 월, 키
23 ③	**24** ③	**25** 대각선	

01 10000은 9000보다 1000만큼 더 큰 수입니다.

02 ㉠ 60000000, ㉡ 600000
따라서 ㉠이 나타내는 수는 ㉡이 나타내는 수의 100배입니다.

03 안쪽 눈금을 읽으면 35°입니다.

04 사각형의 네 각의 크기의 합은 360°이므로
$\square° + 90° + 100° + 40° = 360°$입니다.
따라서 $\square° = 360° - 90° - 100° - 40° = 130°$입니다.

05
$$\begin{array}{r} 2\,3\,0 \\ \times\quad 4\,1 \\ \hline 9\,4\,3\,0 \end{array}$$

06 (필요한 버스의 수)$= 360 \div 45 = 8$(대)

07 도형을 밀면 모양과 크기는 변하지 않습니다.

08 도형의 위쪽 부분이 왼쪽으로 이동했으므로 왼쪽 도형을 시계 방향으로 270°만큼 돌리면 오른쪽 도형이 됩니다.

09 세로 눈금 한 칸은 1명을 나타내고 목요일의 막대는 세로 눈금 3칸이므로 3명입니다.

10 막대의 길이가 가장 긴 요일은 월요일입니다.

11 규칙 1: 31부터 오른쪽으로 2씩 커집니다.
규칙 2: 31부터 아래쪽으로 100씩 커집니다.

12 아래쪽으로 100씩 커지는 규칙이 있으므로 139보다 100만큼 더 큰 수인 239가 됩니다.

13 $\dfrac{5}{8} + \dfrac{\square}{8} = \dfrac{5+\square}{8}$가 $1\dfrac{1}{8} = \dfrac{9}{8}$보다 작아야 합니다. $5+\square < 9$이므로 $\square$ 안에 들어갈 수 있는 수는 1, 2, 3입니다.

14 큰 수부터 순서대로 나열하면 $9\dfrac{5}{6}$, 9, 4, $3\dfrac{4}{6}$

이므로 가장 큰 수와 가장 작은 수의 차는
$9\dfrac{5}{6} - 3\dfrac{4}{6} = 6\dfrac{1}{6}$입니다.

15 두 변의 길이가 같으므로 이등변삼각형입니다.
한 각이 30°이고 삼각형의 세 각의 크기의 합은 180°이므로 나머지 두 각의 크기의 합은 $180° - 30° = 150°$입니다.
이등변삼각형은 두 각의 크기가 같으므로 $150° \div 2 = 75°$입니다.

16 ④ 100°, 20°, 60°에서 100°는 둔각이므로 한 각이 둔각인 둔각삼각형은 ④입니다.

17 $\dfrac{1}{100} = 0.01$, $\dfrac{1}{1000} = 0.001$입니다.
② $\dfrac{5}{100} = 0.05$

18 민영이가 생각하는 소수는 1.9이고, 재성이가 생각하는 소수는 3.7입니다.
따라서 민영이와 재성이가 생각하는 소수의 합은 $1.9 + 3.7 = 5.6$입니다.

19 현석이의 종이비행기가 윤지의 종이비행기보다 $7.2 - 3.5 = 3.7$(m) 더 멀리 날아갔습니다.

20 마주 보는 두 쌍의 변이 서로 평행한 사각형을 평행사변형이라고 합니다.

21 마름모는 네 변의 길이가 같으므로 $\square$ 안에 알맞은 수는 9입니다.

22 꺾은선그래프에서 가로는 월, 세로는 키를 나타냅니다.

23 세로 눈금 5칸의 크기가 5 cm이므로
(세로 눈금 한 칸의 크기)$= 5 \div 5 = 1$(cm)입니다.
3월의 무궁화의 키는 2 cm, 4월의 무궁화의 키는 7 cm이므로 4월의 무궁화의 키는 3월의 무궁화의 키보다 $7 - 2 = 5$(cm) 더 자랐습니다.

24 변이 6개이므로 육각형입니다.

25 서로 이웃하지 않는 두 꼭짓점을 이은 선분을 대각선이라고 합니다.

사회

120~122쪽

01 ①	02 ①	03 ㉡, ㉢	04 ①	05 ①	06 ④
07 ③	08 ⑤	09 ②	10 ④	11 ⑤	12 ㉣ →
㉡ → ㉮ → ㉯ → ㉰		13 ①	14 ⑤	15 ③	
16 ㉢, ㉣	17 ④	18 ⑤	19 ④	20 ①	21 ④
22 저출산	23 ㉡, ㉣	24 ㉠ 편견 ㉡ 차별			25 ⑤

01 지도는 제목, 방위표, 기호와 범례, 축척을 갖추고 있습니다. ① 지도는 여러 가지 색깔로 그립니다.

02 땅의 높낮이는 색으로도 나타낼 수 있습니다. 짙은 갈색으로 표시된 곳이 높은 지역입니다.

03 중심지는 교통이 편리하며, 여러 기관과 시설이 모여 있습니다.

04 사람들이 문화유산, 유명한 풍경 등을 보려고 모이는 곳은 관광의 중심지입니다.

05 ① 강강술래는 형태가 없는 무형 문화유산입니다.
오답 풀이 ②, ③, ④, ⑤ 탑, 건축물 등은 형태가 있는 유형 문화유산입니다.

06 문화유산에 대해 언제 누가 만들었는지, 특징, 관련된 이야기, 관련된 인물 등을 조사할 수 있습니다.

07 문화유산 소개 책자를 만들어 문화유산의 특징을 소개하는 자료입니다.

08 우리 지역의 역사적 인물을 조사하려면 가장 먼저 조사할 역사적 인물을 정해야 합니다.

09 제시된 내용은 역사적 인물 신문을 만드는 방법입니다. 신문에는 기사와 사진 등 다양한 형식으로 사용할 수 있습니다.

10 보건소에서는 음식점에서 깨끗하게 음식을 만드는지 점검하고 지도합니다.
오답 풀이 ① 도서관, ② 경찰서, ③ 행정 복지 센터, ⑤ 교육청에서 하는 일입니다.

11 견학 후에는 알게 된 점, 느낀 점 등을 보고서에 정리합니다.
오답 풀이 ①, ②, ③, ④ 견학을 가기 전에 할 일

에 해당합니다.

13 사회의 여러 가지 문제를 해결하기 위해 시민들이 스스로 모여 만든 단체를 시민 단체라고 합니다.

14 오답 풀이 ① 바닷가에 자리 잡은 촌락은 어촌, ② 어업을 하며 생활하는 곳은 어촌, ③ 나무를 가꾸어 베는 것은 임업, ④ 주로 물고기를 잡는 사람들은 어촌 사람들입니다.

15 ③ 고기잡이는 주로 어촌에서 볼 수 있습니다.

16 오답 풀이 ㉠은 환경 문제 해결 방안, ㉡은 교통 문제 해결 방안입니다.

17 촌락 사람들이 먹는 농산물은 주로 농촌에서 생산된 것입니다.

18 도시 사람들은 촌락의 휴양림 시설에서 자연환경을 즐기고 촌락 사람들은 도시의 병원 시설을 이용하고 있습니다.

19 현명한 소비를 해야 하는 까닭은 현명하게 소비해야 큰 만족감을 얻을 수 있고, 돈과 자원의 낭비를 막을 수 있기 때문입니다.

20 ① 건물 짓기는 생산 활동 중 생활에 필요한 것을 만드는 활동입니다.
오답 풀이 ②, ④는 생활에 필요한 것을 자연에서 얻는 활동이고, ③, ⑤는 생활을 편리하고 즐겁게 해 주는 활동입니다.

21 다양한 경제 교류로 각 지역은 경제적 이익을 얻습니다.

22 태어나는 아이의 수가 줄어드는 현상을 저출산이라고 합니다.

23 다양한 분야에서 정보와 정보 통신 기술을 널리 활용하는 현상을 정보화라고 합니다.
오답 풀이 ㉠은 저출산, ㉢은 세계화가 우리 생활에 가져온 변화입니다.

24 공정하지 못하고 한쪽으로 치우친 생각을 편견이라 하고, 대상을 정당한 이유 없이 구별하고 다르게 대우하는 것을 차별이라고 합니다.

25 우리의 문화가 소중하듯 다른 문화도 소중하다는 것을 알아야 합니다.

과학

123~125쪽

01 ⑤ **02** ⑤ **03** ⓒ **04** ⑤ **05** ③ **06** ⓒ, 뿌리 **07** ③, ④ **08** ② **09** ② **10** ④ **11** ⑤ **12** ④ **13** ㉠ 모래 ⓒ 소금 **14** ① **15** 공기 방울 **16** ⑤ **17** ② **18** ④ **19** 수증기 **20** ㉠, ⓒ **21** ⑤ **22** ①, ④ **23** ⑤ **24** 기체 **25** ⑤

01 표, 그림, 그래프, 몸짓 등을 사용하면 자신의 생각을 더 정확하게 전달할 수 있습니다.

02 지층을 이루고 있는 알갱이의 크기와 색깔이 서로 달라 지층에 줄무늬가 나타납니다.

03 물에 녹아 있는 여러 가지 물질이 알갱이들을 서로 붙여 단단한 퇴적암이 됩니다.

04 조개껍데기 자국이 모두 덮이도록 알지네이트 반죽을 붓는 것은 실제 화석이 만들어지는 과 정에서 생물의 몸체 위로 퇴적물이 두껍게 쌓 이는 과정에 해당합니다.

05 오답 풀이 화분에 씨를 심을 때에는 씨 크기의 두 세 배 깊이로 심어야 합니다.

06 옥수수가 싹 틀 때 가장 먼저 나오는 것은 뿌리 입니다. ㉠은 본잎, ⓒ은 떡잎싸개, ⓒ은 뿌리 입니다.

07 여러해살이 식물에는 개나리, 무궁화, 감나무, 사과나무 등이 있습니다.

08 저울을 사용하면 물체의 무게를 정확하게 측정 할 수 있습니다.

09 용수철저울, 가정용 저울, 체중계는 물체의 무 게에 따라 용수철이 일정하게 늘어나거나 줄어 드는 성질을 이용해 만든 저울입니다.

10 무게가 다른 물체로 나무판자의 수평을 잡기 위해서는 무거운 물체를 가벼운 물체보다 받침 점에 더 가까이 놓아야 합니다.
오답 풀이 받침점에 멀리 있는 ⓒ이 ㉠보다 무겁 고, ⓒ을 오른쪽 나무판자의 ③ 위치로 옮기면 나무판자가 오른쪽으로 기울어집니다.

11 사탕수수와 사탕은 모두 혼합물이고, 사탕수수

에서 분리한 설탕에 다른 물질을 섞어서 사탕 을 만듭니다.

12 흙과 재첩을 분리할 때 사용하는 체는 알갱이 의 크기가 다른 혼합물을 쉽게 분리할 수 있는 도구입니다.

13 ㉠ 과정에서 거름종이 위에 모래가 남아 분리 되고, ⓒ 과정에서 물이 증발하고 증발 접시에 소금이 남습니다.

14 풀은 나무보다 키가 작고 줄기가 가늘지만 종류 에 따라 잎이 나무보다 넓고 큰 것도 있습니다.

15 자른 부레옥잠의 잎자루를 물이 담긴 수조에 넣고 손가락으로 누르면 잎자루에 있는 공기주 머니에서 공기 방울이 나와 위로 올라갑니다.

16 사막에서 사는 식물에는 선인장, 용설란, 회전 초, 바오바브나무 등이 있습니다.

17 시험관에 물이 얼기 전과 물이 완전히 언 후의 높이 변화로 물이 얼 때 부피가 증가하는 것을 알 수 있습니다.

18 물이 끓기 전에는 물 표면이 잔잔하고 변화가 거의 없다가 물이 끓을 때에는 기포가 올라와 터지면서 물 표면이 울퉁불퉁해집니다.

19 물이 수증기로 변하는 것을 이용해 가습기를 이용하거나 음식을 찝니다.

20 도자기 컵은 빛이 통과하지 못해 진하고 선명 한 그림자가 생기고, 유리컵은 빛이 대부분 통 과해 연하고 흐릿한 그림자가 생깁니다.

21 빛이 나아가다가 거울에 부딪치면 거울에서 빛 의 방향이 바뀝니다.

22 오답 풀이 화산의 크기와 생김새는 다양하며, 산 꼭대기에 물이 고여 있지 않은 화산도 있습니다.

23 우드록에 계속 힘을 주어 밀어서 우드록이 끊 어질 때 손에 느껴지는 떨림은 실제 자연 현상 에서 지진을 나타냅니다.

24 식물의 잎에서는 기체 상태의 수증기가 공기 중으로 빠져 나옵니다.

25 물 부족 현상을 해결하기 위해서는 목욕 시간 을 줄이고, 빨래는 모아서 합니다.

영어

126~128쪽

01 ②	02 ⑤	03 ②	04 ①	05 ⑤
06 ②	07 ①	08 ③	09 ①	10 ⑤
11 ④	12 ⑤	13 ③	14 ⑤	15 ②
16 ②	17 ⑤	18 ①	19 ②	20 ⑤
21 ③	22 ⑤	23 ④	24 ④	25 ②

듣기 대본

01 B: Good afternoon.
　　G: ① Good morning.
　　　　② Good afternoon.
　　　　③ Good evening.
　　　　④ Goodbye.
　　　　⑤ Good night.
　　풀이 남자아이가 Good afternoon.으로 인사했으므로 여자아이도 Good afternoon.으로 인사하는 것이 알맞습니다.

02 B: How are you?
　　G: ① I'm fine.　　　② I'm great.
　　　　③ No so good.　④ I'm okay.
　　　　⑤ I'm sorry.
　　풀이 How are you?는 '어떻게 지내니?'라는 뜻으로 안부를 묻는 말입니다. 이에 잘 지낸다고 답할 때는 ①, ②, ④로 답할 수 있고, 그저 그럴때는 ③으로 대답합니다. 안부를 묻는 말에 대한 대답으로 ⑤ '미안해.'는 알맞지 않습니다.

03 G: What day is it today?
　　B: It's Tuesday.
　　풀이 오늘이 무슨 요일인지 묻자 화요일이라고 대답했습니다.

04 B: What time is it?
　　G: It's ten o'clock. It's time for bed.
　　풀이 몇 시인지 묻자 10시 정각이고 잠자리에 들 시간이라고 답했습니다.

05 G: Is this your cap, Jinsu?
　　B: No, it's not mine. My cap is blue.
　　풀이 모자가 진수의 것인지 묻는 말에 진수는 그렇지 않고 자신의 모자는 파란색이라고 답했습니다.

06 B: Are you happy, Suji?
　　G: No, I'm not. I'm sad.
　　풀이 행복한지 묻는 말에 수지는 그렇지 않고 슬프다고 대답했습니다.

07 M: ① Close the door, please.
　　　　② Sit down, please.
　　　　③ Open the book, please.
　　　　④ Clean your room, please.
　　　　⑤ Come here, please.
　　풀이 여자아이가 문을 닫고 있는 모습이므로 '문을 닫아 주세요.'라고 지시했을 것입니다.

08 B: Where is my jacket?
　　G: ① It's a chair.
　　　　② It's my jacket.
　　　　③ It's on the chair.
　　　　④ It's under the chair.
　　　　⑤ It's on the jacket.
　　풀이 재킷이 어디에 있는지 물었고, 그림에서 재킷이 의자 위에 놓여 있으므로 ③ It's on the chair.가 알맞습니다.

09 G: What are you doing?
　　B: I'm cooking.
　　풀이 무엇을 하고 있는지 묻자 남자아이가 요리를 하고 있다고 답했습니다.

10 ① G: Open the door, please.
　　　　M: Okay.
　　② G: Is this your bag?
　　　　M: Yes, it is.
　　③ G: Where is the cat?
　　　　M: It's in the box.
　　④ G: How much is that bag?
　　　　M: It's five thousand won.
　　⑤ G: Dad, this is my friend, Sangjun.
　　　　M: Nice to meet you, Sangjun.
　　　　B: Nice to meet you, too.

풀이 여자아이가 아빠에게 친구를 소개하는 모습이므로 여자아이가 '아빠, 이 아이는 내 친구 상준이에요.'라고 하고 여자아이 아빠와 상준이가 서로에게 만나서 반갑다는 인사를 하는 대화 ①이 그림에 어울립니다.

11 B: Are you hungry, Yuna?

　　G: Yes, I am.

　　B: Help yourself.

　　G: Thank you, Jim.

풀이 Jim은 배가 고프다는 유나에게 음식을 마음껏 먹으라고 말했습니다.

12 G: Who is he, Minsu?

　　B: He is my brother.

　　G: What does he do?

　　B: He is a designer.

풀이 여자아이가 민수 형의 직업이 무엇인지 묻자 민수가 디자이너라고 대답했습니다.

13 G: How much is this cap?

　　M: It's five dollars.

　　G: How much is this scarf?

　　M: It's ten dollars.

풀이 여자아이가 스카프가 얼마인지 묻자 남자는 10달러라고 대답했습니다.

14 M: Don't swim here.

　　B: Okay.

풀이 '여기서 수영하지 마세요.'라고 했으므로 대화의 내용에 알맞은 표지판은 ⑤입니다.

15 B: Let's play baseball.

　　G: Sorry, I can't. I can't play baseball.

　　B: Umm.... Let's play basketball.

　　G: Sounds good.

풀이 남자아이가 야구를 하자고 하자 여자아이는 야구를 할 수 없다고 했습니다. 이에 남자아이가 농구를 하자고 제안했고, 여자아이는 좋은 생각이라고 대답했습니다.

16 G: Can you play tennis, Juwon?

　　B: No, I can't.

　　G: Can you play badminton?

B: Yes, I can.

풀이 주원이는 테니스는 칠 수 없고, 배드민턴은 칠 수 있다고 답했습니다.

17 ① G: Can you help me?

　　B: Sure.

② G: Don't run.

　　B: Okay.

③ G: Let's go outside.

　　B: Sounds good.

④ G: Where is my book?

　　B: It's in your bag.

⑤ G: Happy birthday! This is for you.

　　B: Thank you!

풀이 여자아이가 남자아이에게 생일을 축하하며 선물을 주는 모습이므로 여자아이가 '생일 축하해! 이것은 너에게 주는 것이야.'라고 하고 남자아이가 '고마워!'라고 답하는 대화 ⑤가 그림에 어울립니다.

　　풀이

18 여자아이가 울고 있는 모습이므로 sad가 알맞습니다.

19 오후(afternoon)와 밤(night) 사이에 있는 때는 저녁(evening)입니다.

20 '배드민턴'은 badminton입니다.

　　① soccer (축구)　　② tennis (테니스)

　　③ baseball (야구)　　④ basketball (농구)

21 문장이 '그녀는 책을 읽고 있다.'라는 뜻이므로 책을 읽는 여자아이의 모습이 내용에 알맞습니다.

22 밤에 잠자리에 드는 모습이므로 It's time for bed. (잠자리에 들 시간이야.)가 알맞습니다.

23 '듣다'라는 뜻의 낱말은 listen이므로 빈칸에 알맞은 알파벳 t입니다.

24 '가수'는 singer입니다.

25 책이 탁자 위에 놓여 있으므로 책의 위치를 나타내는 표현은 on the table입니다.

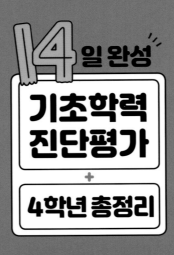

14일 완성

기초학력
진단평가

+

4학년 총정리